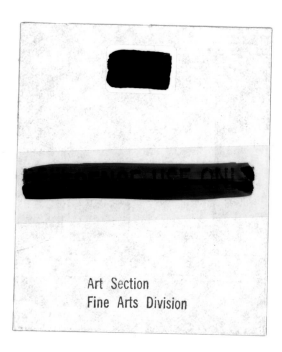

Art Section
Fine Arts Division

1960 LES NOUVEAUX REALISTES

MAM/Musée d'Art Moderne de la Ville de Paris
15 mai - 7 septembre 1986

Musée d'Art Moderne de la Ville de Paris

Conservateur en chef
Bernadette Contensou

M.A.M.

Conservateur responsable
Danielle Molinari

Organisation de l'exposition
Commissariat général
Bernadette Contensou

Commissariat
Sylvain Lecombre, avec la collaboration de Noëlle Réveillaud-Chabert, Conservateurs

Administration
Annick Chemama

Secrétariat
Catherine Gervais
Marie-Anne Maugueret
Colette Bargas

Presse et relations publiques
Dagmar Fregnac

Maquette du catalogue et de l'affiche
Minium

Mise en espace de l'exposition
Régis Protière

Restauration
Jeanne-Laurence Guinan

Ont aussi apporté leur concours à la réalisation de cette exposition : l'Atelier des œuvres d'art de la Ville de Paris, le Bureau de la Photographie ainsi que l'équipe technique du Musée d'Art Moderne.

Cette exposition est placée sous la responsabilité de la Direction des Affaires Culturelles de la Ville de Paris.
Elle a été financée par l'Association Paris-Musées avec la participation de la Société des Amis du Musée d'Art Moderne de la Ville de Paris.

Nous exprimons notre plus vive reconnaissance aux artistes, aux Musées, aux galeries, aux collectionneurs grâce à qui cette exposition a pu avoir lieu :

Wilhelm-Lehmbruck Museum, Duisburg
Musée d'Art et d'Histoire, Genève
Louisiana Museum of Modern Art, Humlebaek
Kaiser Wilhelm Museum, Krefeld
Städtische Kunsthalle, Mannheim
Städtisches Museum Abteiberg, Mönchengladbach
Museum of Modern Art, New York
Rijksmuseum Kröller-Müller, Otterlo
Fonds National d'Art Contemporain, Paris
Musée National d'Art Moderne, Centre Georges Pompidou, Paris
Museum Boymans van Beuningen, Rotterdam
Musée d'Art et d'Industrie, Saint-Etienne
Moderna Museet, Stockholm
Musée de Toulon
Museum Moderner Kunst, Vienne

Galerie Beaubourg, Marianne et Pierre Nahon, Paris
Galerie Claudine Bréguet, Paris
Galerie de France, Paris
Galerie Samy Kinge, Paris
Galerie Leger, Malmö
Galerie Reckermann, Cologne
Galerie Micheline Szwajcer, Anvers
Galerie Patrice Trigano, Paris
Galerie Sonia Zannettacci, Genève

Arman, New York
Monsieur Attilio Bastianini, Turin
Monsieur Sergio Bilotti, Rome
Monsieur Robert Calle, Paris
Madame Colette de Charnières, Paris
Madame Ginette Dufrêne, Paris
Monsieur et Madame Durand-Ruel, Paris
Monsieur Eric Fabre, Paris
Monsieur Raymond Hains, Paris
Monsieur Pontus Hulten, Paris
Madame Madeleine Keller-Guignard, Zürich
Madame Rotraut Klein-Moquay, Arizona
Madame Marie-Louise Lafond, Paris
Monsieur Marcel Lefranc, Paris

Madame Maria Eugenia Le Noci, Milan
Madame Graziella Lonardi Buontempo, Rome
Monsieur et Madame Roger Mazarguil, Paris
Madame Jackie Monnier, Paris
Monsieur Charles de Montaigu, Genève
Monsieur René de Montaigu, Paris
Monsieur Daniel Moquay, Arizona
Monsieur et Madame Henri-Georges Müller, Paris
Monsieur Yehuda Neiman, Paris
Monsieur Pierre Restany, Paris
Madame Ronchese, Nice
Monsieur Mimmo Rotella, Milan
Monsieur Jan Runnqvist, Genève
Monsieur Henri Rustin, Paris
Monsieur Elie-Pierre Sabbag, Paris
Madame Niki de Saint-Phalle, Paris
Monsieur Arturo Schwarz, Milan
Monsieur René-Jean Ullmann, Paris
Monsieur et Madame Van der Marck, Miami
Monsieur Ben Vautier, Nice
Monsieur Jacques de la Villeglé, Paris

Nous remercions aussi ceux qui, sous diverses formes (assistance, communication d'informations, prêt de documents), ont apporté leur concours à cette exposition :
Monsieur Markus Baldegger, Cologne ; Madame Dominique Chenivesse, Paris ; Madame Iris Clert, Paris ; Madame Jeanne-Claude Christo, New York ; Madame Ginette Dufrêne, Paris ; Madame Denyse Durand-Ruel, Paris ; Monsieur Mathias Fels, Paris ; Monsieur Michel Imbert, Paris ; Monsieur Hugues Joffre, Londres ; Madame Jana Körting (galerie Bruno Bischofberger), Zürich ; Madame Christine Le Chanjour, Nice ; Monsieur Marcel Lefranc, Paris ; Madame Maria Eugenia Le Noci, Milan ; Monsieur Rainer-Michael Mason, Genève ; Monsieur André Morain, Paris ; Monsieur Yehuda Neiman, Paris ; Madame Jeanine Restany, Paris ; Monsieur Jean-Marie Rossi, Paris ; Monsieur Mimmo Rotella, Milan ; Monsieur Arturo Schwarz, Milan ; Monsieur Harry Shunk, New York ; Monsieur Daniel Spoerri, München ; Monsieur Jacques de la Villeglé, Paris ; Monsieur Jan Voss, Paris ; Monsieur Charles Wilp, Düsseldorf.

Des remerciements particuliers doivent être adressés à Pierre Restany pour son intérêt de la première heure, sa confiance, sa constante sollicitude.

Sommaire

Avant-propos

Bernadette Contensou

En 1959 a lieu la première Biennale Internationale des Jeunes Artistes, plus connue sous le titre de Biennale de Paris. La manifestation naissante s'installe au Musée d'Art Moderne — qui n'existe pas encore en tant qu'institution — dans des salles mises à sa disposition par la municipalité parisienne. Ces salles sont alors, à longueur d'année, l'apanage des différents Salons que Paris abrite, souvent pour le pire, parfois, s'agissant de certains d'entre eux, pour le meilleur. Apanage triste et délabré. Mais, pour et par la Biennale, des installations provisoires, structures légères, vélum, éclairage rénové, lui redonnent un air de jeunesse pour accueillir la jeunesse.

La participation française est constituée de diverses sections. L'une d'elles s'intitule : « Les jeunes critiques ont choisi... ». Parmi ces jeunes critiques se trouve Pierre Restany. Parmi les jeunes artistes retenus par lui, Klein avec un monochrome bleu et Tinguely avec son *Méta-matic* géant n° 17. Dans la salle dite des informels, organisée par le peintre Georges Noël : Hains avec sa *Palissade des emplacements réservés*, Villeglé et Dufrêne avec des affiches lacérées ou leurs envers. Le noyau des Nouveaux Réalistes — ils se constitueront en groupe l'année suivante — est déjà dans nos murs. Il y provoque stupeur joyeuse ou réprobation choquée. Quoi qu'il en soit, ces jeunes artistes sont bien là et certains de leurs camarades y viendront dans les années qui suivent. En 1961, pour la deuxième Biennale, Arman expose une « accumulation-poubelle » — par laquelle il stigmatise « l'envahissement de nos secrétions industrielles » — et, dans le même esprit, Martial Raysse une *Hygiène de la vision,* assemblage d'objets en matière plastique. En 1963, troisième Biennale. Quatre représentants du groupe sont présents. Christo montre une moto empaquetée, Deschamps propose un « draping », *Les Fleurs de la plaine Saint Denis,* Niki de Saint-Phalle un relief annonçant ses célèbres Nana et Spoerri l'un de ses « détrompe-l'œil », montage sur fond d'œuvre classique. Mais aussi, en 1960, on a vu au Salon de Mai, au lieu des sculptures annoncées dans le catalogue, trois voitures compressées par César. La même année, le Salon Comparaisons a confié à Dufrêne le soin d'organiser une salle des Nouveaux Réalistes, ce que fera Villeglé pour le même Salon à partir de 1961. Comparaisons encore : en 1963, le Salon accueille une œuvre réalisée conjointement par Christo et Hains. Baptisée par Christo, c'est *l'Emballage du Néo-Dada en bois de palissade,* alors que Hains l'appelle le *Néo-Dada emballé ou l'art de se tailler en palissade.*

C'est ainsi que nos salles s'honorent d'avoir, pour une modeste part, contribué à la naissance et à la vie du groupe. Il était donc naturel que ce soit, à Paris, notre musée qui raconte quelque vingt ans après, l'histoire des Nouveaux Réalistes[*], en y ajoutant, bien sûr, Rotella dont Restany a découvert, à Milan, une autre utilisation des affiches et qui se joint au groupe dès 1960.

L'exposition telle que nous l'avons souhaitée avec Sylvain Lecombre entend replacer le mouvement dans sa perspective historique et dans son action collective. Elle ne va donc pas au-delà de 1963. Après cette date, chacun des artistes, réunis un temps, a creusé le sillon qui avait fait son originalité au sein du groupe et a suivi sa propre voie. Tout le monde connaît les réalisations spectaculaires de certains d'entre eux. Investissant la rue et l'espace, ils ont sensibilisé le plus vaste public à cette nouvelle appréhension de notre monde, de cette « nature moderne » ainsi que l'appelle Pierre Restany. Certaines œuvres, par contre, sont antérieures à 1960, date officielle de la naissance du groupe et de son premier manifeste. Leur présence était nécessaire pour montrer d'où vient le mouvement, comment et pourquoi il est né. La génération spontanée n'existe pas plus en art que dans la nature. Il faut rencontre d'idées et sensibilité commune pour fertiliser un terrain, fût-il propice.

Nous avons donc réuni les treize artistes qui ont participé à l'aventure. Ce faisant, nous aimerions souligner, à travers la diversité et la richesse des personnalités, le lien subtil qui a permis de les rapprocher dans une démarche commune que Pierre Restany définit comme « l'appropriation du réel ». Sortir de son contexte le quotidien le plus banal pour le donner à voir, ce geste d'« inventeur » dans son sens le premier, de découvreur, Spoerri le revendique ouvertement : « Ne voyez pas ces tableaux-pièges comme de l'art... Ils dirigent le regard vers des régions auxquelles généralement il ne prête aucune attention, c'est tout ». Hains et les affichistes ne font rien d'autre en soulignant la poésie urbaine des palissades et des affiches lacérées par des mains anonymes. Et guère plus Tinguely et ses moteurs, sauf à introduire une dimension humoristique ou dérisoire, Niki de Saint-Phalle et ses « Tirs à la carabine » qu'actionne, à côté de l'artiste, le spectateur comme il le ferait dans un stand de foire, Arman et Raysse avec leurs assemblages, Deschamps en accumulant les vêtements et les tissus, Christo et ses murs de bidon ou ses emballages d'objets qui en soulignent l'existence en prétendant la nier, César quand il s'empare des compressions industrielles. Que dire enfin de Klein, apparemment le plus éloigné de ce type de préoccupation et peut-être, en réalité le plus proche par l'ampleur du propos. En livrant sa toile aux intempéries ou à l'empreinte du corps humain, son ambition est, il le dit lui-même, « d'extraire et d'obtenir la trace de l'immédiat dans les objets naturels », comme en couvrant uniformément la toile du bleu qui est devenu le sien, il exalte son « sentiment d'identification complète avec l'espace ».

L'histoire des Nouveaux Réalistes n'a pas duré plus de trois ans. Mais, orientée vers des recherches diamétralement opposés à l'esthétique dominante de l'époque, elle était porteuse d'avenir et, à ce titre, devait s'inscrire dans l'Histoire. Il n'a guère fallu plus de temps aux Fauves et aux Cubistes pour marquer de leur sceau l'art du siècle naissant. Les Nouveaux Réalistes ont contribué à fermer certaines portes, à en ouvrir d'autres. Alors que l'art abstrait s'essoufflait jusqu'à n'être plus qu'un goût, avec eux, le réel faisait une irruption nouvelle dans l'expression plastique, jetant dans l'aventure toute la force du concret le plus tangible. Relayant Dada dans ce geste, ils s'ancraient à la matérialité la plus quotidienne, à l'objet le plus communément répandu, à la vie de chacun, à l'espace de tous et devaient dans ce domaine être amplement suivis.

Bernadette Contensou.
Conservateur en chef.

(*) Les Musées de Nice, sous la direction de Claude Fournet, ont organisé la première exposition rétrospective des Nouveaux Réalistes en 1982.

La prise en compte réaliste
d'une situation nouvelle

Un entretien avec Pierre Restany

Quand le Nouveau Réalisme commence-t-il ?

Je ne peux vraiment répondre à cette question qu'à partir du développement de ma propre réflexion active sur l'art de mon époque au cours des années cinquante. Le Nouveau Réalisme commence pour moi le jour où, après m'être lancé à corps perdu dans le débat polémique sur l'art abstrait et, plus précisément, dans l'art abstrait lyrique, j'ai compris peu à peu que ce qui en assurait la continuité sous l'appellation tachiste ne correspondait qu'à la nostalgie d'un passé immédiat marqué par la guerre. Entre 1956 et 1957, en réunissant un groupe de peintres sous le titre *Espaces imaginaires,* j'ai essayé moi-même de tirer la leçon de cette grande vague du tachisme mais je me suis aperçu que ce que je faisais était un anachronisme. Continuer dans la perspective linéaire de l'abstraction lyrique n'était pas une fin en soi. Il fallait au contraire en fermer la porte.

Le pressentiment d'une usure physique de la peinture gestuelle entretint chez moi le doute et la réflexion. Par ailleurs, la survie d'une peinture narrative issue de la peinture de tradition française, entretenue par l'apport de Cobra et qui pouvait prendre l'aspect d'une peinture des bons sentiments politiques me mit en éveil : les éléments de la routine visuelle se mettaient en place. C'est alors que j'ai éprouvé le besoin de ressentir mon époque. Le fait d'avoir travaillé dans divers cabinets ministériels m'a procuré une position favorable pour sentir battre le pouls de la nation et de ses structures productives. La fin des années cinquante, c'est la fin de la période de reconstruction, le début du boom économique, l'amorce de la grande aventure technologique de l'espace. La IVᵉ République, telle que j'ai pu la sonder à partir de mon strapontin d'observateur a vécu pleinement la relance économique et sociale en même temps qu'elle a connu le poids de la présence politico-économique des Etats-Unis. Ces deux paramètres ont créé une véritable accélération de l'histoire et, à l'époque, la fermentation intellectuelle et artistique se développait avec une ampleur paroxystique comparable à l'agitation politique.

Cette expérience simultanée dans deux secteurs a créé en moi le besoin de rencontrer des artistes qui ne soient plus les anciens combattants d'une cause dépassée ou les bavards opportunistes d'un discours rhétorique mais des hommes libres et ouverts aux grandes options de leur temps. Ces options, ce n'était plus l'engagement rétroactif dans un art d'évasion ou dans des pirouettes linguistiques ou narratives mais la prise en compte *réaliste* d'une situation nouvelle qui était celle de la nation française mais aussi de tout l'occident industrialisé.

En un mot, j'ai opté pour l'optimisme qui me paraissait la fibre latente du moment, contre le pessimisme de l'immédiat passé, le culte des souvenirs. Cette notion diffuse, qui se traduisait par un phénomène d'attente avait été confortée chez moi par des symptômes avant-coureurs, des rencontres.

Celle de Klein est évidemment la plus décisive. C'est à Arman, que je connaissais depuis 1953, que je la dois. C'est lui qui, en 1955, a en effet conseillé à Klein de venir me trouver quand il ne savait pas à qui demander une préface pour son exposition à la galerie Allendy.

Très vite, j'ai compris que ce qui me fascinait chez lui, c'était le réalisme dans l'utopie, dans le mythe, le côté pragmatique d'une intuition fondamentale. La grande puissance émotionnelle de Klein le rendait extrêmement sensible au phénomène de l'énergie cosmique en libre diffusion dans l'espace. Celui qui pouvait fixer cette énergie, s'en rendre maître, devenait maître de la communication et du langage. Cette équation schématique qui résume la présence de Klein au monde, je l'ai ressentie de façon radicale, déterminante et presque transcendante. Elle rejoignait ce qui me paraissait être l'affectivité émotionnelle de toute une époque en transition et que je voyais s'édifier sous mes yeux. Ce pouvoir d'imprégnation énergétique était contagieux et c'est à ce contact que je me suis libéré de toutes mes références et de mes points d'attache traditionnels. Klein m'a appris à penser plus grand, à voir plus loin, à sentir plus profond.

J'ai eu la chance de vivre avec Klein toute une série de moments décisifs dans le champ créateur d'une pensée poétique et mystique. En effet, l'œuvre de Klein s'est présentée d'emblée comme une succession d'étapes, chacune correspondant à un fragment d'une vérité globale. C'est cette révélation progressive de la vérité chez Klein qui a donné à son œuvre son ordonnance classique, sa logique interne. La rencontre de Klein fut donc une grande expérience pour moi, une libération, la réponse à mes doutes, la cristallisation de mes intuitions, le passage à une autre dimension de la sensibilité.

Je pense que ce que je lui ai apporté, à lui qui n'était pas un homme du verbe bien qu'il en ait eu souvent le souffle, c'est la possibilité de fixer à travers des concepts et leurs labels les unités morphologiques de son lexique. Il avait besoin de ce support lexicologique. Il se servait des mots comme de briques pour construire l'usine de ses songes et le laboratoire de ses intuitions.

Une fois accomplie la rencontre, tout s'ordonne selon un ordre analogique et métaphorique. Tout devient la métaphore du réel dans lequel je vis et que je ressens à un niveau de synthèse plus élevé. La puissance intuitive de Klein qui s'exerçait tous azimuts m'a fait regarder autour de moi. J'ai déjà parlé d'Arman qui, vers l'époque où il me fait rencontrer Klein, expose à la galerie du Haut-Pavé ses premiers *cachets* par lesquels il inaugurait son geste accumulatif en saturant de ces marques administratives des feuilles de papier. Je lui ai conseillé alors de ne pas s'en tenir au format de la feuille de papier machine et d'étendre son geste à de plus grands espaces. Ce fut le début de sa démarche appropriative qui le conduisit aux allures, aux poubelles, aux accumulations tout-venant, au *Plein*, etc...

Ceux qui glanaient les « entremets des palissades » ou les lambeaux de la « France déchirée » commencèrent aussi à me fasciner parce que leur action de collecte prenait pour moi un nouveau sens. Ils m'ont rendu attentif à cette peau des murs des grandes villes : Paris et Rome où j'étais le correspondant d'un hebdomadaire et où j'ai rencontré Rotella en 1957. A Paris, Hains, éternel piéton, nomade nocturne était en quelque sorte le druide de ce rituel du *Lacéré anonyme,* expression de Villeglé. Ce que Hains et Villeglé m'ont donné à voir, c'est le monde comme un tableau. Comme un tableau dont le pouvoir poétique ne se limitait pas à telle ou telle analogie stylistique. Ce tableau pouvait être cubiste, il prenait parfois des airs matissiens ou avait des envolées tachistes sans compter certains jeux de mots dus au hasard des lacérations. C'est par cette approche d'une esthétique ready-made ou d'une sociologie de l'image urbaine que s'est d'abord effectuée ma rencontre avec les « affichistes ». Il s'agissait d'une démarche appropriative d'un secteur spécifique de la réalité urbaine : l'affiche. Ce phénomène d'appropriation du monde de la rue rejoignait l'intuition générale de Klein et le processus accumulatif d'Arman.

En 1958, avec son exposition du *Vide,* Klein présente déjà un bilan-charnière de son expérience monochrome. A un certain niveau de perception de l'énergie, sa fixation sur le pigment coloré devient superfétatoire. L'énergie cosmique, si elle a été fixée par la couleur pure peut aussi retourner à l'infini de ses origines, c'est-à-dire à l'espace libre. L'important est que l'artiste qui s'en est rendu maître un temps en garde la trace et en signale la marque. C'est en étant locataire de l'énergie que l'on peut conclure avec elle le vrai contrat de créativité.

C'est la leçon fondamentale que Tinguely a tiré de la manifestation du *Vide.* Il s'était fait connaître auparavant comme un des protagonistes de l'art du mouvement, un groupe d'artistes cinétiques, de formation abstraite géométrique, réunis autour de la galerie Denise René. Klein l'a rendu sensible au concept énergétique pur. Dès lors, le moteur de ses sculptures n'est plus une chose formellement inutile et qu'il faut cacher. Reconnu comme organe majeur, cœur de l'organisme, il est mis à nu. Il va devenir le catalyseur caractériel de ses œuvres. Leur exposition commune en 1958, dont je vis intensément la charge affective, est une étape importante. Des disques bleus de Klein sont animés à des vitesses différentes par des moteurs de Tinguely. Deux *perforateurs* sur trépied animent de leur rythme tressautant des disques de Klein. *L'excavatrice d'espace* est l'ancêtre de toute la série de sculptures-portraits de Tinguely, sculptures caractérielles dont la « psychologie » varie avec l'intensité du moteur, la relative complexité des éléments qui les composent. Je suis alors de plus en plus persuadé que ces artistes ont quelque chose à dire en commun, quelque chose qui correspondait à la nouvelle situation psycho-sociologique et socio-économique du moment.

Le terme Nouveau Réalisme apparaît dans votre texte d'avril 1960 qui servit de préface à l'exposition d'Arman, Dufrêne, Hains, Klein, Tinguely et Villeglé à la galerie Apollinaire de Milan. Y a-t-il eu concertation, avec Klein notamment, ou avec d'autres, sur ce terme ?

Avec Klein seulement et sans doute en présence d'Arman. Nous étions d'accord sur cette notion que le réalisme signifie le retour à une vision concrète du monde réel. Le Nouveau Réalisme, c'était remettre les pieds sur terre. C'était cela la vraie question. La guerre nous avait traumatisé, l'art abstrait était considéré par nous comme un art d'évasion qui ne voulait pas figurer ce monde. Mais pour nous, cette époque était finie. Ce monde, il fallait l'assumer en tant que tel et c'était un monde de plus en plus riche, de plus en plus fécond en motivations, plein de sources virtuelles de langage. Tous les rêves étaient permis. Le

fait de rêver, c'était tout simplement le fait d'exister. Il n'y avait pas de différence entre le rêve et la réalité. La fiction, c'était la super-réalité.

Klein voulait parler de *réalisme d'aujourd'hui* mais ça n'était pas un label très opérationnel. Il ne l'a pas défendu très longtemps et on y a substitué le *Nouveau Réalisme.*

Personne alors n'a vraiment prêté attention au fait que le nouveau réalisme était la périphrase prudente que les communistes français avaient employée pour camoufler leur adhésion aux consignes de Jdanov et au réalisme socialiste.

Le Nouveau Réalisme, pour moi, a cependant bien été une allusion synthétique à l'histoire du réalisme. Le genre réaliste est toujours la métaphore d'un pouvoir. Dans une époque de consommation, de boom économique et d'aventure technologique, Nouveau Réalisme voulait dire aussi qu'il existait des artistes capables d'assumer la métaphore du pouvoir de la société de consommation. L'étiquette était doublement chargée de sens.

Dès cette préface d'avril 1960, vous situez le Nouveau Réalisme à « quarante degrés au-dessus de Dada ». Ce sera aussi le titre de la première exposition des Nouveaux Réalistes à la galerie J en 1961. Quelle était la signification exacte de cette expression ?

C'est Duchamp qui, le premier, a procédé au baptême artistique de l'objet. En 1913, le premier *ready-made* est une roue de bicyclette. En choisissant cet objet, Duchamp détruit le tabou du tout fait main. Il nous fait voir la beauté dans l'article industriel de série. Ce geste est un geste moral. Avec Duchamp, l'esthétique bascule dans l'éthique. L'artiste, parce qu'il assume son rôle dans une société donnée a des devoirs de qualité, de sensibilité mais aussi des droits : sa liberté de regard lui permet de déclarer où se trouve l'esthétique, la beauté, l'art. Duchamp n'en a fait qu'un problème moral, les Nouveaux Réalistes en ont fait un langage. C'est là qu'on passe à *quarante degrés au-dessus de Dada.* C'est la fièvre de l'imagination quantitative par rapport à la raison froide de Dada. Si on considère le Nouveau Réalisme comme la métaphore du pouvoir de la société de consommation, c'est alors que le concept du ready-made change de fonction. Ce n'est plus le simple baptême moral de l'objet, c'est ce que ce baptême implique comme action pratique et comme phénomène de langage.

Comment expliquez-vous la réaction assez négative vis-à-vis de Dada, notamment de la part de Klein ?

Je crois que certains nouveaux-réalistes voyaient Dada à travers la déformation qu'en avait faite les surréalistes. Le Surréalisme faisait écran. Dès 1924, en effet, Breton en proclamant l'après-Dada, avait voulu bâtir sur la table rase. Dada était donc devenu pour eux une référence ambiguë d'autant plus qu'elle avait servie à Michel Tapié à propos de l'abstraction lyrique. La réticence principale a été effectivement celle de Klein. Il voyait dans Duchamp une sorte de point de non-retour de l'art, une ironie intellectuelle, une réduction à zéro des valeurs. Il n'a admis qu'à la fin de sa vie, au début de 1962, qu'il y avait, chez Duchamp, non seulement un aspect réaliste mais qu'il s'était approprié l'énergie et que leur parenté se situait à un niveau cosmique.

Pour moi, la référence à Dada ne faisait pas des Nouveaux Réalistes des néo-dadaïstes mais des artistes qui avaient poussé jusqu'au bout la préfiguration de la métaphore de la société de consommation qui existait à l'état latent dans le ready-made. J'ai vu dans Dada le côté positif, la possibilité de créer un langage fondé sur la beauté du monde industriel d'aujourd'hui, d'où ma théorie de la nature moderne, industrielle et urbaine. Le milieu dans lequel on vit ne doit plus être considéré comme opprimant, prolétarisant, négatif mais comme une source d'affectivité, de beauté, d'expression poétique. C'est la « révolution du regard » dont parle Alain Jouffroy, mais sans les connotations d'une idéologie romantique plus ou moins libertaire.

Dufrêne a parlé d'archi-made.

C'était un jeu de mots mais ça voulait dire aussi que le ready-made était fait archi-fois, assumé archi-fois. Je crois que cela allait dans le sens de ce que je pensais.

Vous avez rappelé la référence que Michel Tapié a faite à Dada. Il est significatif à cet égard que l'on assiste après la seconde guerre mondiale à un renouveau de Dada. Evidemment, dans la mesure où le Nouveau Réalisme a fait de l'appropriation de l'objet son principal mode d'expression, il semble plus directement lié, par le ready-made, à l'un des aspects les plus significatifs de Dada que ne le sont les peintres abstraits lyriques. A propos, d'ailleurs, de cette abstraction lyrique, ne peut-on pas penser qu'elle a ouvert d'une certaine façon la voie au Nouveau Réalisme par l'importance qu'elle a accordée au geste, au comportement, par sa tendance au vide dont le réel pouvait prendre le relais ?

Dada est né de la réaction d'intellectuels et d'artistes devant l'absurdité de la première guerre. C'est aussi après une autre guerre, peut-être plus traumatisante encore, que Michel Tapié a repris dans Dada l'idée de la table rase pour justifier les nouveaux comportements picturaux, gestuels en particulier, en les plaçant hors de toute autre référence antérieure.

Pour ce qui est des rapports entre l'abstraction lyrique et le Nouveau Réalisme, il faut bien voir que les nouveaux réalistes ont manifesté une volonté de rupture. Ils ne se sont pas reconnus dans leurs aînés. Les machines à peindre de Tinguely sont des caricatures cinglantes de la peinture gestuelle. Hains avec ses affiches et ses tôles a fait des tableaux abstraits ready-made, Niki de Saint-Phalle, du dripping à la carabine.

Une même attitude critique vis-à-vis de la peinture abstraite lyrique et informelle les a rapprochés. Toutefois, une filiation historique existe, ne serait-ce qu'à travers Camille Bryen qui, avant de devenir l'un des fondateurs de l'informel en 1947 avait assumé dix ans plus tôt dans l'*Aventure des objets* une démarche directement appropriative du réel. Je dois pour ma part beaucoup à la réflexion lumineuse de Mathieu sur le geste et j'ai beaucoup

d'estime pour la première partie de son œuvre, quand il établit les fondements épistémologiques d'une peinture gestuelle, pour sa morale du geste, son sens précis de l'espace-temps. Entre Klein et Mathieu, il ne pouvait y avoir pourtant qu'une opposition totale. Elle s'est manifestée lors de la séance publique des *Anthropométries*, à la Galerie Internationale d'Art Contemporain, le 9 mars 1960, où Mathieu était présent. Pour Mathieu, la finalité du geste, c'est un réseau clair de communication, un lexique structuré. Pour Klein, chez qui le geste d'imprégnation bleue peut tout aussi bien s'opérer par transfert, par des *pinceaux vivants,* c'est le retour à la source-mère : la diffusion totale dans l'anonymat, l'infini, l'immatériel.

Chez Arman, le filon gestuel est clair : des cachets aux allures, des allures aux accumulations, des accumulations aux colères et aux coupes. Il est vrai que le langage de tous les nouveaux réalistes a un fondement gestuel : le geste de l'arracheur d'affiches, le geste délégué par la machine chez Tinguely, l'empaquetage chez Christo, le piégeage chez Spoerri, la compression et l'expansion chez César, etc.

L'après-guerre nous a donné une définition gestuelle de l'acte de peindre. Klein déclenche la transition vers un geste de comportement qui traduit une volonté d'appropriation de tel ou tel aspect du réel.

Nous n'avons pas encore parlé des artistes qui s'associent au Nouveau Réalisme à partir du 27 octobre 1960, le jour de la constitution du groupe et de ceux qui le rejoignent par la suite.

Celui qui a beaucoup contribué à l'accélération du mouvement c'est César. Le fait que ce sculpteur déjà reconnu et avec qui j'étais en contact étroit depuis deux ans, participe brusquement à cet esprit nouveau qui était le nôtre en exposant au Salon de Mai de 1960 trois automobiles compressées alors qu'on s'attendait à une nouvelle démonstration de son talent de soudeur a été un événement déterminant. On prit alors plus au sérieux des démarches qui avaient surtout suscité jusque-là de l'ironie dubitative. César a développé l'aspect nouveau réaliste de son œuvre avec le sens profond de la matière qui caractérise son talent. Aux compressions d'automobiles ont succédés les moulages géants *(Pouce, Sein)* et les expansions du polyuréthane en coulées. Avec le langage quantitatif, c'est l'homo ludens qui parle en lui. Mais l'homo faber, l'ouvrier sensuel de la forme est toujours présent chez César et sa manifestation récente nous a valu un chef-d'œuvre de la statuaire de tous les temps, le *Centaure-Hommage à Picasso*.

Comme je l'ai déjà dit, j'avais rencontré Rotella à Rome. Comme Dufrêne, il avait poussé très loin l'éclatement du langage et, sans connaître les « affichistes » parisiens, il avait aussi utilisé le matériau urbain de l'affiche, et en avait exposé le produit à Rome dès 1954. Rotella est celui qui a exploité le plus à fond l'entier domaine de l'affiche et du visuel publicitaire sous toutes ses formes. César et Rotella que j'avais invités n'étaient pas présents le 27 octobre. Ce jour-là, Tinguely est venu avec Spoerri, Arman avec Raysse que Klein a imposé, au risque de faire éclater le groupe dès sa constitution. Raysse, en effet, faisait encore à cette époque des fétiches plus ou moins surréalisants et son entrée a été très discutée. Il est allé par la suite jusqu'au bout du jeu de l'objet dans la société de consommation et, en ce sens, a été le plus proche du pop art. 1968 sera pour lui une période de remise en question. En pleine gloire, il s'orientera dans une toute autre direction et disparaîtra même volontairement pendant quelque temps de la scène artistique.

Quant à Spoerri qui fut l'assistant de Tinguely, il vivait alors dans des conditions très précaires et ses premiers tableaux-pièges, belle idée poétique, ont été d'abord une théâtralisation, une métamorphose de sa misère. Ceux qui ont rejoint le groupe par la suite l'ont fait tout autant en fonction de leurs affinités personnelles que des opportunités que je leur ai ménagées dans le calendrier de l'action collective. C'est ainsi qu'un peu plus tard sont venus Niki de Saint-Phalle qui a surtout contribué au Nouveau Réalisme par ses tirs et ses reliefs d'objets, Deschamps, très lié à Hains, dont l'apport le plus spécifique, au-delà des chiffons, sont ses objets trouvés : bâches de signalisation et plaques de blindage, enfin Christo que j'ai été le premier à connaître quand il est arrivé à Paris. On sait jusqu'où l'a conduit son geste d'empaquetage.

Un fait marquant dans l'histoire du Nouveau Réalisme c'est la rencontre avec les artistes américains connus sous le nom de néo-dadaïstes. Comment s'est-elle faite et quelle différence existe-t-il entre les deux mouvements ?

Néo-dadaïstes et nouveaux réalistes sont de stricts contemporains. Ils ont partagé des préoccupations communes et ont développé des liens d'amitié, rétablissant ainsi un dialogue Europe-U.S.A. qui avait été rompu par la « guerre » des marchés. Quand Paris perd cette « guerre » au début des années soixante, ce sont ces artistes qui se rencontrent et exposent ensemble. Entre 1959 et 1961 ont lieu à Paris les premières expositions de Johns, de Stankiewicz et de Rauschenberg. Lors de la Biennale de Venise de 1958 où le « jeune art international » était représenté, j'avais été extrêmement frappé par la cible, le drapeau américain, l'alphabet que Johns avait envoyés. Jean Larcade qui m'accompagnait prend contact en septembre avec son marchand new-yorkais et le présente à Paris l'année suivante. En 1961, j'organise dans sa galerie l'exposition *Le Nouveau Réalisme à Paris et à New York*.

La différence essentielle entre nouveaux réalistes et néo-dadaïstes réside dans le fait que ces derniers ont introduit l'objet trouvé, le ready-made de Duchamp, dans un contexte pictural expressionniste abstrait alors que les nouveaux réalistes ont eu une attitude de rupture plus radicale avec ce qui les avait précédé, ont fondé leur langage sur un geste plus extrémiste : l'appropriation directe du réel. Les néo-dadaïstes incarnent le moment de pleine maturité de la culture industrielle aux U.S.A. Les nouveaux réalistes découvrent avec la nature urbaine le choc d'une rupture, l'élan d'un regain de jeunesse dans la sensibilité européenne.

Des néo-dadaïstes au pop art il y a une continuité évidente. Que se passe-t-il pour le Nouveau Réalisme quand le mot « pop » apparaît ?

Le terme pop art, emprunté au critique anglais Lawrence Alloway qui l'avait employé dans un autre contexte et pour d'autres artistes, est propagé par les critiques américains à partir de 1962. Il s'applique à une nouvelle génération d'artistes qui se substituent aux néo-dadaïstes dans l'exposition *The New Realists* que Sidney Janis organise à New York cette année-là.

Ces pop-artistes ne se contentent pas d'intégrer l'objet dans un contexte esthétique préexistant, ils introduisent une thématique qui tend à refléter la situation américaine de l'époque. C'est une grande poussée folkloriste, naturaliste, qui se situe dans la continuité du grand courant réaliste américain. On peut considérer le Pop comme un retour au réalisme localiste traditionnel à l'Amérique. Mais la situation était nouvelle. L'Amérique représentait désormais un modèle de vie pour le monde entier et le terme pop, en s'étendant à la musique, à la mode, a correspondu à tout un mode de vie de la jeunesse. La France, en 1962-1964, n'a pu qu'admettre l'hégémonie américaine, la victoire et ce pays dans la lutte des marchés. Ce fut la chute de l'Ecole de Paris, cette machine de guerre stylistique, de plus en plus défensive, que quelques grandes galeries parisiennes avaient construite. La France a passé la main avec regret alors qu'elle n'admettait encore qu'avec une grande réticence la vision du monde des Nouveaux Réalistes. Cette situation n'a pas permis au label nouveau réaliste d'être défendu comme il se devait par rapport au pop art. Il y a eu une invasion de ce terme et surtout du concept et du modèle de vie qu'il désignait. Le Nouveau Réalisme est devenu, dans ces conditions, une variante européenne du pop art alors que beaucoup de choses les distinguaient. L'intervention du compromis artistique, chère au pop est, dans le Nouveau Réalisme, réduite à zéro. C'est le regard qui crée l'œuvre et en assume la moralité esthétique totale.

On ne voit pas toujours bien ce qui peut réunir Yves Klein qui a mis en avant la notion d'immatériel et la plupart des autres Nouveaux Réalistes qui se sont attachés à l'objet, se sont même identifiés à lui.

Le Nouveau Réalisme est effectivement un phénomène d'exaltation métaphorique de l'objet. C'est ce qui le caractérise. C'est en s'emparant de l'objet qu'il a pu se placer sur un autre terrain que celui de la peinture et refléter la structure socio-économique et culturelle de son époque. Le Nouveau Réalisme est une vision du monde où l'objet a une place centrale. C'est une volonté délibérée de prendre dans ce que produit la société industrielle et urbaine tous les éléments d'inspiration, toutes les motivations de langage. Mais on peut considérer que le pigment pur c'est aussi l'objet. L'immatériel, c'est un sur-objet, c'est l'énergie. Klein a permis aux Nouveaux Réalistes de vivre leur vie au niveau de l'accusatif de relation, de la partie prise pour le tout. Le tout, c'était Klein et chacun avait des parties.

Un certain nombre de nouveaux réalistes, Dufrêne, Hains, Rotella, Spoerri, notamment, ont accordé beaucoup d'importance au verbe. Faut-il y voir une autre dimension du Nouveau Réalisme ?

Le rapport de Rotella au verbe est un cas un peu à part, bien qu'il présente de multiples analogies avec les recherches de la poésie sonore. Si Dufrêne, avec l'ultra-lettrisme rejoint une rhétorique transgressive de la profération, Rotella demeure plus proche des vocalises du bel canto : ses poèmes phonétiques combinent l'allitération verbale et l'émission rythmique de sons modulaires désarticulés.

Dufrêne avait une profonde expérience poétique et une réelle maîtrise de la structure du langage. Au contact de Hains et de Villeglé, il a découvert les affiches, et plus exactement leurs dessous, qui sont un prolongement visuel de son activité de poète. Pour Hains, je pense que l'influence de Dufrêne aura été déterminante quant à la verbalisation de ses approches perceptives du réel. Hains, personnage d'une grande poésie à fleur de peau, est demeuré extrêmement réticent devant les envolées émotionnelles et le rayonnement affectif de Klein. Il y avait chez lui à la fois une attirance et une répulsion pour ce que représentait Klein. Cette attitude s'expliquait par son horreur du vide, de l'immatériel comme phénomène dont le pouvoir exponentiel est sans limite. Il a trouvé dans les jeux de mots, les allitérations, le merveilleux du quotidien, un formalisme sécurisant, un fétichisme formel grâce auxquels il garde le contact avec la réalité. Pour que ce système fonctionne au-delà de la gratuité ludique, il faut croire aveuglément dans le pouvoir magique des mots. Il lui arrive aussi de traduire visuellement une part de son flux verbal. Ce fut le cas avec le *Néo-Dada emballé* qui est un jeu de mots concret réalisé avec la complicité de Christo et aussi, certainement, une prise de position sur un mode énigmatique. Le Nouveau Réalisme est dès lors devenu pour lui un sujet de dissertation désinvolte, aléatoire, parfois doucement aberrante.

Spoerri, avec ses détrompe-l'œil a traduit des jeux de mots en rencontres d'objets. Hains, dans sa période photographique actuelle est proche de l'esprit associatif et du piégeage de Spoerri.

Quelle est la signification du restaurant que Daniel Spoerri ouvrit à la galerie J en 1963 ?

Spoerri a surtout voulu transformer la galerie en laboratoire vivant, en studio opérationnel. Il a voulu donner aux spectateurs-acteurs la possibilité de faire eux-mêmes l'expérience des tableaux-pièges. Cela lui a permis aussi de faire la vérification sociologique de sa méthode de travail. En quelque sorte, une façon de peindre en public. En demandant aux critiques d'assurer le service, il a cherché essentiellement à les placer dans une situation de complicité. Ils se sont laissés prendre au piège volontairement. C'était beaucoup moins subversif qu'on ne pourrait le croire avec la distance du temps.

Par leurs actions-spectacles, par des projets qui concernent de vastes ensembles socio-économiques, je pense notamment à Klein et à Christo, les Nouveaux Réalistes ont souvent voulu aller au-delà du mode de diffusion traditionnel de l'art. Divers groupes cinétiques allaient aussi dans ce sens en ce début des années soixante. N'est-ce pas à ce moment que d'autres modes d'insertion de l'art dans la société deviennent possibles ? N'est-ce

pas un autre aspect de ce « relais sociologique » dont vous parliez dès 1960 ?

Le Nouveau Réalisme a sûrement contribué à débloquer la situation. On peut l'analyser comme une série de gestes par lesquels l'artiste s'affranchit de la condition normale du marché. Le plus souvent, cependant, il y revient de lui-même, exploitant le langage issu de son geste extrémiste de départ. C'est son droit le plus entier. La stratégie de l'appropriation de l'objet, comme prise directe sur la réalité, a ouvert la voie à une stratégie de l'organisation de la vie, à la création de situations qui permettent une intervention dans le contexte sociologique précis d'une ville, d'une fête, d'un lieu naturel. On s'écarte alors beaucoup du rapport traditionnel entre le produit et le marché. Si l'on s'écarte de ce rapport et si l'on veut survivre, il faut créer d'autres produits pour quelque chose qui n'est pas le marché de l'art mais une demande sociale qui existe.

C'est parce que j'ai vécu cette aventure du Nouveau Réalisme que j'ai pu parler en 1968 des « ingénieurs des loisirs », que j'ai pris fait et cause pour l'art sociologique en 1974 et que je m'intéresse aujourd'hui aux artistes qui travaillent dans le domaine de l'environnement et de l'urbanisme. C'est de cette façon que je vois se prolonger le caractère optimiste, positif, pragmatique de l'esprit d'entreprise du Nouveau Réalisme, langage du monde riche de 1960 et du pari sur la prospérité des années à venir. Une prospérité que la crise du dollar et du pétrole avaient sérieusement menacée dans les années 70 et que nous voyons à nouveau se profiler à l'horizon de nos statistiques. Je dois aux Christo mon premier contact avec la grande nature, en 1971 sur le site du Valley Curtain au Colorado. En 1978, en pleine crise du monde riche, j'ai éprouvé le besoin d'aller jusqu'au bout de l'expérience du monde pauvre. Au fin fond de l'Amazonie brésilienne, dans le bassin du Haut Rio Negro, j'ai vécu l'aventure du naturalisme intégral. Et je me suis rendu compte qu'à la ville comme dans la forêt vierge, le rapport nature-culture reste le même : « naturata » ou « naturans », la nature nous la portons en nous, elle est notre école permanente de sensibilité.

La nature du Nouveau Réalisme est l'émanation directe de l'humanisme technologique, le plus fort vecteur de l'énergie planétaire. C'est tout simplement le contraire de l'art pauvre, de la pauvreté dans l'art.

Treize épigrammes et un rappel

Pierre Restany

A comme ARMAN

Art ment !
crie le Fier Nandez
écœuré par la Mère d'Anis
en découpant en tranches
le Ben Bagnat
à la scie électrique

Arman !
la tripe picturale
est passée au bleu Klein de la plage IKB
et l'art nègre au fil du jeu de go

Cher Arman
la maîtrise du langage quantitatif
t'a conduit du tout-venant des bordilles
au bronze monumental et au marbre élyséen

tu conjugues le Discours de la Méthode du Nouveau Réalisme
en Prince de la Pléiade
au plein de la vue
sans jamais faire fi
des bonheurs du hasard

C comme CESAR

Seize arts
Cent ors
Un chef-d'œuvre absolu Hommage à Picasso

La statue erre
de site en site
plus magistrale
et plus sereine

Seize arts
pour bâtir une grandiose vie de travail
et les pièces à l'appui

dessin modelage moulage fonte
souderie assemblage compression expansion
équarrissage polissage catalyse taille
burinage perspective pantographie proportions

Seize arts pour un César
pour un sculpteur unique
instinct de la raison
raison de l'instinct
le coup de tonnerre du Salon de Mai 1960
un sculpteur de A à Z
le génie au bout des doigts

P.S. Aux seize arts de César il conviendrait d'ajouter l'art de vivre à la provençale,
cuisine comprise : le pastis, les farcis, les ravioles, la viande à l'ail, la mastègue des
mounines, etc.

C comme les CHRISTO

Dieu, que la France était belle
en ce premier jour de Vendémiaire
de l'An CXCIII du calendrier républicain
le 22 septembre 1985, équinoxe d'automne !

La France était belle et Paris encore plus
et sur les rives de la Seine
des milliers de piétons du monde entier
se pressaient pour admirer la parure sable-or
du Pont-Neuf empaqueté par Christo

l'aboutissement d'un vieux rêve
un maillon dans la chaîne des grandes métamorphoses temporaires
après Little Bay Valley Curtain Running Fence
les Surrounded Islands

la philosophie du paquet à l'échelle cosmique
du Mur de Tonneaux de la rue Visconti au Mastaba d'Abou-Dabhi
l'escalade vertigineuse est continue

le dada des Christo
est l'emballage de la nature et de l'histoire
le geste de mesure dans la démesure
qui fixe au cœur de la mémoire des hommes
quelques fragments de l'éternelle beauté

Christo Jeanne-Claude et leur dada de l'emballé/déballé :
une formidable machine de guerre au service de l'art de la paix

D comme DESCHAMPS

Des champs
des champs
des champs
rien que des champs
de chiffons

et un gros rat

rongeant le cimetière
uniforme

D comme DUFRENE

L'auteur du Tombeau de Pierre Larousse
et de la Cantate des Mots Camés
aurait apprécié je l'espère
l'esprit léger de mes allitérations sémantiques
qui masque la portée réelle des messages codés

c'est dans le plus profond des forêts du Midi
que les cigales viennent prélever la manne du frêne

et ce trésor secret à la limite du proféré et du non-dit
de l'allusif et du signifié

Dufrêne, franc en soi,

ne s'est pas contenté d'aller le butiner
sur les champs phonétiques de l'ultra-lettrisme

la cigale s'est faite fourmi
pour retrouver dans le salpêtre des dessous d'affiches
la trace essentielle
du mot nu mental

H comme HAINS

Piéton de Paris amant de Venise fidèle de La Palisse sigisbée de la critique

Hains aux insignes

Hains saisissable
Hains satiable
Hains sondable
Hains soutenable
Hains supportable

Hains stable... !

ou bien encore :

Hains sensible
Hains soluble
Hains sonore
Hains soumis
Hains suffisant

Hains satisfait... !

Tant d'Hains en un instant
est-ce, Hains, sensé ?

K comme Yves KLEIN

Conscience d'une possible expansion de la condition humaine
d'une après-modernité
qui s'annonce par de nouvelles combinatoires inventives
dans tous les domaines de la vie quotidienne

conscience d'une sensibilité secrète
clé et code de l'accès
à ce monde démesuré
hors de la commune mesure

à l'aube de ses sens
Yves Klein se savait déjà autre

autre mais combien différent de l'Autre
de l'image que se faisaient de lui les autres

Pour leur ouvrir les yeux le cœur et la tête
il a eu recours à l'énergie immatérielle
l'ultime réalité tangible

Le partage du monde à trois entre Claude Pascal, Arman, et lui
la proposition monochrome
le nouveau réalisme
l'architecture de l'air
l'école de la sensibilité
le théâtre du vide
constituaient les premières étapes de la Révolution Bleue
une entreprise de relecture globale du monde

car Yves Klein savait
que nul dorénavant ne peut apporter
ni preuve de nos fins
ni preuve de la fin
et « qu'au cœur du vide comme au cœur de l'homme
il y a des feux qui brûlent »

Il est allé de l'autre côté du ciel
nous laissant à jamais
la présence de l'absence
la nostalgie vivifiante de son authentique ailleurs

R comme RAYSSE

Martial Raysse in medias res
cela vaudrait bien une épigramme
de l'homonyme poète latin Marcus Valerius l'ami de Pline

ne serait-ce que pour célébrer le talent du peintre
et à l'instar de ses tableaux
la géométrie variable de son destin
entre les périodes de haute tension
et la longue traversée du désert
de la Raysse Beach à Coco Bello
et aux images tranquilles

Mao l'a mis sur le Tao

Jesus Cola ex-superstar
a choisi la voie dure et pure
de la grande peinture nue
celle qui donne l'exacte mesure
des mythes
et leur mode d'emploi

être et avoir été
comme Matisse
mais en l'an 2000

R comme ROTELLA

« Arracher les affiches des murs
est la seule compensation
l'unique moyen de protester contre une société
qui a perdu le goût du changement
et des transformations fabuleuses »

A Rome où il était venu du Sud profond
Mimmo le petit calabrais cambré dans son profil napoléonien
rêvait d'avoir la force de Samson
pour coller la Place d'Espagne avec ses teintes d'automne
sur les lueurs rouges du Janicule au soleil couchant

strappi mec-art art-typo effaçages coperture
son œuvre s'inscrit dans le droit fil de cette vision métamorphique

la légende veut que ce poète sans âge
qui porte superbement
à la fois le nom d'un coquillage géant de la Mer du Japon
et celui d'un bidon d'huile Shell
soit aussi un globe-trotter patenté
qui s'habille à Londres s'ennuie à Milan
dîne macrobiotique à Paris
déniaise les innocentes impubères à New York ou à Rio
et se fait livrer de La Havane
les cigares spéciaux que Castro ne fume plus

comment s'étonner dès lors de la pulsion planétaire
qui anime son regard de velours et sa voix d'or ?
Tino Rossi du yin/yang phonétique
mimographe du micro
ses dons extra-lucides et sa maîtrise des ultra-sons
l'ont conduit à de surprenantes découvertes
telles que le chant d'amour des poissons

Nul autre que lui ne pourrait se permettre d'affirmer
sans se vautrer dans le cloaque de l'auto-promotion :
« una casa non è bella
senz'un quadro di Rotella »

S comme Niki de SAINT-PHALLE

Elle était Antiope l'amazone
la star de ses propres tirs
à l'époque légendaire
de l'impasse Ronsin et de la galerie J
où se célébraient les hippies-épousailles de Vulcain et de Vénus.

Elle est devenue la mère
de la plus bariolée des familles nombreuses
Niobé et ses Niobides
la Nana-Reine
des nanas super-femmes
une tribu juteuse et joufflue de toutes tailles
de la miniature à la cathédrale

Elle est Mélusine aujourd'hui
la fée bienveillante et sereine
d'un Tarot-Ville
sur la colline inspirée
de Garavicchio près d'Orbetello
à la limite de la Toscane de l'Ombrie et du Latium

Ses travaux et ses jours sont autant de fables

Sa vie est un roman du merveilleux moderne

Le roman de Niki de Saint-Phalle

S comme SPOERRI

Dans un corps à corps constant avec la vie
le chef Daniel aura touché à tout

Petit colosse prométhéen et symiesque
mû par une ambition poétique déchaînée tous azimuts
il se mesure au réel et il le prend au piège
il se mesure à la misère et il la prend au piège
transformant les maigres restes de sa chambre-taudis
de l'Hôtel de Carcassonne à la Contrescarpe
en décor d'évasion vers l'imaginaire

il se mesure aux mots et les prend au piège
il se détrompe-l'œil en nous crevant les yeux
il collectionne en obsédé
les instruments de cuisine
et tous les types de fétiches de l'affectivité collective

il piège la faim en la prenant au mot gourmand
voltigeur virtuose des ultimes cènes
Biffi-bouffe et CNAC-snack
la bonne chère est de bonne guerre

de tableaux-pièges en pièges à mots
de multiplicateurs d'art en galeries-restaurants
de boutiques aberrantes en musées sentimentaux

il poursuit son chemin en jetant sur la vie
le même regard du dedans
le miroir de la disponibilité mentale
la pleine ouverture
aux courants d'air des doubles sens

entre la topographie et l'anecdote
aucun coup de dés ne pourra effacer le hasard
Spoerri soit qui bien y pense

T comme TINGUELY

Vitesse Pure & Stabilité Monochrome
Les Moteurs et les Disques
L'Excavatrice d'Espace
Metamatic et IKB
La rencontre et la collaboration entre Jean Tinguely et Yves Klein

En ce mois de novembre 1958 à la galerie Iris Clert
tout pour moi a basculé dans l'art du temps

La machine a fait son entrée fracassante
dans le règne de l'immatériel
l'art s'est changé en air
et l'énergie bleue a rejoint le vide
son espace originel
le temps absolu et indivisible
sans secondes ni minutes ni heures

Je venais ainsi de vivre l'expérience tangible
du sens de la nature moderne

En mars 1959 souviens-toi, Jean : tu as pris
un petit avion pour déverser sur Düsseldorf
15 000 tracts
tu exhortais les gens à oublier
ce qui était devenu pour toi le temps des autres :
« Respirez profondément. Vivez à présent,
vivez dans et sur le temps, pour une réalité belle et totale »

La respiration profonde
tu l'as transmise à ta sculpture
en lui donnant la vie sur le tas et sur le temps

Ce souffle essentiel n'a jamais manqué d'animer ta création
En mars 1960 c'est l'Hommage à New York
En novembre 1970 c'est la Vittoria N.R. à Milan

La Victoire en chantant t'ouvre la carrière
La Liberté guide tes pas
Ton Œuvre est notre Chant du Départ

V comme VILLEGLE

L'arpenteur du Lacéré Anonyme
en a fait l'inventaire
dans ses Poquettes Volantes du Ravisseur

doué d'une excellente vue
il ne s'est pas contenté
de baliser son parcours existentiel
de Mathieu à Mahé
de rapt en rapt
sur la peau des murs

Grand Eclateur d'Hépérile et Frère Lissac de l'Illisible
commissaire aux comptes et des inventions de la palissade
il a pris l'air en même temps qu'Hains
pour le Cinquantenaire de l'Aéronautique

sa famille avait baptisé un comptoir français de l'Inde
le Nouveau Réalisme pour sa part
doit à Jacques Mahé de la Villeglé
la plus doctement talmudique
définition du décollage
dans tous les sens du terme :

« le décollage serait au collage
ce qu'étaient les « poèmes-conversation » d'Apollinaire
et les « Epiphanies » de Joyce
aux catachrèses de Marceline Desbordes-Valmore »

S'il l'avait entendu de cette oreille
l'accapareur Vostell
n'en aurait pas volé la fausse stèle

R comme RESTANY et aussi comme RAPPEL

Ces épigrammes en guise de portraits
sont bien entendues codées
allusions et allitérations
constituent la trame du discours
nourrie de ma propre expérience
et renforcée par le recul du temps

Je m'expose en exposant les autres
et les différences de ton
soulignent, si besoin en était
la qualité spécifique
du regard
que je porte sur chaque artiste

car il est évident
que c'est à travers ma personne et mon discours
dans le rapport que j'ai établi
entre des œuvres diverses
et précédemment perçues comme hétérogènes
que réside le fait nouveau réaliste
et c'est là qu'il convient d'en chercher la cohérence

J'ai donc coiffé pour l'occasion la tiare papale
confectionnée à mon intention par Daniel Spoerri
et j'ai revêtu la veste
« des Aristarques en Harris tweed à la Ristat »
pour user des prérogatives que me confère
l'imprégnation initiatique dans le bleu IKB.

Pierre RESTANY
Paris, avril 1986

Chronologie

Aude Bodet
Sylvain Lecombre

Au lendemain de la Seconde Guerre, l'art abstrait sort de sa quasi clandestinité pour devenir, pour la première fois en France, un mouvement dominant.

L'abstraction dite géométrique qui a déjà une histoire et une tradition trouve de nouveaux prolongements notamment dans l'œuvre de Vasarely et de Dewasne alors qu'Auguste Herbin assure une continuité entre Abstraction-Création (1931-1936) et le Salon des Réalités Nouvelles fondé en 1946. C'est au sein de ce courant géométrique, avec Schöffer, Agam, Soto, Pol Bury que renaît *l'art du mouvement*, plus tard nommé *art cinétique*, qui avait eu dans les années vingt Moholy-Nagy, Calder, Duchamp, Gabo comme précurseurs.

L'abstraction lyrique apparaît, quant à elle, comme un mouvement sans tradition, comme un pur phénomène de l'après-guerre. C'est autour de Hartung et de Wols que Camille Bryen, Georges Mathieu et le critique Michel Tapié organisent en 1947 et 1948 les premières expositions de groupe de ce nouveau courant auquel Michel Tapié donne une plus grande extension en réunissant, en 1951 et 1952, dans deux expositions intitulées *Signifiants de l'informel* ceux qui, abstraits comme Mathieu ou plus ou moins figuratifs comme Dubuffet et Fautrier, manifestent une nouvelle attitude vis-à-vis de l'acte de peindre.

C'est dans ce climat d'effervescence artistique que les parents d'Yves Klein, peintres tous les deux, recommencent à exposer. Marie Raymond, sa mère, fait partie avec Dewasne, Deyrolle, Hartung et Schneider du premier groupe d'artistes abstraits présenté par la galerie Denise René en 1946. La même année elle lance ses *lundis* de réception. Ils seront pendant huit ans, le rendez-vous de l'avant-garde des Lettres et des Arts. L'hiver 1951, Yves Klein y rencontre notamment les Lettristes, un groupe de poètes dont le chef de file, Isidore Isou, avait publié en 1946 le premier manifeste. Ils utilisent des mots et des pictogrammes dépourvus de sens ainsi que des moyens d'expression concrets comme le cinéma, la peinture ou la musique. C'est l'éclatement du mot et l'apothéose de la lettre, son élément le plus pur. Dès 1946, François Dufrêne, encore lycéen, les a rejoints. Il se produit bientôt dans leurs récitals, au Tabou, à la Maison des Lettres ou encore dans la Salle de Géographie des Sociétés Savantes. En 1948 il écrit : *Nous ne dirons plus mon cœur, nous le ferons entendre, je pleure, nous pleurerons : les oiseaux chantent, nous les serons.* En 1950, dans le n° 2 de la revue lettriste *UR*, il publie *Désordre du jour*, un texte qui annonce sa prise de distance vis-à-vis de la « dictature lettriste » en 1953 : « *Il faut assainir son sang salé, sucré, glu sans globules. J'exècre les âcres, les sûres vomissures d'encre, les camps fétides, les confettis, les confitures mi-figue mi-raisin, les attitudes mi-fougue mi-raison, les latitudes mi-fugue mi-prison...*

A la même époque, à Rome, le peintre abstrait Mimmo Rotella élabore un langage d'origine *épistaltique*. Il s'agit en fait d'un néologisme choisi pour des raisons purement formelles, et qui désigne la libération des mots au profit du son. Par une coïncidence remarquable, Rotella arrachera à Rome, en 1953, quatre ans seulement après les « affichistes » parisiens, Hains et Villeglé, et sans les connaître, ses premières affiches qu'il montrera dans une exposition de groupe en 1954. Mais c'est uniquement par commodité qu'on les désignera comme « affichistes » alors qu'ils ont en fait très peu à voir avec ceux que les dictionnaires signalent comme des

spécialistes dans la conception et la réalisation des affiches.

Hains, Villeglé

Raymond Hains et Jacques de la Villeglé sont bretons, l'un est né à Saint-Brieuc, l'autre à Quimper. Ce dernier étudie dans l'atelier de peinture de l'Ecole des Beaux-Arts de Rennes, lorsque Raymond Hains, conseillé par son père, arrive en janvier 1945 dans l'atelier de sculpture. Ils font rapidement connaissance. Mais Hains se désintéresse de l'enseignement des Beaux-Arts, et préfère consacrer son temps à des lectures philosophiques dans les jardins de la ville. Il rencontre Louis Guilloux, il lit Max Jacob, Malraux, Céline et la littérature celtique. Il s'intéresse aux médiums, à l'Inde et au Tibet. En revanche les connaissances de l'un et de l'autre en histoire de la peinture s'arrêtent en 1926 : *Après je ne connaissais rien du tout*, explique Villeglé, *Picasso, j'en avais entendu parler quelquefois, mais je n'en avais pour ainsi dire jamais vu* (1).

C'est la découverte, à Laval le 8 juin 1944, dans la vitrine d'un magasin du livre *Photographie Française* dont la couverture était illustrée d'une œuvre d'Emmanuel Sougez (une accumulation d'objectifs tous frappés d'un œil en leur centre) qui déclenche chez lui l'intérêt pour la photographie. Sougez va jouer un rôle important dans la vie de Hains. Sa façon de traiter les ombres et les reflets influencera un temps le jeune photographe qui lui devra aussi, à son arrivée à Paris, en septembre 1945, son entrée dans la vie professionnelle. Directeur du service photographique de *France Illustration*, il le fait en effet travailler un mois plus tard sur des photostats pour les maquettes de l'*Illustration* et de *Plaisir de France*. Hains l'assiste aussi parfois pour ses reportages chez Despiau, Sacha Guitry, Paul Belmondo, mais, tout en apprenant beaucoup, il s'ennuie. Au plus noir de cet ennui, il fait dans son laboratoire photographique, où les cuves de développement répercutent sa voix, des essais de poésie phonétique. En 1946 il visite l'exposition de Gjon Mili, photographe américain de renom : un escrimeur en surimpression pris au flash électronique le marque beaucoup. Il décide alors d'acheter une chambre 13 × 18 et fait des essais de surimpressions à l'aide d'une plaque en tôle chromée qui sert à glacer les photos. L'*Ecorché* de Michel-Ange, les « cheveux » d'un balai Ocedar, un masque à gaz... sont photographiés en transparence et des compositions plutôt macabres. Puis un fond de verre étoilé en surimpression deviendra la première photo déformée et l'ancêtre du *verre cannelé* et des photos *hypnagogiques* (qui incitent au rêve). A cette époque Hains découvre les séances de l'Union Spirite Française. Par le Front Humain des Citoyens du Monde, fondé par l'Américain Garry Davis et dont Breton et Vercors font partie, il assiste à son premier Récital Lettriste à la Maison des Lettres. Au début de l'été, il visite l'Exposition Internationale du Surréalisme à la galerie Maeght et décide de montrer ses photos à Breton. Accompagné de Villeglé, il le rencontre en juillet.

Revenu à Saint-Brieuc, il photographie une petite figurine de Sumatra dont l'image est multipliée grâce à un réflecteur équipé d'une trentaine de petits miroirs. Elle est publiée en mars 1948 sous le titre *Trésor de Golconde* dans le numéro de *Plaisir de France* où figurent également les papiers découpés de *Jazz* de Matisse. Son père, le voyant travailler, lui fait découvrir des rebuts de verre cannelé qui se trouvent dans l'atelier de publicité en

Plaisir de France, mars 1948. Photographie de Raymond Hains en regard d'une page de **Jazz** de Matisse.

lettres de l'entreprise de peinture familiale. La première photo issue de l'action des verres cannelés sur une photo d'objet étrusque donnera la *Gorgone pétrifiée par la photographie.* Selon ce procédé, il produit suffisamment d'épreuves pour être en mesure de les exposer sous le titre *Photographies Hypnagogiques* chez Colette Allendy en juin 1948. L'exposition du rez-de-chaussée *Tapisseries et broderies abstraites* lui permet de rencontrer Camille Bryen qui présente une œuvre d'esprit dada, *Broderies du feu.* Il fait aussi la connaissance de Charles Estienne qui écrira dans *Combat* (2) un article élogieux sur son exposition.

A son tour, Villeglé décide de s'installer à Paris. A Nantes, tout en poursuivant depuis janvier 1947 des études d'architecture, il avait correspondu avec son ami, lui envoyant des lettres-collages d'inspiration cubiste où il évoquait notamment les « sculptures » en fil de fer et autres déchets du mur de l'Atlantique qu'il ramassait sur les plages. Quelques voyages payés par les Beaux-Arts de Nantes lui avaient également permis de suivre à Paris même, par intermittence, l'actualité artistique. A son arrivée à Paris, en décembre 1949, Hains vient d'arracher l'une de ses premières affiches après en avoir déjà photographié quelques autres. Il s'agit encore d'un acte expérimental mais il contient déjà les germes de l'appropriation littérale. Un projet plus ambitieux fait suite à ce premier décollage furtif : Hains et Villeglé arrachent une série d'affiches de concert à prédominance typographique dans l'idée de les coller ensemble pour en faire une « Tapisserie de Bayeux ». Ce sera *Ach Alma Manetro.*

L'année suivante, au mois d'août, ils passent leurs vacances à Saint-Servan chez les parents de Villeglé. Ils projettent de faire un film en couleur avec l'*hypnagogoscope,* cette chambre cannelée que Hains a inventée trois ans plus tôt à Saint-Brieuc pour ses photos « éclatées ». L'instrument est un objectif à un, deux ou trois verres cannelés qui permettent d'organiser l'espace par des rapports de lignes et de valeurs ou même de couleurs.

Pendant quatre ans ils vont travailler assidûment pour filmer des collages abstraits inspirés à Hains par la *Blouse roumaine* de Matisse. L'animation des plans, dont les formes abstraites se fondent et renaissent, est obtenue par des travellings successifs de l'objectif cannelé.

Mais, en juillet 1954, Villeglé renonce à collaborer au film, qu'il baptise *Pénélope,* pressentant qu'il ne sera jamais achevé. Une partie sera néanmoins sonorisée par Pierre Schaeffer en 1960, et présentée par le Centre de Recherche Image de la RTF, sous le titre *Etude aux allures.*

En 1950, Hains n'en était cependant pas à son premier film. Depuis son arrivée à Paris, ayant pu utiliser le matériel de Robert Chateau dont il avait fait la connaissance à l'*Illustration,* il avait réalisé de courts reportages en noir et blanc. En 1949, il s'achète une caméra 16 mm afin de faire des films abstraits et des films d'actualité avec interviews. Le premier de ces films en noir et blanc naît de sa rencontre, passage du Dragon, avec une affiche, à demi arrachée d'une palissade. Il y filme le visage d'une femme dans lequel brillent des lettres à la place des yeux puis il dirige sa caméra vers le clocher de l'église Saint-Germain qu'entoure un échafaudage à l'allure de pyramide pré-colombienne. Titre du film : *Saint-Germain-des-Prés Colombiens.* Il passe ensuite à la couleur et prend pour sujet une série d'affiches des vins Nicolas représentant le célèbre bonhomme Nectar. Dans le but de réaliser, à partir de ce motif, une sorte de dessin animé, Villeglé en fera quelques reproductions au trait.

Raymond Hains. **La grille,** 1948. Photographie abstraite obtenue par l'utilisation des verres cannelés.

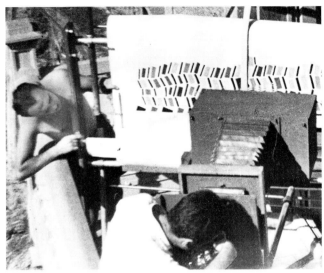

Hains et Villeglé pendant le tournage de **Pénélope** à l'hypnago-goscope, Saint-Servan/Saint-Malo, septembre 1953.

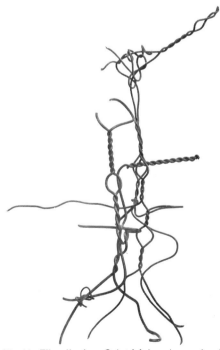

Villeglé. **Fils d'acier,** Saint-Malo, chaussée des Corsaires, 1947. Photo Fabienne Villeglé..

Klein, Arman

Lorsqu'à l'automne 1951, Yves Klein séjourne pour un moment à Paris et suit des cours de japonais, Hains et Villeglé sont déjà de vieux parisiens même s'ils sont encore assez à l'écart du milieu de l'art. Au contraire, Paris n'est alors pour Yves qu'une étape dans ses multiples voyages mais, grâce à sa mère, il a, dès qu'il le souhaite, immédiatement accès à l'actualité artistique parisienne. Son enfance s'est déroulée entre Paris, Nice et Cagnes. En août 1947, il s'inscrit dans un club de judo de Nice où il se lie d'amitié avec Claude Pascal et Armand Fernandez (Arman) (3). A l'instigation d'Yves qui fait déjà preuve d'un certain ascendant sur ses compagnons, tous trois s'absorbent dans la lecture de la *Cosmogonie des Rose-Croix* de Max Heindel. Enthousiasmés par cet ouvrage, Claude Pascal et Klein se font admettre dans la confrérie.

Dès lors, Yves Klein est définitivement marqué par la pensée rosicrucienne, dans laquelle il trouve ses propres aspirations formulées et exaltées. Il y a dans les textes de Heindel, les germes de certains concepts qu'il développera quelques années plus tard.

Dans la *Cosmogonie* l'esprit aspire à se libérer des corps solides et à rejoindre l'unité, où la forme ne fait qu'un avec *l'étendue illimitée de l'espace.* Heindel parle de lévitation et de voyage *sous une forme éthérée,* de *sensibilité immatérielle.*

En dehors du judo, les trois amis se réunissent dans un atelier qu'Arman a aménagé dans le sous-sol de la maison parentale. Là ils étudient le zen et deviennent végétariens. Sur un mur peint en bleu ils apposent leurs mains et transforment la pièce en sanctuaire. Un après-midi de l'été 1948, ils se partagent l'univers. Arman régnera sur le monde animal, Claude Pascal s'octroie le règne végétal, Yves s'attribue les royaumes du minéral et de l'air. Il « signe » alors, comme sa « première œuvre d'art », le ciel de Nice. Ce même été, il part visiter l'Italie en auto-stop, vêtu d'une chemise maculée de l'empreinte de ses pieds et de ses mains.

Un an plus tard, en octobre, il veut entraîner ses deux amis dans un voyage initiatique en Irlande, qui les conduirait ensuite au Japon. Mais Arman préférera aller suivre à Paris les cours de l'Ecole du Louvre. Claude et Yves partent donc seuls pour l'Angleterre. A Londres, ayant trouvé du travail chez un encadreur, Yves, fasciné par les pigments en poudre a un jour l'idée de les appliquer sur plusieurs carrés de carton. Ce sont ses premiers monochromes, dans des tons pastels, qu'il montre à quelques amis fin 1949 et début 1950. A cette époque, selon Claude Pascal, il aurait aussi eu l'idée de la *Symphonie monoton* (un seul ton, une seule note continue) dont la première version durera 20 mn.

En avril 1950 ils arrivent en Irlande et travaillent pour se payer des leçons d'équitation. En août, Yves repart brusquement pour Londres d'où il envoie à Arman un monochrome rose en carte postale. Il regagne Nice avec Claude, à la fin de l'année. En février 1951, après un bref passage à Paris, il décide d'apprendre l'espagnol. Il part donc pour Madrid, où il devient par un concours de circonstances, professeur de judo.

Spoerri, Tinguely 1952-1954

En 1952, Daniel Spoerri séjourne à Paris, ayant obtenu une bourse de l'Etat français pour étudier la danse aux Studios Wacker. Il a passé son adolescence à Zürich. Successivement renvoyé de tous les lieux d'apprentissage où il travaille, il se découvre une vocation missionnaire. Mais le livre du Dr Coué sur « l'auto-suggestion », va faire vaciller sa foi nouvelle. Il part ensuite pour Bâle, où ses cours à l'Ecole des Hautes Etudes Commerciales s'achèvent dans la lecture de poètes allemands (Rilke, Stefan George...). Suit une période de vagabondage. Il passe par Amsterdam, Paris, Marseille en écrivant des poèmes. Enfin, à Zürich, il se fait remarquer pour ses qualités de danseur et est admis pour deux ans à l'Ecole de danse de l'Opéra.

En 1953, à Paris, il retrouve Jean Tinguely qu'il avait connu à Bâle en 1949. Ils entreprennent alors la mise en scène d'un ballet. Leur idée est que la chorégraphie de *Prisme*, doit avoir son contrepoint dans un décor motorisé qui créerait une animation continue de la scène. Ils renoncent au projet, le jour où le ballet est présenté à un concours chorégraphique : à la première note, le décor s'effondre.

Spoerri est à Berne en 1954 car il vient d'être nommé Premier Danseur de l'Opéra. Jusqu'en 1957, il met en scène au Kellertheater, un répertoire d'avant-garde, notamment une pièce de Picasso *Le Désir attrapé par la queue,* dans des décors de Otto Tschumi et des costumes de Meret Oppenheim. Lui-même réalise la chorégraphie et le livret d'un *Ballet des couleurs,* inspiré des recherches sur la couleur du psychologue, Max Pfister-Terpis. Il ne reviendra s'installer à Paris qu'en 1959.

De cinq ans son aîné, Tinguely a fréquenté l'Allgemeine Gewerbeschule de Bâle, entre 1941 et 1945. L'enseignement qui y est dispensé fait une large part à l'étude des matériaux (bois, sable, métal, tissu), du mouvement comme moyen d'expression artistique et du collage dans l'esprit de Schwitters. Il produit ses premières constructions en fil de fer puis poursuit diverses expériences : roues hydrauliques sonores, assemblages de brins d'herbe, de bois et de papier, objets suspendus qui, en tournant, à très grande vitesse se « dématérialisent » avant de se rompre.

En 1953, lorsqu'il arrive à Paris avec sa femme Eva Aeppli, Tinguely met en œuvre une « mécanique du hasard » avec la série des *Moulins à prière,* sortes d'engrenages de roues en fil de fer qu'on actionne en tournant une manivelle. A l'époque, ils habitent un café hôtel, dans le quartier du Bon Marché, dont la salle de billard, au rez-de-chaussée devient rapidement une salle d'exposition sauvage pour ses sculptures.

Fin mai 1954, au département librairie de la galerie Arnaud, éditrice, depuis 1953, de la revue *Cimaise,* Tinguely présente sous le titre *Automates, sculptures et reliefs mécaniques,* une exposition de « tableaux mobiles ». Derrière chacun d'eux, un petit moteur caché fait bouger des formes géométriques. L'exposition est bien accueillie. Elle sera reprise en octobre-novembre par la même galerie.

Pontus Hulten, jeune suédois séjournant à Paris, impressionné par ses deux expositions, cherche à le connaître. Ils se rencontreront à la fin de l'année. C'est lui qui proposera à Tinguely d'appeler ses machines des *méta-mécaniques,* par analogie avec *métaphysique* et aussi pour les deux sens du préfixe méta : *avec* et *après.* (4)

Restany 1954

1954 est aussi l'année du tachisme. La peinture abstraite, en plein essor, se ramifie en tendances et sous-tendances. Autour de la planète Tapié et de son *Art autre* (1952), gravitent de multiples satellites. C'est d'abord par dérision que le critique Pierre Guéguen avait qualifié de tachiste le groupe que l'organisateur de l'éphémère Salon d'Octobre, Charles Estienne avait rassemblé et introduit à la galerie surréaliste l'Etoile Scellée. Ce nouvel « isme » ne désignait en fait qu'un des aspects de l'abstraction lyrique dont une autre branche, celle de *l'étendue abstraite de la gestualité floue, de la spatialité vibratoire* (5) sera défendue bientôt par Julien Alvard.

C'est à cette génération intermédiaire des abstraits-lyriques que Pierre Restany s'intéresse d'abord. Il écrit ses premiers articles en 1952 et, pour vivre, occupe un poste au Ministère des Transports. Il se sent des affinités avec Julien Alvard, se lie d'amitié avec Laubiès et Fautrier.

Dufrêne, Klein, Hains, Villeglé 1952-1954

En lui succédant au Ministère, en octobre 1954, François Dufrêne trouve le début d'un texte que le jeune critique consacrait à Bryen. A cette époque, Dufrêne connaît d'ailleurs encore assez peu Bryen dont il aimera quelques années plus tard, citer la trop rare poésie phonétique ; par exemple, *Tête à coq* de 1947 :

...sipiti skolinok
olini salimonde
driac redisniak...

Ses récitals lettristes, notamment au Tabou, en 1950, avec Serge Berna, Jean-Louis Brau, Isidore Isou, Maurice Lemaître, Gabriel Pomerand et Gil Wolman et celui auquel Hains assiste à la Maison des Lettres, quatre ans avant leur rencontre, lui valent alors une certaine renommée.

Il s'était cependant plus particulièrement rapproché de Gil Wolman qui avait commencé par opposer au lettrisme d'Isou sa poésie physique du *Grand Souffle* ou *Mégapneumie* et qui, enfin, avait fondé en 1952 avec Guy Debord, Jean-Louis Brau et Serge Berna la dissidente *Internationale lettriste* qui sera une des composantes de l'*Internationale Situationniste* (juillet 1957).

En 1952, parallèlement au Festival de Cannes, Wolman présente son film l'*Anticoncept* (1951) dont la bande-son est une suite de ricanements, étranglements, borborygmes, onomatopées, défilé de voyelles sur une image alternativement noire et blanche et François Dufrêne son *Film imaginaire* sans écran ni pellicule *Tambours du Jugement Premier* dans lequel se trouvent la plupart de ses poèmes lettristes d'alors.

La même année, en juin, Dufrêne, Marc'o et Yolande du Luart, publient le premier numéro du journal de leur mouvement : *Soulèvement de la jeunesse*. Leur manifeste définit le rôle de la jeunesse dans la société et met au point le concept d'*Externisme* qui s'applique à la masse dynamique que représentent les jeunes. Outre leur soulèvement, il préconise une économie *nucléaire* à la place des économies libérale et marxiste et la diminution du temps passé à l'école. Dans ce premier numéro, on trouve aussi deux textes de Dufrêne *Le doigt sur la plaie* et *Lettrisme et juventisme* et un d'Yves Klein : *Des bases (fausses), principes, etc. et condamnation de l'évolution*.

Leur rencontre avait eu lieu en effet en 1950 chez Marie Raymond lors du passage d'Yves à Paris après son séjour en Angleterre. Mais c'est le judo qui intéresse alors le jeune Niçois. A tel point qu'il décide de partir au Japon conquérir le plus haut niveau jamais atteint par un Français : ceinture noire 4e dan. Il embarque en août 1952 et ne sera de retour à Paris qu'en février 1954.

1953 est pour Dufrêne l'année de la rupture. Dans le *Soulèvement de la jeunesse* — qu'il vend aux terrasses de Saint-Germain — il signe en mars l'article : *Demi-tour gauche pour un cri automatique* avec en sur-titre : *Fausse route*. Rompant, par ce texte, avec l'hortodoxie isouienne, il pose le problème de l'inspiration et de la notation lettriste. En fait, il dénonce l'artificielle invention de nouvelles lettres : *Je ne pense pas* [qu'elles soient] *d'une importance véritable pour une CRIation de transes intranscriptibles*, et il annonce sa découverte du *crirythme*. Inspirée de la *Mégapneumie* de Wolman, cette poésie, donnée en récitals et, enregistrée au magnétophone, se caractérise par l'émission de sons inarticulés proches de la musique. La même année, Dufrêne commence le *Tombeau de Pierre Larousse* qui marque simultanément le retour à une poésie à mots et non plus à « lettres » comme celle que continuaient de cultiver ses anciens amis lettristes.

Hains et Villeglé, quant à eux, ont l'occasion de rencontrer l'entourage de François Dufrêne (Guy Debord, Gil Wolman, Jean-Louis Brau, etc.), notamment au café Moineau, rue du Four. Ils y prennent connaissance avec intérêt de son texte dissident. Hains, pour sa part, ne pratique plus la photographie abstraite depuis trois ans. Les verres cannelés entraînent d'autres recherches, puisque depuis 1950 il fait des essais de déformations géométriques sur des typographies et développe le concept d'*ultra-lettre*. Assisté de Villeglé, et grâce aux verres cannelés, il fait éclater optiquement des noms de peintres et de poètes.

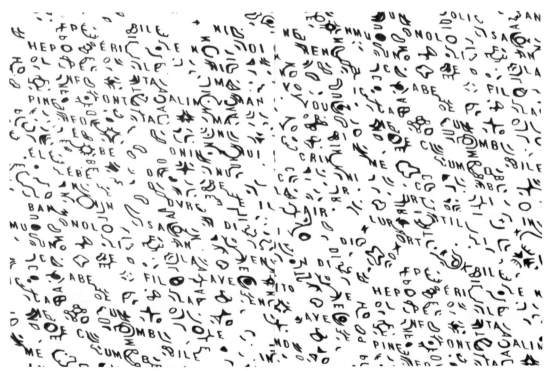

*Hains et Villeglé. Une page d'***Hépérile éclaté***, 1953.*

En mai 1952, ils s'emparent avec sa complicité d'un poème phonétique de Camille Bryen, *Hépérile*, un petit livre assez confidentiel, paru en 1950. Pour Bryen, la tentative photographique de Hains rejoint ses aspirations *abhumanistes* pour *le monde tel qu'il est au départ avant qu'on l'ait compartimenté, classé, humanisé* (6). Leur livrer *Hépérile* procède d'une *désappropriation active* donnant lieu à l'invention du *premier poème à dé-lire* (7). Pour Hains et Villeglé les *ultra-lettres* existaient avant eux à l'état sauvage, mais *l'intrusion du verre cannelé dans la poésie* devient *l'un des plus sûrs moyens de s'écarter de la légèreté poétique*. Ils ajoutent : *Par une démarche analogue, il est possible de faire éclater la parole en ultra-mots qu'aucune bouche humaine ne saurait dire* (8).

Ainsi, lorsqu'un ami commun les présente l'un à l'autre, le 2 février 1954 au Dôme, boulevard Montparnasse, Hains explique-t-il à François Dufrêne le lien entre *Hépérile éclaté* et ses propres recherches phonétiques : ce que l'un *éclate* graphiquement, l'autre le désintègre vocalement. Sans comprendre tout de suite la démarche de Hains et de Villeglé, Dufrêne commence à les fréquenter *pour le plaisir d'une conversation... édifiante* (9). Peu de temps après, toujours à la terrasse du Dôme, il présente Hains à Klein.

Klein 1954-1955

Ce dernier revient du Japon. Quinze mois durant, il a suivi un entraînement intensif à l'illustre Institut Kôdôkan de Tokyo, ce qui lui a permis d'atteindre le niveau qu'il souhaitait. Au Japon, il a rompu ses relations avec les Rose-Croix mais il continue jusqu'en 1956 sa lecture de la *Cosmogonie*. Il y a organisé trois expositions pour ses parents et poursuivi ses expériences de petits monochromes sur carton. En revenant dans son pays, ses ambitions de judoka sont grandes. *Au Japon*, explique Bernadette Allain qui le rencontrera en 1955, *il avait appris le vrai judo, qui n'existait pas dans les écoles françaises. Le judo considéré comme une discipline de l'effort soutenu et comme une ascèse, qui donne au corps un savoir qui ne passe jamais par l'intellect* (10). Il veut donc, avec un film qu'il a tourné au Japon et un projet de livre, *Les fondements du Judo*, offrir une nouvelle approche de cet art.

Mais Klein a rapidement des démêlés avec la Fédération Française de Judo qui voit d'un mauvais œil ses qualifications et les bouleversements qu'entraineraient ses méthodes d'enseignement. Par mesure de rétorsion pour les remous qu'il crée au sein de la Fédération, on refuse d'homologuer ses ceintures japonaises et on ne l'autorise pas à participer aux championnats d'Europe.

Humilié, déçu, il décide de partir et de s'installer à Madrid avec Claude Pascal. Il y est nommé Directeur Technique de la Fédération Espagnole de Judo, qui devient grâce à lui une antenne dynamique du Kôdôkan. Il accroche quelques monochromes dans la salle d'entraînement, tandis qu'à Paris en novembre, son livre paraît aux Éditions Grasset. Il revient à Paris en décembre 1954, déterminé à conquérir une position prépondérante mais, cette fois, dans la peinture. En publiant en Espagne deux recueils de peintures monochromes, *Yves Peintures* et *Haguenault Peintures*, il réaffirme son intérêt pour la monochromie, lequel remonte, selon les sources les plus autorisées à 1948 (Arman) ou 1949 (Claude Pascal). Chacune des dix planches couleurs monochromes publiées par recueil est signée Yves ou Haguenault et certaines sont datées entre 1951 et 1954. Les

deux « textes », signés Claude Pascal, sont composés de simples lignes noires groupées en paragraphes.

En janvier 1955, il rencontre Hartung, Soulages, Schneider et, devant eux, défend la couleur pure. Il montre *Yves Peintures* aux artistes de Montparnasse qu'il rencontre dans les cafés et écrit dans son journal : « *Hier soir, mercredi, nous sommes allés dans un café d'abstraits [...]. Ils sont facilement reconnaissables parce qu'ils dégagent une atmosphère de tableaux abstraits [...]. En tout cas nous nous sommes assis avec eux [...]. Puis on en est venu à parler du livre Yves Peintures [...]. Aux premières pages déjà les yeux s'allumèrent et dans le fond apparaissaient de belles et pures couleurs unies* » (11).

Sa mère et sa tante lui installent un club de judo, boulevard de Clichy et c'est là, comme l'explique Arman, qu'il commence *à peindre comme un fou* (12), accrochant dans la salle d'entraînement ses toiles monochromes.

Il fait la connaissance de Robert Godet, un haut personnage de Montparnasse qui l'aide dans ses débuts de judoka à Paris. Fondateur de la Fédération Internationale de Judo, éditeur, grand reporter, adepte de Gurdjieff, curieux de l'avant-garde et des philosophies orientales, il sera très proche de Klein, jusqu'à sa mort accidentelle en 1960. Au printemps 1955, il lui présente Bernadette Allain, jeune architecte, qui deviendra la compagne de Klein pendant plusieurs années. Passionnée comme lui par la couleur pure, *une question de vibrations, de longueurs d'onde et*

Klein judoka. Couverture de **Science et Vie**, mai 1956.

de résonances (13), elle cherche avec lui le fixatif qui permettrait de stabiliser les pigments en poudre et, ensemble, ils réalisent au rouleau les premiers monochromes sur tissu tendu sur contre-plaqué.

En juillet 1955, Yves Klein s'estime prêt. Il décide donc de présenter au salon des Réalités Nouvelles un monochrome orange, intitulé *Expression du monde de la couleur mine orange,* signé YK au recto et daté mai 1955. Le jury, pourtant bien disposé à l'égard du fils de Marie Raymond, ne peut accepter le tableau, s'il n'y ajoute au moins un point.

Tinguely 1955-1956

Jean Tinguely est présent lors du refus du comité. Leur rencontre à cette occasion marque le début de leur amitié puis de leur collaboration. A ce même salon, Tinguely expose deux longs reliefs constitués de casseroles, d'entonnoirs, de bouteilles, de bocaux qui, frappés par différents petits marteaux, produisent un effet sonore *d'une gaité turbulente et libératrice dans son imprévisibilité* (14).

Depuis le début de l'année, le sculpteur est installé impasse Ronsin, dans une petite cité de quinze ateliers d'artistes, où vit également Brancusi. Il vient de participer en avril à l'exposition *Le Mouvement* chez Denise René. Cette exposition comportait une partie historique avec Marcel Duchamp et Calder et la jeune génération était représentée par Vasarely, Agam, Bury, Soto et Tinguely. Pour le catalogue, Pontus Hulten avait écrit un texte théorique et une chronologie de l'art cinétique. Tinguely pour sa part y présentait une sculpture auto-mobile méta-mécanique et ses deux premières machines à dessiner et à faire de la musique. Ce sont deux reliefs comportant chacun des formes géométriques blanches en mouvement et un grand disque recouvert d'une feuille de papier sur laquelle un bras mécanique dessine des lignes circulaires. Les sculptures de Tinguely génèrent désormais leurs propres œuvres d'art ; elles annoncent les *Méta-matics* de 1959.

Après une exposition en septembre à la galerie Samlaren de Stockholm à l'occasion de laquelle Pontus Hulten parle pour la première fois de *méta-mécaniques,* il réalise quelques grands reliefs polychromes baptisés par la suite *Méta-Kandinsky* et *Méta-Herbin.*

En octobre 1956, lorsqu'il expose, seul cette fois, chez Denise René, il a abandonné la couleur. Ses reliefs blanc sur blanc sont composés de formes mobiles qui se meuvent en des rythmes spasmodiques. Ainsi *Yokohama,* méta-mécanique à 26 vitesses et 2 constantes, peut évoquer la calligraphie japonaise. Pierre Restany, désormais rédacteur à la revue *Cimaise,* rend compte de l'exposition dans son numéro de décembre. Tinguely réalise à la même époque de petits volumes virtuels en imprimant un mouvement rotatif très rapide à un objet quelconque. L'œil ne perçoit plus alors qu'un corps transparent.

Niki de Saint-Phalle

Cette année là, Niki de Saint-Phalle qui a vécu à New York jusqu'à l'âge de vingt et un ans réalise des reliefs en plâtre, des assemblages d'objets et fait sa première exposition personnelle à Saint-Gall, en Suisse. Ses premiers tableaux qu'elle avait peint quatre ans plus tôt *au paroxysme d'une situation de crise* (15) pourraient entrer dans la catégorie de l'art brut du fait même de l'impérieuse nécessité qu'elle avait eu de les produire.

César

En 1956, César Baldaccini a trente quatre ans. Comme Arman et Klein, c'est un méridional. En 1935, il commence à suivre les

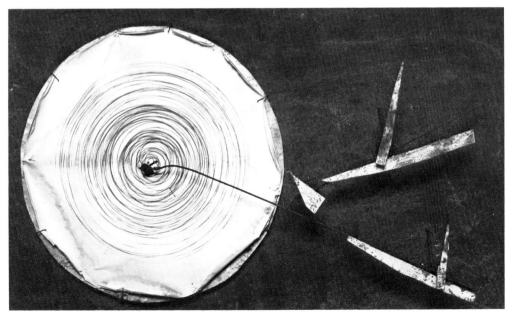

Tinguely. **Machine à dessiner,** *nº 2, 1955. Photo André Morain.*

cours du soir à l'École des Beaux-Arts de Marseille et à partir de 1938 y étudie dans l'atelier de sculpture d'après le modèle vivant. Admis en octobre 1943 aux Beaux-Arts de Paris, il y restera grâce à une bourse jusqu'en 1948. Il étudie le dessin, la taille directe, le modelage et, dès 1947, se tourne vers des matériaux moins nobles : plâtre, fer, plomb repoussé et fil de fer. Il utilise volontiers des objets et des matériaux de rebut comme pour l'*Hommage à Picasso* (1955) « fabriqué » avec deux brûleurs à gaz.

Dans le Midi, en 1952, il s'initie à la soudure et l'année suivante, il crée ses premières sculptures en ferraille (animaux, nus). Son *Poisson* est primé en 1954 aux Beaux-Arts, puis exposé à la galerie Lucien Durand (première exposition personnelle de César), acheté, enfin, par le Musée National d'Art Moderne en 1955.

Travaillant désormais dans une petite usine de la banlieue parisienne, à Villetaneuse, César s'impose alors comme un maître de la sculpture métallique.

En 1955, il expose avec Karel Appel à la galerie Rive Droite. R. van Gindertaël dans *Cimaise* (décembre 1955) parle de lui comme du *Benvenuto Cellini de la ferraille.*

Un an plus tard, dans la même revue (16), Herta Wescher décrit *les bêtes fantômes très surréalistes*, qu'il expose au même endroit en octobre à côté de toiles brûlées d'Alberto Burri (17).

La salle qui lui est réservée dans le pavillon français de la Biennale de Venise de 1956 est le signe de son rapide succès. Cette Biennale est un phare dans la quasi inexistence d'expositions internationales dont le petit nombre s'est pourtant accru de la Documenta de Kassel en 1955.

La Biennale de 1954 avait été placée sous le signe de l'Art Fantastique, et un hommage avait été rendu à Ernst, Mirò et Arp. Deux ans plus tard, le Pavillon américain y apporte sa vague d'expressionnistes abstraits : Kline, de Kooning, Pollock, Tobey. La France présente Villon, Giacometti, Bernard Buffet, César.

Dufrêne, Hains 1954-1955

C'est bien loin de ces prestigieuses et officielles manifestations, que s'est déroulée la brève épopée du *croûtisme*. Par dérision envers les dizaines d'adeptes de la « haute pâte », épigones de Dubuffet et de Fautrier, ce « mouvement » très confidentiel est né en 1954, rue Delambre, sur une nappe en papier bleu et blanc. Dufrêne, l'œil attiré par les fonds de pots de peinture glycérophtalique utilisée par Hains pour ses films abstraits, en modèle la pâte à moitié sèche pour en faire des bananes et des oranges qu'il dispose sur une table autour d'une bouteille de vin d'Alsace.

En 1957, Dufrêne préfacera l'exposition de la seule artiste « officiellement » croûtiste : Jacqueline Rossignon : *En baptisant croûtistes et mon unique (première) toile du genre et maintenant ces choses exposées, j'entends entendre le culinaire truculent du truc, l'aspect croûte du chef de l'entreprise... Avec le visqueux suggéré des huîtres, nous ne sommes pas loin de ce mur de plâtre et de carton pâte contre quoi notre belle nausée bute. Il s'agit d'à jamais le crever pour que l'Art ne soit que la vie, qu'avec lui elle se fonde* (18).

Toujours rue Delambre, Hains fait écouter à Dufrêne des disques folkloriques et des musiques vocales de la Guinée Française. Tous deux ont une prédilection pour la saveur des mots. C'est à cette époque que Dufrêne, improvisant devant le micro, enregistre ses premiers *crirythmes*. Il en donne un récital public en octobre 1955.

Hains, lui, exerce ses talents littéraires dans le tract *Flagrant Dali* où il accuse le peintre catalan d'avoir utilisé, sans son autorisation, sa photographie d'une main multipliée par un jeu de miroirs pour la page de garde de son livre *La vie secrète de Salvador Dali*. Dans ce tract dont *Combat* publie un extrait en 1955, on peut lire des phrases de ce genre : *C'est à ma barbe et certainement pas à vos moustaches, que cette main, je la vois utilisée à des fins daliniennes : guidé par les moustaches-antennes, votre homme de « Main » l'a détecté...*

Première exposition particulière de Klein, octobre 1955.

52

Klein, Restany 1955-1956

En octobre 1955, Yves Klein, que son échec au Salon des Réalités Nouvelles n'a pas découragé, organise dans les Salons des Editions Lacoste, sous l'égide du Club des Solitaires, sa première véritable exposition de peintures monochromes. Celle-ci reste très confidentielle mais un certain bruit finit par s'en répandre néanmoins et c'est peu après cette exposition que Pierre Restany, par l'intermédiaire d'Arman qu'il connaissait depuis 1953, rencontre Klein. Convaincu par le caractère absolu de sa démarche, il accepte très volontiers de préfacer sa première exposition dans une galerie d'art, celle de Colette Allendy (21 février 1956).

Dans son texte, intitulé *La minute de vérité*, Pierre Restany situe ses *propositions rigoureusement monochromes* au-delà des *mondes autres* (allusion à Michel Tapié) et *à côté de ce qu'il est convenu d'appeler l'art de peindre. Chacune d'entre elles*, écrit-il, *délimite un champ visuel, un espace coloré, débarrassé de toute transcription graphique et échappant ainsi à la durée, voire à l'expression uniforme d'une certaine tonalité. Par-dessus le*

public-public, si commode miroir aux alouettes, les vieux habitués de l'informel se mettront d'accord sur la définition d'un « rien », tentative insensée de vouloir élever à la puissance + ∞ la dramatique (et désormais classique) aventure du carré de Malevitch. Mais il n'y a précisément là ni carré noir ni fond blanc, et nous sommes au cœur du problème. L'agressivité de ces diverses propositions de couleur projetées hors des cimaises n'est qu'apparente. L'auteur requiert ici cette intense et fondamentale minute de vérité, sans quoi toute poésie serait incommunicable ; ses présentations sont strictement objectives, il a fui jusqu'au moindre prétexte d'intégration architecturale des espaces colorés. On ne peut le suspecter d'aucune tentative de

Texte de présentation rédigé par Klein pour sa première exposition particulière.

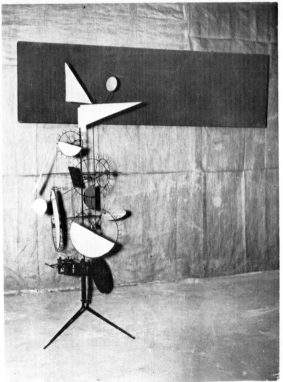

Festival d'Art d'Avant-garde, Marseille, été 1956. Sculpture méta-mécanique (type **Meta-Herbin**) de Tinguely devant une peinture monochrome de Klein.

décoration murale. L'œil du lecteur, si terriblement contaminé par l'objet extérieur, échappant depuis peu à la tyrannie de la représentation cherchera en vain l'instable et élémentaire vibration, signe auquel il s'est habitué à reconnaître la vie, essence et fin de toute création... comme si la vie n'était que mouvement. On l'oblige enfin à saisir l'universel sans le secours du geste ou de sa trace écrite et je pose alors cette question : où, à quel degré d'évidence sensible se situe donc le spirituel dans l'art ?... ».

Au cours d'un débat organisé à la galerie avec Pierre Restany et Bernadette Allain ainsi que Louis-Paul Favre et Claude Rivière, journalistes à *Combat,* la discussion a beaucoup porté, malgré les mises en garde de la préface, sur la disposition dans l'espace des peintures monochromes. Klein comprend alors que le spectateur *n'arrive pas à se mettre en présence de la couleur d'un seul tableau* (19). La juxtaposition des monochromes, différents par leur format et leur couleur, contredit en effet le principe même de la monochromie. C'est cette réflexion qui provoque son entrée dans *l'époque bleue.*

Quelques jours après cette exposition, il est adoubé, le 11 mars, Chevalier de l'ordre des Archers de Saint-Sébastien, en l'église Saint-Nicolas des Champs. Dans un album où il rassemble alors des photographies et des textes le concernant, il écrit, au-dessus de la photographie de cette cérémonie : *Pour la couleur ! Contre la ligne et le dessin !*

Arman

A Nice, où il est revenu après ses études à Paris, Arman commence à pratiquer la peinture abstraite tout en faisant quelques travaux de bureau pour gagner sa vie. A noter l'intérêt qu'il manifeste alors pour l'œuvre du typographe hollandais Werkman et pour les collages de Schwitters qu'il avait pu voir à Paris, à la galerie Berggruen, en 1954.

Il fait sa première exposition particulière à Paris, galerie du Haut-Pavé, en février 1956, y montrant ses peintures et aussi quelques empreintes de cachets administratifs sur papier. Restany voit l'exposition, s'intéresse tout particulièrement aux *cachets* et engage Arman à les traiter dans de plus grandes dimensions.

Ce même mois, Iris Clert, jeune femme d'origine grecque ouvre sa galerie au 3, rue des Beaux-Arts. Takis, Tsingos figurent parmi les premiers artistes qu'elle y présente. C'est en octobre que Klein lui rend visite et lui montre un petit monochrome orange.

L'été de cette année-là est marqué par le premier Festival d'Art d'avant-garde que Michel Ragon et Jacques Polieri organisent dans l'unité d'habitation que Le Corbusier a construite à Marseille. Le but de ce festival est d'associer à la peinture et à la sculpture le cinéma, la musique, la danse et le théâtre. Maurice Béjart, sur une musique de Pierre Henry et devant une sculpture mobile de Nicolas Schöffer, donne son ballet *Arcane.* Des films abstraits du canadien Mac Laren sont projetés. Dans les salles d'exposition ce qu'il convient de retenir tout particulièrement est l'installation d'une sculpture méta-mécanique colorée de Tinguely devant une grande peinture monochrome rouge de Klein.

Caricatures inspirées à Villeglé par le débat sur la monochromie. Exposition Klein, galerie Colette Allendy, 2 mars 1956.

1957

Klein, janvier-mai

A la recherche de *la réelle valeur du tableau*, Yves Klein pendant l'été 1956, se fixe sur un bleu qu'il qualifie d'ultramarin et qu'il fera breveter en 1960, sous le nom d'*International Klein Blue* (I.K.B.).

Pour montrer les *Propositions Monochromes de l'époque bleue*, Pierre Restany pense à son ami Guido Le Noci, directeur de la galerie Apollinaire de Milan. Celui-ci présente depuis quelques années, sur ses conseils, la nouvelle génération de l'Ecole de Paris. Il accepte d'exposer Yves Klein pendant dix jours du 2 au 12 janvier.

A la galerie Apollinaire de Milan [j'eus] une exposition consacrée à ce que j'ai osé appeler mon époque bleue. [...]. Cette exposition était composée d'une dizaine de tableaux bleu outremer foncé, tous rigoureusement semblables en ton, valeur, proportions et dimensions (20). Légèrement arrondis aux angles, les panneaux sont accrochés à 25 cm en avant du mur. *Les « acheteurs » choisirent parmi les onze tableaux exposés chacun le leur et le payèrent chacun le prix demandé. Les prix étaient tous différents bien sûr. Ce fait démontre que la qualité picturale de chaque tableau était perceptible par autre chose que l'apparence matérielle et physique d'une part, et d'autre part, évidemment que ceux qui choisissaient reconnaissaient cet état de choses que j'appelle la « sensibilité picturale »* (21).

Dans la presse, l'exposition est très controversée, et de ce fait attire l'attention des Milanais. Dino Buzzati signe un article spirituel intitulé *Blu, Blu, Blu*.

Le collectionneur Panza di Biumo, l'artiste Lucio Fontana manifestent leur intérêt. P. Palazzoli ouvre quelques mois après une galleria Blu sous le signe d'un monochrome bleu et le chanteur Modugno compose *Nel blu dipinto di blu*.

Piero Manzoni, jeune artiste milanais est très impressionné par l'exposition de Klein et c'est peu après qu'il produit ses premières peintures blanches, les *Achromes*. Les noms de Klein, d'Arman, de Restany figurent en septembre au bas du manifeste *Contro lo stilo* rédigé par le Gruppo Nucleare fondé par Enrico Baj en 1951 et que Manzoni avait rejoint.

A son retour à Paris, Klein resserre ses liens avec Iris Clert. En mars, il rencontre le sculpteur rhénan Norbert Kricke à qui elle consacre une exposition. Il s'agit là d'un de ses premiers contacts avec l'Allemagne. Puis il aide Iris pour l'accrochage des 250 petits tableaux du *Micro-salon* d'avril qu'elle organise dans sa galerie. Au centre de chaque cimaise, des monochromes de couleurs différentes équilibrent l'ensemble.

Pendant ce temps, il lui a présenté ses amis et c'est dans un climat de grande exaltation (22) que se préparent, chez Iris Clert et chez Colette Allendy ses deux expositions parisiennes de l'époque bleue annoncées par un bref communiqué de Pierre Restany

Klein. Exposition **Propositions monochromes époque bleue**, galerie Apollinaire, Milan, janvier 1957.

imprimé sur des cartes postales affranchies d'un timbre bleu.

Le 10 mai, un lâcher de ballons bleus annonce l'ouverture de l'exposition chez Iris Clert. Klein y présente neuf monochromes bleus identiques fixés par des équerres à vingt centimètres du mur. La surface mate, unie, aux rides légères et régulières recouvre même la tranche des tableaux.

Chez Colette Allendy, l'exposition *Pigment pur* (du 14 au 23 mai) propose de multiples « états » du bleu appliqué selon des étendues et sur des supports très divers : pigment bleu au sol, paravent bleu, pluie bleue constituée de fines tiges fixées au plafond, huit reliefs bleus, obélisques bleus, globe terrestre... bleu, tel que le verra Gagarine, le premier homme à voler dans l'espace en avril 1961.

Au premier étage, une petite salle vide a été « sensibilisée » par la seule présence de Klein. Dans le jardin de Colette Allendy, le soir du vernissage, il allume des feux de Bengale fixés sur un

Klein. Démonstration de peinture monochrome au roulor, galerie Apollinaire, Milan, janvier 1957.

monochrome bleu. De cet acte qui revêt, à ses yeux, la dimension d'un cérémonial résulte le *Feu de Bengale bleu ou le tableau d'une minute ou le tableau qui parle après dans le souvenir*. Il tourne un court-métrage sur ces deux expositions et demande à Charles Estienne d'intervenir par des *cris bleus* sur la bande sonore.

Hains, Villeglé, Dufrêne, mai-décembre

Dès le 24 mai, Colette Allendy inaugure l'exposition de Raymond Hains et de Jacques de la Villeglé dont le carton d'invitation est ainsi libellé : *Colette Allendy vous invite à franchir la palissade de l'exposition Loi du 29 juillet 1881 ou Le lyrisme à la sauvette*. Plusieurs des affiches qui y sont présentées sont le fruit de leur collaboration : *Soviétique Patrie* (1950), *Général Joinville* (1952-1953), *Ach Alma Manetro* (1949), etc. Celles que signe Villeglé qui a cessé, en 1954, de collaborer avec Hains, ont pour titre le lieu et la date de leur « invention ». Yves Klein avait accepté de raccourcir son exposition afin que la leur dure un peu plus longtemps.

Depuis trois ans qu'ils se connaissent, Hains, Villeglé et Klein s'intéressent réciproquement à ce qu'ils font. Ainsi, quand en 1954 ils se sont rencontrés, Klein a prêté attention à leurs films abstraits et particulièrement à celui qu'ils tournaient depuis quelques années sur les affiches lacérées. A sa demande, ils ont projeté *Loi du 29 juillet 1881* et *Pénélope* au cours d'un des lundis de réception de Marie Raymond.

Ce qui séduit Klein dans la démarche des deux « décollagistes » est le fait que les affiches ne sont pas réalisées par l'artiste, à la pointe de son pinceau, mais par les mains des passants qui les lacèrent : *Avec Hains, nous tenions au début, vis-à-vis de l'acte de peindre ou de coller nos distances* (23).

Hains, expliquera Dufrêne, *était d'abord un photographe, un chasseur d'images. Un jour, au lieu de photographier les affiches, il a enlevé le morceau pour l'emporter chez lui* (24). La différence, dit Raymond Hains, *est la même qu'entre une déclaration et les épousailles*.

Il s'agit cependant de bien cerner l'originalité de leur démarche et de ne pas confondre ces affiches avec des œuvres abstraites ou informelles, des collages cubistes, des ready-made dans l'esprit dada. Alors que Schwitters s'intéressait au déchet urbain ou que Duchamp faisait le choix souverain d'un objet manufacturé, Hains et Villeglé travaillent eux sur l'idée du *Lacéré anonyme*, ce que Villeglé appelle une *manifestation spontanée* (25). En décembre, Hains emmène Dufrêne dans un entrepôt qu'il avait découvert, la maison Bompaire. C'est là que sont stockés les panneaux d'affichage et les palissades de récupération. Dufrêne qui était jusqu'alors simple témoin de leurs pérégrinations remarque un grand panneau en noir et blanc qui lui fait *penser à des gravures orientales* (26). Cette découverte va décider de son intérêt pour les *dessous* ou *envers* d'affiches que ni Hains, ni Villeglé n'avaient exploités mais, qu'en revanche, Rotella, dès 1953, avait parfois retenus pour leur couleur et leur matière particulière. Dufrêne intitule sa première trouvaille *La golonne fantôme* puis pendant un an il cherche des envers, sans succès et fait *à défaut des « endroits » dans la manière de Villeglé* (27).

Quant à cet entrepôt Bompaire, c'est aussi lui qui fournira à Hains les tôles galvanisées couvertes de restes d'affiches lacérées qu'il exposera d'abord à la galerie Apollinaire de Milan en mai 1960 puis à la Galerie J en 1961.

Carte postale annonçant les expositions de Klein galerie Iris Clert
et galerie Colette Allendy, mai 1957.

Klein, juin

Klein, lui, poursuit sa trajectoire bleue à Düsseldorf où il a été
invité à réaliser l'exposition inaugurale de la galerie Alfred Schmela
(31 mai 1957). Il y fait la connaissance d'Otto Piene et de Heinz
Mack qui, d'avril 1957 à octobre 1958 inviteront à Düsseldorf pour
des expositions d'un soir des artistes européens engagés dans
une autre direction que celle de la peinture abstraite. Les deux
dernières de ces expositions (24 avril et 2 octobre 1958) seront
intitulées *Peinture rouge* et *Vibration*. Dans la revue *Zero* que
Piene et Mack feront paraître à partir d'avril 1958 figureront
notamment Arman, Aubertin, Pol Bury, Fontana, Klein, Manzoni,
Dieter Rot, Soto, Spoerri, Tinguely, Uecker.

A la fin du mois de juin, Klein expose à Londres, Gallery One. Le
26, un débat organisé à l'Institute of Contemporary Arts lui permet
de développer sa conception de la monochromie et d'évoquer
son projet de symphonie d'une seule note continue. Les Anglais,
un peu sceptiques, verront plutôt la chose sous l'angle de
l'humour.

Une vue de l'exposition Klein, galerie Colette Allendy, mai 1957.

*Le feu de Bengale bleu, jardin de la galerie Colette Allendy, mai
1957 (les photos 8, 10, 11, 13, 17 et 18 sont extraites de l'album
tenu par Klein en 1955-1956. Collection Y. Neiman, Paris).*

Tinguely, Arman, Restany, juin

Ce même mois, à Paris, Tinguely expose chez Edouard Loeb des *Peintures cinétiques* présentées par un texte de Pontus Hulten et Arman, à la galerie La Roue, montre des peintures et des *cachets*. Pierre Restany, dans *Cimaise* (28), constate que *le petit Niçois a la tripe picturale* mais il lui souhaite une *fondamen-*

tale remise en question et reconnaît dans les *cachets, une voie ouverte et à suivre : ces démarches parallèles sont souvent riches de sens et de possible avenir.*

En cette année 1957, Pierre Restany approche lui-même de ce moment de *fondamentale remise en question* qu'il espère pour Arman. Le livre *Lyrisme et abstraction* qu'il écrit dans le premier semestre de l'année suivante mais qui ne sera édité par Guido Le Noci qu'en 1960 est une interrogation sur l'avenir de l'abstraction lyrique dont il se fait aussi l'un des tout premiers historiens. Un chapitre de cet ouvrage est consacré au groupe des peintres (Bellegarde, Bertini, Brüning, Halpern, Hundertwasser) qu'il rassemble en janvier 1957 à la galerie Kamer sous le titre *Espaces imaginaires*. Il tente alors d'opposer à la gestualité calligraphique, une gestualité fondée sur l'étendue du signe générateur d'un espace où il se dissout.

Il ne tardera pas cependant à constater tout ce qui séparait Yves Klein qu'il accompagnera désormais dans tout son cheminement créatif de ceux qui continuaient à peindre des tableaux abstraits. Il renoncera donc bientôt à associer son nom à ce qui n'aurait jamais constitué qu'une des multiples sous-tendances de l'abstraction lyrique dont Yves Klein représentait à la fois l'extrême aboutissement et le dépassement.

TOMBEAU DE PIERRE LAROUSSE

OUVERTURE

HORBI etturBI - JOzé itturBI; VALérilarb O - VAlérilarBI;
VALôris BOlérôleyRIS LOreLEY; LÔrel ôrIOL eharDI!
KLÔôôklôôôèlerBI vorBA lourPEK nôPLOUK,   35
VItrié! VItriol! TRIol ôHELsa GLOrfa éLÉissonn - KIrié swanSONN
CHVOB swann SNOB PINtateuk TÔL PINtotal TANK
kuKUL kukLUX klaNAYS krimSOdaKOLT ayKURsul RÉkoltBANK
krimLURS LURSsa koréHURS krwagamésSOL daHOL deupGANG
FEUDJwaBUDjè RADjaRIDJjè koyoTITCHkok wiskisKOTCHOTCHkis
MIkèMIKmak makak MAKkartispaAK vespakayatSKOUT
wesTERN STERnom sinéramaGANS - véBERN barNOM bergwolfGANG
jiroféJULF éribôBOté chaBOTté hãnnBÂté pôDANN...
LApila zuLI piLATpiratPAP lapiDÉpiDOU7 despoTÔpôTÔ!

Dufrêne. Ouverture du **Tombeau de Pierre Larousse,** *revue* **Grâmmes** *n° 2, 1958.*

Recto du carton d'invitation pour l'exposition Hains et Villeglé, **Loi du 29 juillet 1881,** *galerie Colette Allendy, mai 1957.*

La 30ᵉ Exposition Universelle ouvre ses portes à Bruxelles début avril. Le thème en est un *Bilan du monde moderne pour un monde plus humain.* L'Atomium, principale attraction de cette manifestation est un cristal élémentaire grossi 150 milliards de fois, haut de 110 mètres. On met l'accent sur le métal, le béton, l'architecture suspendue et le plastique, concurrent du verre. Ce plastique qui a inspiré à Roland Barthes un chapitre de ses *Mythologies : Malgré ses noms de berger grec (Polystyrène, Phénoplaste, Polyvinyle, Polyéthylène), le plastique [...] est essentiellement une substance alchimique. [...] Le frégolisme du plastique est total : il peut former aussi bien des seaux que des bijoux* (29).

A la 29ᵉ Biennale de Venise, l'innovation réside dans les dix salles réservées à de jeunes artistes internationaux. On y remarque la présence de Jasper Johns, qui vient de faire à New York sa première exposition personnelle chez Leo Castelli. Il montre un *Alphabet,* une *Cible* et un *Drapeau* de 1955. Dans le compte rendu qu'il écrit sur cette Biennale dans *Art International* (30), Pierre Restany insiste tout particulièrement sur le *Drapeau* de Johns qui lui semble le tableau le plus dadaïste de l'ensemble.

Rotella

Depuis plusieurs années, il fait de fréquents séjours en Italie et c'est ainsi qu'en janvier il a rencontré Mimmo Rotella à qui il apprend l'existence des « inventeurs » parisiens de l'affiche lacérée.

Celui-ci vient d'écrire sur cette question un texte de mise au point : *Arracher les affiches des murs est la seule compensation, l'unique moyen de protester contre une société qui a perdu le goût du changement et des transformations fabuleuses. Moi, je colle des affiches puis je les arrache : ainsi naissent des formes nouvelles, imprévisibles. Ce refus m'a fait abandonner la peinture de chevalet. Si j'avais la force de Samson, je collerais la place d'Espagne avec ses teintes d'Automne tendres et molles sur les places rouges du Janicule aux lueurs du soleil couchant* (31).

A propos de cet arrachage puis de ce collage que suit une lacération par Rotella lui-même, méthode qu'il pratique jusqu'en 1959, Pierre Restany parlera de *double décollage.* Cette opération diffère très sensiblement de la technique d'Hains et de Villeglé. On est loin, en effet, du simple *coup de pouce* qu'évoque ce dernier. *Parfois, découragés par la timidité de certaines déchirures, il nous était impossible de ne pas donner notre coup de pouce...* (32).

Rotella, après avoir pratiqué jusqu'en 1951 une peinture abstraite géométrique a passé un an aux Etats-Unis, à l'Université de Kansas City. De 1952 à 1953, traversant une période de crise, il s'est principalement consacré à la composition de poèmes phonétiques, les premiers de ceux-ci remontant d'ailleurs à 1949. Il a fait aussi des reportages photographiques sur le paysage urbain et c'est ainsi que son intérêt pour les affiches est né.

Dufrêne, Villeglé

De cette même année date la parution, dans la revue *Grâmmes,* du *Tombeau de Pierre Larousse* de François Dufrêne. Il y publie aussi le texte *D'un pré-lettrisme à l'ultra-lettrisme,* cette dernière formule ayant établi le lien entre lui-même et Hains et Villeglé qui, les premiers, avaient parlé d'*Ultra-lettres* dans leur préface pour *Hépérile éclaté.* Ce même numéro de *Grâmmes* contient le texte *Des réalités collectives* où Villeglé distingue notamment la *lacération* de la technique du collage.

Klein, avril

Yves Klein, quant à lui, après ses deux expositions parisiennes de mai 1957 décide de manifester par un acte très démonstratif l'évolution rapide de sa pensée artistique : au-delà de la couleur, au-delà de la peinture, il existe une *essence immatérielle de l'art.* Le 28 avril ouvre donc, chez Iris Clert, la célèbre exposition du *Vide* ou de *La spécialisation de la sensibilité à l'état matière première en sensibilité picturale stabilisée.* Pour créer une ambiance, un climat pictural réel et à cause de cela même invisible, l'artiste a vidé et repeint entièrement l'espace de la galerie en blanc (un blanc constitué du liant qu'il utilise pour ses monochromes). L'entrée du lieu, surmontée d'un dai bleu est flanquée de deux Gardes Républicains. Un cocktail bleu est servi aux visiteurs qui entrent dans la galerie par petits groupes.

Pierre Restany a ainsi libellé le carton d'invitation : *Iris Clert vous convie à honorer, de toute votre présence affective, l'avènement lucide et positif d'un certain règne du sensible. Cette manifestation de synthèse perceptive sanctionne chez Yves Klein la quête picturale d'une émotion extatique et immédiatement communicable.* Le soir du vernissage, le projet d'illumination en bleu de l'obélisque de la Concorde échoue, mais pour avoir accès au sein du vide, un public extraordinairement nombreux se presse sur le trottoir de la rue des Beaux-Arts.

Le Vide, galerie Iris Clert, avril 1958.

La presse est, dans la plupart des cas, désorientée. Dans *Cimaise* (33) Michel Ragon dénonce le côté anecdotique du vernissage (le cocktail, les Gardes...) et de ce fait contradictoire : Yves doit choisir entre l'esprit dada et l'esprit zen et Hugo Weber rend compte de la *petite affaire bleuâtre* en termes impersonnels. Dans *Le Monde*, un jugement sur la *plaisanterie* de Klein est nuancé par une citation de l'artiste : *Delacroix dans son journal fait grand cas de la notion d'indéfinissable. Moi j'en fais mon matériau essentiel : le tableau à force d'être indéfinissable se fait ABSENCE* (34).

A partir de cette exposition, Klein profite de sa renommée pour lancer ses amis, et faire *tout son possible pour aider tout le monde* (35). Il commence par introduire Arman et Tinguely chez Iris Clert.

Arman, mai

Arman, le 20 mai, y expose, sous le titre *Les Olympiens,* des cachets de grand format. A la fin de l'année, il part avec sa femme pour un grand voyage sur le continent asiatique. Ils visitent les Balkans, l'Anatolie, et Persépolis. Ils reviendront à Nice en 1959, date à laquelle Arman commence ses expérimentations avec l'objet.

Tinguely, juin

A partir du 5 juin, Jean Tinguely présente pendant une semaine dans la galerie d'Iris Clert *Mes étoiles, Concert pour sept peintures. Le point radiant, Sirius, Spirale de la nébuleuse,* etc. sont en fait des reliefs noirs mobiles ponctués d'éléments blancs. A partir d'un petit tableau de bord, le visiteur peut déclencher les différents sons de batterie que produisent le choc de leurs éléments. Le succès vaut à Tinguely une actualité filmée et l'attention de deux radios. Restany écrit dans *Cimaise* (36) : *Quel bien-être des sens, quelle jouissance de l'esprit, quel réconfort moral : des machines inutiles, vraiment inutiles, volontairement démunies de toute efficience et d'un rendement plus que nul. De l'énergie électrique dépensée pour rien... Pour rien, dis-je, pis encore : ce sont des machines égoïstes, qui, font un bruit d'enfer, des machines mal élevées qui entonnent un hymne burlesque à la gloire de l'ultime élément pictural qui leur reste, spirale, cercle blanc, trait rectiligne, des peintures spatiales triomphantes qui assistent à leur propre gloire avec un orgueil tranquille. Et l'homme dans tout ça ? Assourdi, malmené, aveuglé, on lui offre un traitement de choc, une cure d'hygiène mentale.*

Klein, Tinguely, novembre

Klein et Tinguely décident alors de réaliser une œuvre commune pour le Salon des Réalités Nouvelles (7 juillet - 3 août). Ils conçoivent *Méta-morphe sur une exaspération monochrome :* une forme blanche animée, sur un panneau monochrome bleu. L'œuvre étant refusée par le jury, ils décident de faire une exposition conjointe chez Iris Clert.

Le 17 novembre la galerie présente : *Vitesse pure et stabilité monochrome par Yves Klein et Tinguely.* Six disques monochromes I.K.B. sont fixés au mur ; leur vitesse varie de 450 à 2 500 tours par minute. Au sol, l'*Excavatrice d'espace* qui avance par soubresauts est munie d'un disque blanc qui tourne à 4 800 t./mn. Sur le *Perforateur monochrome,* un petit disque rouge (9 cm

de diamètre) tourne à 10 000 t./mn. La rotation des disques n'est pas tant perçue comme mouvement, que comme *une manifestation de l'énergie* écrit Restany, dans la préface de l'exposition. Dans *Cimaise* (37), il note ceci : *Le cinétisme de Tinguely retrouve la couleur animée et l'International Klein Blue y gagne un pouvoir d'incantation accru.*

Nul doute que Klein a alors influé sur l'évolution de Tinguely. A partir de cette collaboration, les moteurs de ses machines, source de leur mouvement, deviennent visibles, ses œuvres ne font plus référence à la peinture constructiviste et ses déclarations sur le statique et le mouvement, celles de Düsseldorf et de Londres en 1959, rejoignent le principe de l'immatériel mis en avant par son ami.

Le même mois, chez Robert Godet, Klein utilise pour la première fois un *pinceau vivant :* un modèle nu enduit de peinture bleue « peint », en se couchant et en rampant sur elle, une feuille de papier blanc. C'est un préambule aux *Anthropométries* de 1960.

Avec cette soif de *conquête* et d'appropriation spirituelle qui était alors la sienne, il avait écrit le 29 mai au président Eisenhower pour lui annoncer la *Révolution bleue* qui se proposait, pour commencer, la transformation de la société française. N'ayant pas reçu de réponse, il enverra la même lettre à Krouchtchev.

A partir d'octobre et pendant un an, c'est en Allemagne qu'Yves passe la plus grande partie de son temps. Il a en effet reçu en janvier 1958 la commande d'une très grande décoration murale pour le nouvel Opéra de Gelsenkirchen dans la Ruhr. Werner Ruhnau qui en est l'architecte a demandé à Norbert Kricke de constituer une équipe d'artistes. Outre Klein, Kricke a choisi Paul Dierkes, Robert Adams et Jean Tinguely. Ce dernier a la charge de deux murs de cinq mètres sur dix dans le petit théâtre. Il les couvre de *peintures cinétiques* blanches sur fond gris dont les éléments *se regroupent pour former un plan de couleur blanche dont la configuration est perpétuellement mouvante* (38). Klein réalise deux immenses monochromes de sept mètres sur vingt et deux reliefs éponges de cinq mètres sur dix pour le foyer central. Ses deux grands monochromes I.K.B. sont animés par des effets de matière en faible relief, quant aux reliefs éponges ils se situent dans le prolongement de ses premiers

Klein et Tinguely, impasse Ronsin en 1958. Photo Martha Rocher.

essais d'imprégnation de 1957 : *Un jour je me suis aperçu de la beauté du bleu dans l'éponge ; cet instrument de travail est devenu matière première* (39).

Dans ce travail de longue haleine, il est aidé par une jeune Allemande, sœur d'un des artistes du groupe Zero : Rotraut Uecker qu'il épousera en 1961.

C'est en Allemagne qu'il élabore, avec l'architecte Werner Ruhnau, son projet pour une *architecture de l'air*. C'est là aussi qu'il conçoit l'idée d'une *école de la sensibilité* dont les différentes sections seraient confiées à Tinguely (sculpture), Klein, Fontana, Piene (peinture), Ruhnau, Frei Otto (architecture), Claude Pascal, Pierre Henry, Bussotti, Kagel, Polieri (musique et théâtre).

Christo

1958 est enfin l'année où Christo arrive, au mois de mars, à Paris après avoir séjourné à Vienne et à Genève. En Bulgarie qu'il a quittée illégalement en 1956, il a suivi des cours à l'Académie des Beaux-Arts de Sofia. Outre l'apprentissage d'une peinture académique, les étudiants étaient appelés parfois à exécuter des travaux d'aménagement du paysage le long de la voie de l'Orient-Express : *Nous installions les machines dans des positions pleines de dynamisme. Nous disions aux paysans : placez cette moissonneuse-batteuse sur une petite colline bien visible, comme sur un socle. Nous avions empilé des tuyaux pour faire beau, alors qu'ils avaient été livrés pour construire une conduite d'eau près de la Maritza* (40).

A Paris, il vit pendant un temps en peignant des portraits sur

commande mais il réalise dès l'année de son arrivée ses premiers empaquetages d'objets. L'une de ses premières relations parisiennes, le peintre Anna Staritsky lui fait rencontrer Pierre Restany en novembre.

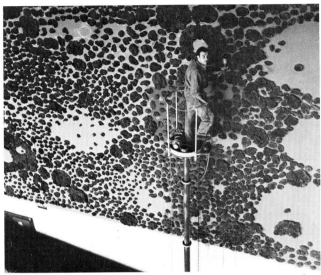

Opéra de Gelsenkirchen, 1958. Klein réalisant un de ses deux reliefs-éponges. Photo Charles Wilp.

Vue de l'exposition Klein et Tinguely, galerie Iris Clert, novembre 1958. Photo Robert David.

1959

Tinguely, Spoerri, Klein, janvier-juillet

Le 30 janvier, la galerie Schmela présente le *Concert n° 2* de Jean Tinguely préfacé par Restany. Au cours du vernissage, trois personnes dont Daniel Spoerri lisent simultanément les textes qui se déroulent devant elles. Yves Klein prononce un discours sur *La collaboration entre artistes et créateurs*. Le 14 mars, Tinguely lance d'un avion 150 000 tracts au-dessus de Düsseldorf. C'est le condensé d'un texte auquel il travaillait depuis quelques mois : *Tout bouge, il n'y a pas d'immobilité. Ne vous laissez pas terroriser par des notions de temps périmées. Laissez tomber les minutes, les secondes et les heures. Arrêtez de résister à la transformation. Soyez dans le temps, soyez stable, soyez stable avec le mouvement,...*

Le même mois, il participe à l'exposition *Vision in Motion* organisée par le groupe Zero à l'Hessenhuis d'Anvers. Cette exposition qui réunit Breer, Bury, Klein, Mack, Mari, Munari, Piene, Rot, Soto, Spoerri, Tinguely et Van Hoeydonck met en cause la polychromie et fait l'éloge du mouvement. Tinguely et Spoerri y réalisent l'*Autothéâtre* dans lequel le spectateur est à la fois l'acteur et son propre public. Un rouleau sur lequel tournent des bandes de textes lui propose des attitudes à prendre et des miroirs mobiles et flexibles reflètent en distorsion les mouvements qu'il exécute. Spoerri fera paraître dans *Zero 3* (juillet 1961) un projet plus élaboré d'*Autothéâtre* où sons, odeurs, phénomènes optiques et tactiles sollicitent le spectateur-acteur. Klein participe à cette exposition d'Anvers en faisant une déclaration de *Présence immatérielle*. A voix haute, il cite, le soir du vernissage, une phrase de Gaston Bachelard dont les ouvrages lui sont familiers depuis environ un an : *D'abord, il n'y a rien, puis un rien profond, ensuite, il y a une profondeur bleue* (41). L'espace qui lui était destiné est occupé par trois zones de sensibilité picturale

Exposition Collaboration internationale entre artistes et architectes dans la réalisation du nouvel Opéra de Gelsenkirchen, *galerie Iris Clert, mars 1959. De gauche à droite : Tinguely, Klein, Iris Clert, Ruhnau, Brô, Soto.*

qu'il évalue chacune à 1 kilogramme d'or fin et cessibles par un rituel dont il formulera les règles quelques mois plus tard.

A Paris, le 29 mars l'exposition sur la *Collaboration internationale entre artistes et architectes dans la réalisation du nouvel Opéra de Gelsenkirchen* ouvre à la galerie d'Iris Clert. Ruhnau, Kricke, Tinguely, Dierkes, Adams et Klein présentent les maquettes de l'Opéra et des œuvres monumentales qui doivent l'orner. L'inauguration du bâtiment aura lieu le 15 décembre en présence du président de la République Fédérale Allemande. Klein y fera lire en allemand un extrait de *L'air et les songes* de Bachelard.

Le 3 et le 5 juin, il expose brillamment, au cours de deux conférences données à la Sorbonne ses projets d'architecture de l'air et d'École de la sensibilité. Le 15 a lieu le vernissage de son exposition *Bas-reliefs dans une forêt d'éponges* où s'épanouissent d'étranges fleurs bleues piquées sur des tiges en métal.

Le 1er juillet, ce sont les *Méta-matics* ou machines à dessiner et à peindre de Jean Tinguely qui occupent les mêmes lieux. Le brevet de ces sculptures qui témoignent de l'attitude critique de leur auteur à l'égard de la peinture abstraite lyrique avait été déposé le 26 juin. L'exposition est annoncée par des tracts que des hommes-sandwich distribuent dans les rues. Un concours du meilleur dessin produit par ces machines est organisé. Critiques d'art et artistes en renom font partie du jury dont la tâche est délicate, près de quatre mille dessins automatiques ayant été réalisés au cours de l'exposition. Tristan Tzara y voit la *consécration de quarante années de dadaïsme* et *la fin de la peinture* (42). Marcel Duchamp qui est de passage à Paris pour la sortie du livre que lui consacre Robert Lebel (43) s'amuse avec le *Méta-matic* n° 8. Les détracteurs rappellent non sans raison qu'à Montmartre l'âne Lolo (alias Boronali, *peintre excessiviste*) avait peint avec sa queue trempée dans divers pots de peinture un *Coucher de soleil sur l'Adriatique* qui fut exposé au salon des Indépendants de 1914.

Dufrêne, Hains, Villeglé, juin

En juin Jacques Villeglé présente au cours de plusieurs soirées chez François Dufrêne, rue Vercingétorix, ses *affiches d'après le Lacéré Anonyme*. *L'ensemble des lacérateurs, ravisseurs et collectionneurs*, écrira-t-il plus tard, *sera distingué par la dénomination générique Lacéré Anonyme* (44).

Bien que ne figurant pas sur le carton d'invitation, Dufrêne et Hains participent aussi à cette exposition privée ainsi qu'Anouj, le beau-frère de Dufrêne, collecteur de chiffons d'usines maculés de graisse.

Le visiteur, en entrant, foule un grand *tapis* d'affiches posées à même le sol par Villeglé. Quant à Dufrêne, outre quatre grands envers d'affiches qu'il présentera à la Première Biennale de Paris, il expose quelques planches de palissade venant de la rue Delambre et quelque peu remaniées par collage et brûlage. *De palissade, Hains en parlait depuis longtemps*, expliquera Dufrêne. *C'est une idée qui, à la rigueur, pouvait se passer d'être concrétisée. Mais c'était dommage de ne pas le faire et je disais à Hains qu'il risquait de se faire voler son idée* (45). C'est donc à l'occasion de cette exposition que l'unique palissade de Dufrêne fut montrée pour inciter Hains à faire la sienne.

La critique d'art Claude Rivière qui éprouve une particulière

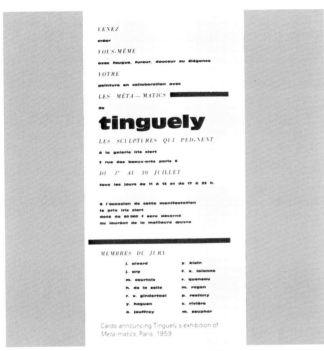

Tract de l'exposition **Les Méta-matics de Tinguely.**

sympathie pour ce groupe rend compte de leur exposition dans *Combat* (46). Elle avait peu avant réussi à faire admettre par le jury du salon des Réalités Nouvelles l'affiche de Raymond Hains *Retraits à vue*. Par ironie, celui-ci se présentera par la suite comme le *sigisbée de la critique*, c'est-à-dire son chevalier servant.

Première Biennale de Paris, octobre

La Première Biennale de Paris, inaugurée le 2 octobre par André Malraux au Musée d'Art Moderne de la Ville de Paris est considérée à juste titre comme un événement de grande importance pour l'activité artistique parisienne. Elle constitue aussi une étape essentielle vers la formation du groupe des Nouveaux-Réalistes.

Quarante-deux pays sont représentés par des artistes de moins de trente-cinq ans. Rauschenberg, Helen Frankenthaler figurent parmi les Américains, Anthony Caro parmi les Anglais. La sélection française est répartie en cinq sections : la jeunesse des maîtres (œuvres de jeunesse de Bonnard, de Braque etc.), les artistes invités par le conseil d'administration de la Biennale (Arnal, Buffet, Cueco, Weisbuch, Yvel, etc.), les artistes choisis par les

Rotraut Uecker, Iris Clert et Klein pendant l'exposition **Bas-reliefs dans une forêt d'éponges,** *galerie Iris Clert, juin 1959. Photo Louis Peltier.*

Les hommes-sandwich engagés pour annoncer l'exposition des **Méta-matics** *de Tinguely, galerie Iris Clert, juillet 1959. Photo Martha Rocher.*

jeunes critiques (Barré, Bellegarde, Dmitrienko, Downing, Feito, Fichet, Hundertwasser, Klein, Koenig, Marfaing, Maryan, J. Mitchell, Delahaye, Dodeigne, Tinguely), les artistes choisis par dix jeunes représentants d'écoles d'art et de salons, les travaux d'équipe (le groupe Rebeyrolle, l'école de Rosny réunie par J.-P. Risos, le groupe des informels).

Ce *groupe des informels* tout à fait occasionnel et hétérogène a été réuni par le peintre Georges Noël. Pour faire admettre les trois « affichistes » parisiens : Hains, Dufrêne et Villeglé, il a du les associer à trois peintres abstraits : Favory, Miotte et Neiman et à Foldès. Les très grands formats que présentent ces artistes rendent bientôt la salle qui leur est réservée trop petite et Dufrêne doit accrocher ses envers d'affiches au plafond.

Entre les deux portes d'accès, Hains expose sa *Palissade des emplacements réservés*. Vingt-sept planches qui feront couler beaucoup d'encre et qui notamment inspireront à Bernard Lorjou et à ses amis un tract dénonçant la transformation des musées en *dépotoirs à palissades*.

C'est par Claude Rivière que cette palissade est défendue avec le plus d'enthousiasme : *Cette fameuse palissade de Raymond Hains est là comme une présence de la France déchirée... Hains travaille, respire, arrache et de cela il veut que le public soit amené* à cette vérité que représente la destruction, origine de toutes les métamorphoses. *La palissade de la Biennale n'est pas une réalité nouvelle, pas même une nouvelle réalité. C'est une refusée du salon des Réalités Nouvelles de 1949* (47). C'est elle aussi qui donne dans *Combat* (48), à propos des colloques organisés par la Biennale, ce très rare témoignage contemporain de la virtuosité verbale de Raymond Hains, les mots devant peu à peu l'emporter chez lui sur la production d'objets ou plus précisément, les objets qu'il continuera de produire devant devenir des supports de mots, des illustrations de sa logique très particulière : *Les affiches sont au collage ce que l'âne [Boronali] est au frottage, c'est aussi la rencontre de la colle Mohican avec le dernier des Abencérages. Le couteau des lacérateurs, tout comme le rouleau d'Yves le monochrome, est un défi courtois aux paladins de l'entièrement fait main.* Ce à quoi Dufrêne ajoute : *le geste est à Mathieu ce que le juste est au milieu. Et ce que Mathieu est aux carolingiens, nous le sommes aux rois fainéants,* reprend Hains dont Claude Rivière note aussi ces phrases : *Je n'ai jamais rien vendu mais je suis prêt à débiter des kilomètres de palissades. Il me semble que l'heure est venue de les convertir en francs lourds. Nous allons faire rentrer des devises. Nous allons vendre des affiches lacérées comme on vend des tapis d'Orient : c'est le point noué*

Hains. **La Palissade des emplacements réservés.** *Première Biennale de Paris, octobre 1959. Photo Georges Véron.*

du paysan de Paris. Toutefois si Hains *compte bien s'enrichir avec les dépouilles de Cassandre ou de Savignac*, il ne le fera pas *avec le déchirement de la nation. Il y a des affiches qui ne sont pas à vendre, elles ont déjà coûté trop cher !* Claude Rivière fait ici allusion aux affiches politiques récoltées par Hains depuis 1950 et qu'il exposera à la galerie J en 1961.

A noter enfin, pour ce qui concerne Hains, cette belle phrase du critique Guy Lemborelle dans *Genèse* du 15 octobre 1959 : *Hains apporte dans la salle des informels le triomphe de la paresse au service de la beauté.*

L'autre « clou » de cette Biennale est le grand *Méta-matic* 17 que Tinguely installe sur le parvis du Musée et non loin duquel André Malraux fait son premier discours de ministre de la Culture. Automobile grâce à son moteur à essence, cette haute machine produit des dessins que coupent les ciseaux mécaniques dont elle est pourvue. Ses gaz d'échappement sont recueillis par un ballon qui finira par éclater et l'odeur d'essence est combattue par un discret parfum de violette. Tinguely et sa machine font l'objet d'une double page dans *Paris-Match* (49).

Quant au grand monochrone exposé par Klein, il décourage plus d'un critique : *Plus rien à trouver ! Toutes les surenchères*

épuisées. Jusqu'à celle de la toile toute nue, monochrome et sans cadre. Il reste à supprimer encore la toile et ne laisser que le châssis ? C'est fait ! A éliminer le châssis ? C'est fait aussi (Robert Rey, *Les Nouvelles Littéraires*, 8 octobre 1959), *Un tableau badigeonné de bleu indigo. Rien d'autre* (Pierre Mazars, *Le Figaro Littéraire*, 3 octobre 1959).

La revue *Cimaise*, intéressée au premier chef par cette Première Biennale publie dans son numéro de janvier-mars 1960 les différents points de vue de ses collaborateurs. Pierre Restany se félicite de la présence de Klein et de Tinguely et à propos de la salle des informels, il dit ceci : *De palissade en plafonnade, le torchon de papier à usage industriel a fait une entrée magistrale et officielle dans l'histoire de l'art.*

Tinguely, novembre

A la suite de cette Biennale, Tinguely est invité par la Kaplan gallery de Londres. L'exposition *Art, machines and motion*, comprenant vingt de ses œuvres de 1955 à 1959 ouvre le 14 novembre. Deux jours plus tôt, Tinguely avait donné une conférence mémorable à l'Institute of Contemporary Art sur le thème *Art, machines et mouvement*. En réalité cette conférence (*Static, static, static ! Be static !...*) avait été enregistrée sur magnétophone à Paris : Tinguely lisait le texte, assisté par une anglaise qui corrigeait sa prononciation tout au long de son discours. A l'écoute, la bande est pratiquement incompréhensible, à part quelques mots clés, car elle est constituée de deux enregistrements superposés défilant à des vitesses différentes. Au cours de cette soirée, une jeune femme était passée dans l'assistance en actionnant un Méta-matic manuel, dont elle distribuait les dessins et deux coureurs cyclistes s'étaient mesurés dans une course de vitesse sur *super-cyclo-méta-matic* : 1 km 500 de papier débité à la force du mollet se transformait en même temps en peinture et se déversait en ondulant sur le public. *Happening* comparable à ceux qu'Allan Kaprow venait de donner à la Reuben Gallery de New York.

Tinguely dans son atelier en 1959. Au mur : reliefs de 1957 à 1959. Photo John van Rolleghem.

*Marcel Duchamp collaborant avec le **Méta-matic** n° 8.*

Spoerri, novembre

C'est à cette époque que Daniel Spoerri s'installe à Paris. Outre ses activités théâtrales qui s'étaient poursuivies en 1957 au Landestheater de Darmstadt, il avait fondé la revue *Material* une revue *concrète dans le sens qu'elle évite l'interprétation subjective de l'auteur, idéogrammatique dans le sens qu'elle donne une forme visuelle à l'idée* (50). Dieter Rot, Emmett Williams, Gherasim Luca, Pol Bury et Spoerri lui-même avaient participé aux cinq numéros parus.

Le 27 novembre, la galerie Edouard Loeb présente sa première édition MAT *(Multiplication d'Art Transformable)*. Il s'agit de multiplications à cent exemplaires d'œuvres d'art mobiles en dehors des procédés habituels (lithographie, bronze, tapisserie, etc.). Le texte de présentation justifie ce parti : *L'œuvre objective statique ne permet qu'une multiplication quantitative de l'idée fixée dans le modèle... Pour l'œuvre animée, qu'elle le soit par elle-même ou par l'intervention du spectateur-collaborateur, la multiplication est une justice rendue aux possibilités infinies de transformation.* Les multiples de cette première série sont signés : Agam, Bury, Duchamp (Rotoreliefs), Enzo Mari, Bruno Munari, Dieter Rot, Soto, Tinguely, Vasarely. Cette exposition circulera à Milan, Londres, Zürich, Stockholm, Krefeld et dans chacune de ces villes, d'autres artistes participeront à cette initiative (Albers, Karl Gerstner, Heinz Mack, Malina, Man Ray, etc.).

Klein, novembre

En novembre, Klein fixe par écrit son rituel pour la cession d'une *zone de sensibilité picturale immatérielle*. Avec la collaboration d'Iris Clert, il met au point un carnet à souches dont les reçus détachables indiquent le poids d'or à échanger contre une telle zone. Afin que le reçu ne soit pas confondu avec l'œuvre immatérielle, l'acquéreur doit accepter de le brûler. Le talon du carnet à souche devient alors l'unique trace de propriété. Et si l'acquéreur veut *accomplir cet acte d'intégration à lui-même de l'œuvre*, en devenir l'unique propriétaire, il doit donner le double de la somme déjà versée. Dans ce cas, Yves Klein, en présence de différents témoins disperse la moitié de l'or dans un fleuve, ou dans la mer. Peppino Palazzoli, le directeur de la galerie Blu achète la première zone de sensibilité le 18 novembre 1959.

En décembre paraît un recueil de préceptes, *Le dépassement de la problématique de l'art* (51), où Klein annonce un âge nouveau auquel il faut se préparer par une discipline ascétique, et pratiquement surhumaine.

Arman

En 1959, Arman de retour à Nice, passe des *cachets* aux *Allures d'objets*. *Ma première tentative a été réalisée avec un chapeau en feutre, trempé dans la peinture, puis appliqué sur une toile. Puis j'ai utilisé des chiffons froissés. Je me suis ensuite orienté vers des objets plus personnalisés* (52). Ressorts, galets, rouleaux, chaînes, aiguilles... sont encrés puis projetés sur la toile, où ils laissent la trace de leur parcours.

Les *Allures d'objets* donnent lieu, cet été là au film *Objets animés* réalisé par le service de Recherches Images de la R.T.F., dirigé par le compositeur Pierre Schaeffer que connaît bien Eliane Radigue, la femme d'Arman, musicienne elle-même. Les *Allures*

sont filmées par Brissot et le morceau de musique concrète qui accompagne les images est composée par Schaeffer. C'est par Brissot que Raymond Hains connaîtra Pierre Schaeffer en 1960, ce dernier extraiera de son *Etude aux allures* quelques sons qui accompagneront les images du film abstrait *Pénélope*.

En décembre, une exposition de grands cachets d'Arman, préfacée par Pierre Restany, est présentée à la galerie Apollinaire de Milan.

Arman. Exposition de cachets, galerie Apollinaire, Milan, décembre 1959.

Le **Méta-matic** 17 de Tinguely sur le parvis du Musée d'Art Moderne. Première Biennale de Paris, octobre 1959. Photo John van Rolleghem.

1960

Tinguely, janvier-mars

En janvier Jean Tinguely embarque pour les Etats-Unis, emportant avec lui le projet, jamais réalisé, de *construction dans Central Park d'un pavillon dont les murs extérieurs seraient des palissades de Raymond Hains et les murs intérieurs des monochromes d'Yves Klein, l'espace libre étant occupé par ses grandes machines à dessiner* (53). Le 25 janvier, il présente à la galerie Staempfli des Reliefs mobiles et quatre Méta-matics.

Il rencontre à New York la jeune génération des artistes américains, Rauschenberg, Stella, Stankiewicz, Chamberlain, qu'au même moment, à Paris, la galerie Lawrence dirigée par Lawrence Rubin, présente dans l'exposition *Younger american painters*.

On avait déjà vu des *combine-paintings* de Rauschenberg à la Biennale de Paris de 1959. Puis en décembre de la même année, grâce à Marcel Duchamp, il avait participé avec Jasper Johns à la 8e Exposition Internationale du Surréalisme, organisée par Breton, à la galerie Daniel Cordier, sur le thème E.R.O.S. Quant à Johns, il avait eu une première exposition personnelle à Paris en mars 1959 à la galerie Rive Droite.

Tinguely, qui avait rencontré Duchamp un an plus tôt à Paris, le revoit plusieurs fois à New York et visite même avec lui en février le musée de Philadelphie qui possède la plupart de ses œuvres. Mais ce qui l'occupe le plus alors est un projet de sculpture monumentale autodestructrice qu'il va réaliser dans le jardin de sculptures du Museum of Modern Art.

Billy Klüver, un ingénieur suédois qu'il a connu à son arrivée et qui avait déjà travaillé avec Johns et Rauschenberg l'assiste pour la construction de l'*Hommage à New York* et, sous le titre, *La Garden Party*, il fera le récit détaillé de l'événement (54).

Trois semaines de travail donnent naissance à un assemblage de piano, de metamatics, de ballon, d'un adressographe, de dizaines de roues, de deux machines automobiles dont l'une est programmée pour se jeter dans la pièce d'eau du jardin et le 17 mars, cette « sculpture » délirante, entièrement peinte en blanc, va pendant près de trente minutes rendre un hommage explosif à la grande cité américaine.

Klein, février-mars

Pendant ce temps à Paris, Pierre Restany, assistant le 23 février chez Yves Klein, au second essai de peinture avec un « pinceau vivant », donne un nom à cette pratique : *les Anthropométries de l'époque bleue*. Le soir du 9 mars, Yves Klein à la Galerie Internationale d'Art Contemporain en réalise pour la première fois en public. Sur le carton d'invitation, Pierre Restany adopte un ton solennel : *Le geste bleu [de Klein] parcourt quarante mille ans d'art moderne...*

Une centaine de personnes assistent pendant quarante minutes aux évolutions de trois modèles féminins, enduits de peinture bleue qui sous les ordres du maître de cérémonie laissent sur des feuilles blanches disposées au sol et sur les murs, les empreintes dynamiques ou statiques de leurs corps.

Détaché et distant c'est sous mes yeux et sous mes ordres que doit s'accomplir le travail de l'art. Alors, dès que l'œuvre commence son accomplissement, je me dresse là, présent à la cérémonie, immaculé, calme, détendu, parfaitement conscient de ce qui se passe et prêt à recevoir l'art naissant au monde tangible (55).

Pendant ces quarante minutes, vingt musiciens et chanteurs accompagnent la cérémonie en exécutant la *Symphonie Monoton* : vingt minutes de musique jouée sur une seule note continue, vingt minutes de silence.

Quatre ans plus tôt, au théâtre Sarah Bernhardt, Georges Mathieu en peignant une première grande œuvre en public, avait prouvé que l'on pouvait donner une dimension théâtrale à l'acte de peindre. Peu de temps avant la séance des Anthropométries, il publie dans *Combat-Art* (56) un grand article intitulé *L'Autopsie de l'art figuratif* où il annonce qu'*avec l'abstraction lyrique, c'est non seulement la figuration qui est balayée mais les fondements sémantiques de quarante mille ans d'activités artistiques.*

Quarante mille ans que Mathieu et Klein, par la plume de Restany, parcourent différemment. Présent lors de l'action-spectacle du 9 mars, Mathieu prend la parole pour demander à Klein sa définition de l'art. *L'art c'est la santé* lui est-il répondu. Réplique spirituelle qui vaut à Klein l'adhésion de l'assistance.

Les *Anthropométries* mettent encore une fois en évidence les questions de sources d'inspiration, d'influence et de priorité chez Yves Klein. Il a développé ses idées au contact de ses lectures, de son entourage, des artistes qu'il fréquente. Certains disent avoir été à l'origine d'une idée, d'autres lui reprochent ses appropriations intempestives. Mais Klein ne détourne des idées que si elles servent la cohésion de sa démarche et nourrissent le rôle mythique qu'il s'est assigné. Dans un court texte tiré du journal du *Dimanche 27 novembre 1960*, Yves Klein écrit : *Lorsque je serai enfin devenu comme une statue par l'exaspération de mon moi qui m'aura amené à cette sclérose ultime... Alors, alors seulement, je pourrai mettre cette statue en place et sortir de moi dans la foule pour aller voir le monde, enfin. Personne ne s'apercevra de rien car ils regarderont tous la statue et moi je pourrai me promener, enfin libre...*

Le 18 mars ouvre l'exposition *Monochrome Malerei* au Städtisches Museum de Leverkusen. Klein y présente un *Monochrome bleu*, un *Relief éponge* bleu, une zone de sensibilité picturale immatérielle et un panneau de feuilles d'or frémissant au moindre souffle, nouveau développement de son œuvre qu'il avait rendu public pour la première fois en février dans l'exposition *Antagonismes*, organisée par F. Mathey et J. Alvard au Musée des Arts Décoratifs.

Le même mois, les *Cosmogonies*, produites par des phénomènes naturels font suite aux *Anthropométries*. Se rendant à Nice, Klein fixe sur le toit de sa voiture, un papier peint en bleu qui « enregistre » les effets de la pluie, du vent et du soleil. Dans l'embouchure du Loup, à Cagnes-sur-Mer, il recueille les traces de feuilles, de roseaux, de touffes d'herbe et immerge parfois ses *Cosmogonies* dans l'eau bleutée de la rivière.

C'est aussi en mars qu'Arman expose à la galerie Saint-Germain ses *Allures d'objets*, empreintes d'une autre sorte, que présente Pierre Restany.

Salon Comparaisons, mars

Au sixième Salon Comparaisons, qui se tient du 12 mars au 3 avril au Musée d'Art Moderne de la Ville de Paris, le groupe des « affichistes » est invité et l'organisation de la salle est confiée à

François Dufrêne qui, comme il l'expliquera en 1962, a l'intention de *réunir dans l'une des deux alvéoles distinctes de la salle dite expérimentale dont je m'étais chargé Yves Klein, Jean Tinguely, Jacques Villeglé, Raymond Hains, moi et de nous nommer la Quintaine* (57).

Mais cette salle ne se compose finalement que d'Anouj, Hains, Dufrêne et Villeglé et dans la seconde alvéole sont invités les peintres matiéristes Boussac et Favory, des lettristes, Jacqueline Rossignon, Schultze, Millares, Fontana, Agam et Takis. Yves Klein refuse de prendre part à cette exposition car il avait eu quelques mois plus tôt, avec ce dernier, un différent de « priorité » à propos de ses sculptures magnétiques (58).

Raymond Hains qui va devenir le « dialecticien des Lapalissades » expose à cette occasion dans un porte-menu de restaurant la reproduction de l'entremets de *La palissade* tirée de l'Encyclopédie Clartés. Il l'avait découverte non sans trouble lors de la première Biennale de Paris, en passant devant la vitrine de l'éditeur de cet ouvrage, boulevard Saint-Germain. Hains projette alors de faire un dîner-spectacle — ce que l'on appelait un entremêts à la cour de Bourgogne — pour clore, cinq ans après, l'affaire *Flagrant Dali*.

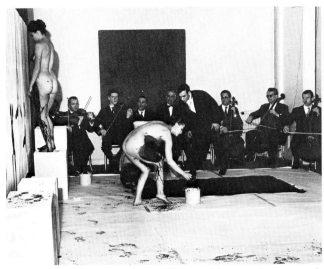

Klein. **Les Anthropométries de l'époque bleue,** *action-spectacle du 9 mars 1960, Galerie internationale d'art contemporain. Photo Harry Shunk.*

Tinguely. **Hommage à New York,** *jardin de sculptures du Musée d'Art Moderne de New York, 17 mars 1960. Photo David Gahr.*

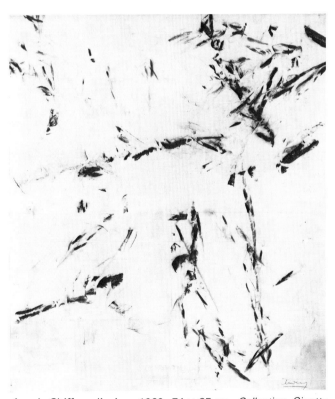

Anouj. **Chiffon d'usine,** *1960. 74 × 35 cm. Collection Ginette Dufrêne, Paris. Photo André Morain.*

Les Nouveaux Réalistes, avril-mai

Le 16 avril, Pierre Restany, en prévision d'une exposition collective à la galerie Apollinaire, publie à Milan, sous la forme d'un petit fascicule de huit pages un texte intitulé *les Nouveaux Réalistes*. C'est la première apparition du terme. Constatant que la *peinture de chevalet a fait son temps*, il annonce l'avènement d'un *nouveau réalisme de la pure sensibilité. La sociologie vient au secours de la conscience et du hasard, que ce soit au niveau du choix ou de la lacération de l'affiche, de l'allure d'un objet, d'une ordure de ménage ou d'un déchet de salon, du déchaînement de l'affectivité mécanique, de la diffusion de la sensibilité au-delà des limites de sa perception.*

Ce texte qu'il désignera bientôt comme le premier manifeste du mouvement est l'aboutissement des diverses rencontres antérieures et en particulier de celle de la Biennale de 1959. Il reflète aussi en partie *l'euphorie des discussions initiales et l'influence rayonnante d'Yves Klein, de sa théorie de la communication par l'imprégnation énergétique* (59).

L'exposition ouvre en mai. Sur la couverture du petit fascicule figurent les noms d'Arman, Hains, Dufrêne, Yves le Monochrome, Tinguely et Villeglé en lettres « éclatées » par les verres cannelés de Raymond Hains. Arman, Hains et Restany sont les seuls de ce groupe à faire le voyage pour Milan.

Le 23 avril, Klein fonde l'A.D.A.M., une Association pour le Dépassement de l'Art Moderne dont la première et unique séance se déroule à la Coupole. Le 19 mai, il dépose un brevet pour l'International Klein Blue et fonde l'International Klein Bureau avec Arman, Claude Pascal et J.-P. Mirouze.

La majeure partie de son activité durant l'année 1960 témoignera de son souci d'intervention directe et prioritaire sur les hommes de son temps. Dans ses Anthropométries, dans sa vision symbolique du nouveau réalisme, dans son Théâtre du Vide, c'est le matériau humain qui sera l'objet d'imprégnation et d'appropriation (60).

Mai

A son retour à Paris en avril, Tinguely commence une série de grandes sculptures qui doivent beaucoup à son expérience de l'*Hommage à New York* où pour la première fois il avait utilisé des matériaux de récupération (roues de bicyclettes, ferrailles et objets les plus divers). Le 13 mai, un insolite et tintinnabulant défilé de machines (le *Cyclograveur, Gismo,* la *Tour,* la *Dissecting machine* qui scie des sculptures) descend le boulevard Montparnasse et se dirige vers la galerie des Quatre Saisons, rue de Grenelle où l'exposition *L'art fonctionnel de Jean Tinguely* est annoncée par une affiche conçue par Raymond Hains.

Au même moment, César, que son exposition à la galerie Claude Bernard l'année précédente avait définitivement consacré, prend le *risque de compromettre une brillante carrière plus traditionnelle* (61) en présentant au 16ᵉ Salon de Mai trois automobiles compressées, trois balles brutes d'une tonne de métal chacune, pour lesquelles le talentueux soudeur n'a eu recours qu'à la presse électrique.

Un stade nouveau du métal qui, selon Pierre Restany, ouvre bien au delà des provocations néo-dadaïstes américaines l'une des voies de ce nouveau réalisme dans lequel il est temps que le public reconnaisse l'un des faits essentiels de ce second demi-siècle (62).

Juin

A New York, en juin, Martha Jackson consacre justement une exposition à ces *néo-dadaïstes* américains : Rauschenberg, Stankiewicz, Johns, Kaprow, Chamberlain tout en présentant dans une section historique quelques-uns de leurs précurseurs : Schwitters, Arp, Cornell, Dubuffet, etc. C'est à leur propos que Lawrence Alloway développe alors le concept de *junk culture.* A Paris, Alain Jouffroy s'intéresse aussi à ce phénomène néo-dada dont il donne dans *Combat,* le 30 mai, cette définition : *C'est une*

Hains, porteur de lunettes à verres cannelés, présente l'**Entremets de la Palissade.** *Salon Comparaisons, mars 1960. Photo Harry Shunk.*

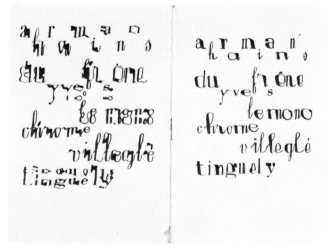

Couverture du catalogue de l'exposition **Les Nouveaux Réalistes,** *galerie Apollinaire, Milan, mai 1960. Typographie « éclatée » par Raymond Hains. Les lettres, imprimées en noir et blanc sur la couverture de ce catalogue, le seront en bleu sur deux sérigraphies, éditées plus tard par Raymond Hains.*

Défilé des machines de Tinguely, Paris, mai 1960. Photo Michel Martin.

déclaration de rupture, un acte de divorce, le constat d'une séparation. Dans son article *La révolution du regard,* publié dans le même journal le 26 décembre, il dit à propos de Hains, Villeglé, Dufrêne, Rotella, César, Tinguely et Spoerri : *Ces néo-dadaïstes ne sont pas des nouveaux réalistes, comme le dit plaisamment Pierre Restany ce sont des nouveaux regardeurs.*

Juillet

En juillet, Arman écrit son texte *Réalisme des accumulations* qui sera publié dans *Zero 3* un an plus tard. Il s'était en effet rendu compte en les manipulant pour ses *Allures* que c'était les objets eux-mêmes qu'il devait désormais utiliser : *J'affirme que l'expression des détritus, des objets, possède sa valeur en soi, directement, sans volonté d'agencement esthétique les oblitérant et les rendant pareils aux couleurs d'une palette ; en outre, j'introduis le sens du geste global sans rémission ni remords. Dans les inutilisés, un moyen d'expression attire tout particulièrement mon attention et mes soins ; il s'agit des accumulations, c'est-à-dire la multiplication et le blocage dans un volume correspondant à la forme, au nombre et à la dimension des objets manufacturés.*

Cet été-là, Tinguely travaille à des objets-machines qu'il fait, selon ses dires, *sans s'en apercevoir, en se laissant complètement aller* (63). Pour lui, tous les matériaux sont désormais exploitables, même les plus immatériels : son, lumière, odeur, eau, fourrure, plumes, feu, fumées, matières détonnantes, ballons.

Les trois compressions de César au Salon de Mai de 1960.

César à Gennevilliers en 1961. Photo André Morain.

César à Villetaneuse en 1960. Photo Harry Shunk.

César. Relief destiné à décorer la salle de réception des appartements du Ministère des Postes, 1961. Photo André Morain.

Septembre-octobre

Au début de septembre, s'ouvre au Musée Haus Lange de Krefeld la première exposition d'envergure à lui être consacrée. Parmi les quarante-cinq œuvres exposées : l'*Excavatrice de l'espace*, une première sculpture-fontaine, un *Meta-matic*, un *Meta-Malevitch*, un *Meta-Kandinsky* et de nombreuses sculptures en ferraille récentes dont un *Hommage à Marcel Duchamp*.

En octobre, Niki de Saint-Phalle et Jean Tinguely qui se connaissent depuis 1955 décident de vivre ensemble. Cette année-là, Niki, qui continue de réaliser des tableaux d'assemblage, intègre dans une composition inspirée du martyr de Saint-Sébastien, des cibles en liège sur lesquelles on peut s'exercer à lancer des fléchettes.

Quant à Daniel Spoerri, il produit ses premiers tableaux-pièges au moment où il aide Tinguely à préparer son exposition de Krefeld. *J'accompagnais Tinguely et j'étais pratiquement tous les jours sur la vieille ferraille. Il y avait des situations qui me plaisaient énormément, ces lieux de vieille ferraille sont formidables, on y voit des situations qui sont fabuleuses, par terre, comme ça. Une fois, on a dit : Allez on va prendre ça... et Jean m'a aidé à marquer avec une craie la place des objets, il m'a même aidé à les souder. Mais cela ressemblait encore trop à d'autres choses qu'on avait* vues à cette époque. *Disons que c'était un peu du Stankiewicz [...] Ce qui m'intéressait alors, c'était le mouvement, ce qui venait bien sûr de ma longue amitié avec Jean Tinguely, je trouvais que les tableaux-pièges, c'était un moment fixé qui provoque le mouvement chez les autres* (64).

En octobre Pierre Restany rédige la préface de l'exposition de César à la Hanover gallery de Londres. Des fers soudés et des *compressions dirigées* portant la marque de l'intervention du sculpteur y sont présentés.

A Paris, le même mois, Yves Klein qui a quitté la galerie d'Iris Clert expose pour la première fois à la galerie Rive Droite, tenue par Jean Larcade. Pierre Restany écrit pour cette exposition le texte *Monochromie et vitalisme*. Klein y montre des *Anthropométries* et des *Cosmogonies* et, avec ses *Monogolds* (monochromes or), ses *Monopinks* (monochromes roses) et ses *Monochromes I.K.B.*, il place l'exposition sous le signe d'une nouvelle trilogie chromatique, inspirée de la *Cosmogonie* de Heindel et faisant référence aux couleurs dont est constituée la flamme d'un feu.

Le 23 octobre, Arman, aidé de Martial Raysse, fait le *Plein* de la galerie Iris Clert. Afin d'affirmer sa logique quantitative, il entasse jusqu'au plafond toutes sortes d'objets de rebut qui obstruent aussi la vitrine. Il présente aussi pour la première fois des

Spoerri et Tinguely, impasse Ronsin, août 1960.
Photo Harry Shunk.

accumulations (de dentiers et de suppositoires : *La vie à pleines dents* et *En direct pour la Lune*). Des boîtes de sardines remplies de tout ce qu'on peut trouver dans les corbeilles à papier du métro servent d'invitation pour l'exposition. Elles contiennent aussi un bref communiqué de Pierre Restany : *Un événement capital chez Iris Clert en 1960 donne au nouveau réalisme sa totale dimension architectonique. Dans un tel cadre le fait est d'importance. Jusqu'à présent, aucun geste d'appropriation à l'antipode du Vide n'avait cerné d'aussi près l'authentique organicité du réel contingent.*

Le 27 octobre, chez Klein

Quatre jours plus tard, le 27 octobre, Arman, Dufrêne, Hains, Restany, Tinguely et Villeglé se réunissent au domicile de Klein pour signer la déclaration constitutive du Nouveau Réalisme rédigée par Pierre Restany : *Le jeudi 27 octobre 1960, les nouveaux réalistes ont pris conscience de leur singularité collective. Nouveau Réalisme = nouvelles approches perceptives du réel.*

Lors de cette réunion, Hains, Dufrêne et Villeglé s'opposent tout d'abord à l'arrivée de deux nouveaux venus : Martial Raysse invité par Klein et Arman, et Daniel Spoerri invité par Tinguely. Ils estiment que ce que fait le premier est peu compatible avec le nouveau réalisme et, du second, ils ne connaissent pas encore les premiers tableaux-pièges.

Mais, finalement, les neuf exemplaires de la déclaration (sept sur papier bleu, un sur papier rose, un sur papier doré) sont signés par les neuf personnes en présence.

César et Rotella, invités par Pierre Restany n'ont pas pu se rendre à la réunion mais ils se joindront aux premières manifestations du groupe.

Les trois couleurs emblématiques de Klein qui servent de support aux signatures révèlent la position centrale qui est la sienne dans cette journée du 27 octobre. *« Il s'agit pour lui d'une première étape vers la réalisation de son Centre de la sensibilité. Les Nouveaux Réalistes sont des individus perceptifs capables de mener à bien avec [lui] la mutation de la sensibilité planétaire qui est l'indispensable prélude à la Révolution bleue »* (65).

Le lendemain, Arman, Hains, Raysse, Restany et Tinguely se réunissent à nouveau chez Klein pour réaliser une Anthropométrie collective.

Novembre

Peu après ces actes de fondation, les artistes du groupe, invités individuellement par Michel Ragon, participent au Deuxième Festival d'Art d'Avant-garde qui ouvre le 18 novembre au Palais des Expositions de la Porte de Versailles à Paris.

Ragon et Polieri ont une nouvelle fois rassemblé, les aspects les plus divers de l'avant-garde : arts plastiques, cinéma, poésie phonétique, poésie d'aujourd'hui, théâtre expérimental, musique contemporaine et expérimentale.

Le catalogue de cette manifestation fait apparaître une section Nouveaux Réalistes où figurent Hains, Dufrêne, Villeglé et Rotella qui exposent ensemble pour la première fois, Anouj, Arman, César, Klein qui expose l'Anthropométrie collective du 28 octobre et la tombe *Ci-gît l'espace*, Raysse, Spoerri dont c'est la première exposition de tableaux-pièges. Quant à Tinguely, il est mentionné

dans la section Art et Mouvement avec Agam, Bury, Mack, Malina, Piene, Soto.

La soirée de poésie phonétique à la galerie des 4 saisons est présentée par François Dufrêne qui participe aussi, à l'UNESCO, à celle de musique expérimentale où il fait entendre *Anti-étude II*, des extraits de *Facettes* et *U 47*.

Un mois jour pour jour après la signature du manifeste, paraît dans le cadre du Festival d'Art d'Avant-garde le Journal *Dimanche 27 novembre* conçu et réalisé par Klein, distribué dans les kiosques et présenté comme l'*Ultime forme de théâtre collectif qu'est un dimanche pour tout le monde*. Le titre à la une, *Théâtre du vide*, voisine avec la célèbre photographie où l'on voit Klein s'élancer, du haut d'un mur, dans l'espace. Le rêve du vol l'occupait depuis longtemps lorsqu'il effectue son premier saut, le 12 janvier 1960, chez Colette Allendy, en présence de Bernadette Allain. Le 19 octobre, il fait un second saut à Fontenay-aux-Roses devant Rotraut Uecker, Harry Shunk et Janos Kender qui, cette fois, le photographient. La question d'un possible photomontage a été longuement débattue mais, quoi qu'il en soit, c'est l'idée contenue dans cette image qui importe surtout.

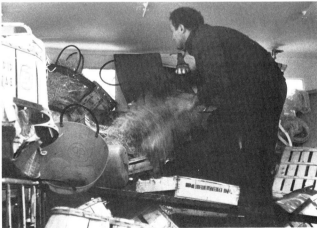

Arman préparant Le Plein, *galerie Iris Clert, octobre 1960. Photo Harry Shunk.*

Klein. Le journal **Dimanche 27 novembre 1960**. Photo Harry Shunk.

Arman préparant **Le Plein,** galerie Iris Clert, octobre 1960. Photo Harry Shunk.

La réunion du 27 octobre 1960 chez Klein. De gauche à droite : Arman, Tinguely, Rotraut Uecker, Spoerri, Villeglé, Restany. Photo Harry Shunk.

*Festival d'Art d'Avant-garde, Paris, novembre 1960. Klein : l'**Anthropométrie collective des Nouveaux-Réalistes** et **Ci-gît l'Espace.** Photo Harry Shunk.*

Festival d'Art d'Avant-garde, Paris, novembre 1960. Spoerri : cinq tableaux-pièges. A droite, en haut : un morceau d'un dessous d'affiches de Dufrêne. Photo Christer Christian.

1961

Janvier

Depuis la fin de l'année 1960, Yves Klein prépare une exposition rétrospective au Musée Haus Lange de Krefeld qui vient d'accueillir Tinguely. Lors du vernissage, le 15 janvier, il fait la mise à feu dans le jardin du musée d'une flamme haute de trois mètres qui jaillit du sol à côté d'un *Mur de feu* constitué d'une grille de becs Bunsen grâce auxquels il réalise pendant l'exposition une série d'empreintes de feu sur papier. Corollairement à cela, il expose ses projets pour des fontaines d'eau et de feu dessinés par l'architecte Claude Parent.

Février

A Paris, le salon Comparaisons va accueillir jusqu'en 1968 les Nouveaux Réalistes, la direction de leur salle étant désormais assurée par Villeglé. Dufrêne, Villeglé, Rotella, Spoerri et Tinguely y participent cette année là (du 6 février au 6 mars) ainsi qu'Anouj, Deschamps, Brassaï, le photographe des graffiti, J.-M. Mension dont la spécialité est de passer les vitres au blanc d'Espagne et Vostell, qui est aussi à cette époque un « décollagiste ».

Mars

En mars, Yves Klein, revenu d'Allemagne, a la possibilité de réaliser ses premières *Peintures de feu* au Centre d'essais du Gaz de France. Sur des cartons spéciaux très résistants, il recueille l'empreinte d'une flamme sortant d'un brûleur industriel à grand débit. En juillet 1961 et au début de l'année 1962, au cours de nouvelles séances de travail au Centre d'essais, il associera au feu les corps de ses *pinceaux vivants,* des projections d'eau productrices de dessins aléatoires et ses couleurs personnelles, le bleu et le rose. Une exposition de ces *Peintures de feu* aura lieu à la galerie Tarica en mai 1963.

A Milan, le 16 mars, ouvre la première exposition personnelle de Daniel Spoerri. Elle a lieu dans la galerie d'Arturo Schwarz qui lui avait acheté à Paris lors d'une visite dans sa petite chambre de l'hôtel Carcassonne, rue Mouffetard, la totalité de ses premiers *tableaux-pièges.* L'auteur de la préface est Alain Jouffroy qui avait déjà illustré d'une de ses œuvres son article *La révolution du regard* (*Combat,* 26 décembre 1960).

Du 10 mars au 17 avril, Spoerri participe au Stedelijk Museum d'Amsterdam à l'exposition *Bewogen Beweging,* organisée par W. Sandberg, le directeur du Musée et Pontus Hulten. C'est une rétrospective du *Mouvement dans l'art* comprenant soixante-douze artistes depuis les pionniers (les futuristes, M. Duchamp) jusqu'aux nouvelles générations. Tinguely y présente vingt-huit pièces dont une machine blanche haute de trois étages placée devant l'entrée du musée et ses premières sculptures *Baluba,* des machines capricieuses et drôles qui agitent au nez des spectateurs toutes sortes de gris-gris et de colifichets de hasard. Niki de Saint-Phalle sollicite la participation du public qui s'amuse à lancer des fléchettes vers le *Portrait de mon amour,* un personnage réduit à sa chemise et dont la tête est une cible. L'exposition est présentée ensuite au Moderna Museet de Stockholm. Tinguely réalise à cette occasion deux nouvelles sculptures : *Narva,* qui scie son propre socle, est installée sur une place de la ville et le *Ballet des pauvres,* une sorte de *baluba* géant, est

suspendu au plafond d'une des salles du musée. Quelques paires de lunettes à verres cannelés de Raymond Hains suspendues par un fil de nylon offrent aux visiteurs la vision déformée de l'exposition. Dans les environs de Stockholm, Niki de Saint-Phalle effectue son premier tir à la carabine en public. *Le Mouvement dans l'art* termine son voyage au Louisiana Museum près de Copenhague où Tinguely édifie sa seconde machine autodestructrice. *Étude pour une fin du monde* explose le 22 septembre en lançant dans les airs un pseudo Gagarine désarticulé.

Avril

Depuis l'été 1960, Arman a dégagé de sa réflexion sur les accumulations un nouveau vocabulaire qui l'entraîne vers le monde de la quantité : les usines, les décharges, les entrepôts, les marchés aux puces qu'il visite en compagnie de Martial Raysse. Le 1er avril ouvre chez Arturo Schwarz, à Milan, leur exposition commune préfacée par Pierre Restany : *C'est en 1959*

Spoerri dans la cour de l'Hôtel Carcassonne, rue Mouffetard, décembre 1960. Photo Harry Shunk.

La chambre de Spoerri, Hôtel Carcassonne, rue Mouffetard, 1960. Photo Vera Spoerri.

Exposition Spoerri, galerie Schwarz, Milan, mars 1961. Photo S.A.D.E. Archives, Milan.

qu'Arman devait accomplir son grand geste d'appropriation et atteindre d'emblée la réalité fondamentale en « inventant » la poubelle et son contenu riche d'un immense pouvoir suggestif. *Le déchet, le rebut, l'ordure en tous genres sont aujourd'hui l'objet de l'appropriation perceptive d'Arman. Ces monceaux de détritus sont ses sculptures, ses totems, la source illimitée de ses émotions, son perpétuel trésor d'images.* Quant au domaine de Raysse, c'est *celui du Prisunic, de l'objet domestique en matière plastique, du jouet de bébé jusqu'à l'instrument de cuisine [...]. L'artiste niçois nous communique ainsi, et avec beaucoup de bonheur une présence « réelle » de ce matériau synthétique, aux couleurs vulgaires et criardes, dénué de tout poids spécifique.*

Au début du mois d'avril, Klein part pour New York où Léo Castelli l'invite à faire une exposition. Elle est plutôt mal accueillie et rencontre l'incompréhension quasi-générale de la presse et des artistes eux-mêmes qui perçoivent mal son aventure spirituelle. Il se voit donc contraint de justifier sa démarche dans son *Manifeste de l'hôtel Chelsea : Attendu que j'ai peint des monochromes pendant quinze ans, attendu que j'ai créé des états de peinture immatérielle, attendu que j'ai manipulé les forces du vide, attendu que j'ai sculpté le feu et l'eau et que du feu et de l'eau j'ai tiré des peintures, attendu que je me suis servi de pinceaux vivants pour peindre, [...] attendu que j'ai inventé l'architecture et l'urbanisme de l'air [...] attendu que j'ai proposé une nouvelle conception de la musique avec ma Monoton — Silence — Symphonie, attendu que, parmi d'autres aventures sans nombre, j'ai recueilli le précipité d'un théâtre du Vide. Je n'aurais jamais cru, il y a quinze ans, à l'époque de mes premières tentatives, qu'il m'arriverait un jour, brusquement, d'éprouver le besoin de me justifier...*

Fin mai, l'exposition de Klein est reprise par la Dwan gallery de Los Angeles. Elle reçoit un bien meilleur accueil dans cette ville notamment de la part d'artistes comme Edward Kienholz que Tinguely avait connu l'année précédente. En plus des I.K.B., il montre des obélisques et des éponges et Roland Pease et Dore Asthon émettent dans *Art International* (juin-août 1961) le seul jugement vraiment positif sur l'exposition : la visiter, *c'est comme voir cette merveille géante qu'est le Grand Canyon... quel silence... il n'y a absolument aucun bruit.*

César et Tinguely sont aussi à New York en ce mois d'avril. Le premier pour son exposition anthologique, à la galerie Saidenberg, préfacée par Sam Hunter qui écrit à propos de ses compressions : *Nous sommes au seuil d'un art qui commence à nous émouvoir plus profondément à la manière d'un spectacle de la nature.* Le second montre chez Staempfli ses constructions récentes qui le consacrent comme un parfait représentant de la junk-culture.

Le 25 avril, les Nouveaux Réalistes ont accès au grand public grâce à l'émission télévisée de Louis Pauwels *En français dans le texte* consacrée à l'avant-garde. Pierre Restany y présente Arman, Dufrêne, Hains, Klein, Saint-Phalle et Tinguely. Les magazines de télévision insistent avec humour sur le caractère provocateur de leur pratique.

*Niki de Saint-Phalle vue à travers **Jalousie** de Tinguely. Exposition **Le Mouvement dans l'Art**, Stedelijk Museum, Amsterdam, 1961. Photo Harry Shunk.*

*Tinguely. **Le Ballet des pauvres**, Moderna Museet, Stockholm, 1961. Photo Statens Konstmuseer.*

Arman au Marché aux Puces, Paris 1961. Photo André Morain.

Exposition Arman et Raysse, galerie Schwarz, Milan, avril 1961. Photo S.A.D.E. Archives, Milan.

Mai

Au début du mois de mai, l'ouverture de la galerie J par Jeanine Restany offre au critique et aux artistes qu'il défend un utile instrument de promotion.

Sous le titre *A 40° au-dessus de Dada*, l'exposition inaugurale réunit Arman, César, Dufrêne, Hains, Klein, Rotella, Spoerri, Tinguely et Villeglé.

La référence très directe à Dada à la fois dans le titre de l'exposition et dans le texte de présentation de Pierre Restany provoque une réaction négative de la part de certains membres du groupe et notamment de Klein qui, de New York, fait connaître son désaccord. La question de Dada se posera à nouveau lorsque Klein, le 8 octobre, réunira chez lui, rue Campagne-Première, certains des Nouveaux Réalistes et les critiques Alain Jouffroy, Pierre Descargues et John Ashbery. Cette réunion qui porte le nom de *journée des observateurs neutres* est destinée à étudier la question de la filiation, abusive selon Klein, du Nouveau Réalisme à Marcel Duchamp. Il s'oppose en effet à l'idée que leurs expériences puissent être ainsi ramenées au passé et qu'elles ne soient réductibles qu'au ready-made.

Pourtant, dans sa préface, Pierre Restany avait établi une assez nette distinction entre les deux mouvements. Après le *non intégral* et la *table rase* (déjà évoquée par Michel Tapié en 1951), le Nouveau Réalisme représente pour lui une *troisième position du mythe : le geste anti-art de Marcel Duchamp se charge de posivité. L'esprit dada s'identifie à un mode d'appropriation de la réalité extérieure du monde moderne. Le ready-made n'est plus le comble de la négativité ou de la polémique mais l'élément de base d'un nouveau répertoire expressif.*

En fait, par cette contestation de Dada, les artistes cherchaient aussi à prendre quelque distance vis-à-vis de leur critique à propos duquel Michel Ragon avait écrit dans *Cimaise* (juillet-août 1961) : *La critique serait-elle aujourd'hui parfois plus créatrice que les peintres qu'elle est censée représenter ? Après Tapié et Alvard, Restany semblerait le prouver.* C'est ainsi qu'à la Coupole, ce soir du 8 octobre' Klein, Hains et Raysse signent cette déclaration : *le Nouveau Réalisme est dissout.* Dissolution cependant toute temporaire et qui ne mettra pas fin aux activités collectives.

Juin

En juin, Daniel Spoerri organise une exposition des Nouveaux Réalistes à Stockholm, galerie Samlaren. Dans le petit catalogue dont la couverture est frappée des initiales NR, un texte de Pierre Restany court sous les portraits d'Arman, de César, de Deschamps, de Dufrêne, de Klein, de Raysse, de Saint-Phalle, de Tinguely, de Villeglé et de deux Suédois : Ultvedt et Nordenström. C'est la première fois que Gérard Deschamps, déjà invité par Villeglé au Salon Comparaisons au début de l'année, apparaît dans une exposition des Nouveaux Réalistes. Il avait exposé en 1957 chez Colette Allendy où, cette année-là, il avait fait la connaissance d'Hains et de Villeglé. D'une peinture à ce point matiériste que des chiffons avaient fini par participer à l'effet pictural, il était passé à l'objet pour lui-même choisi en premier dans la catégorie des sous-vêtements féminins.

La deuxième exposition de la galerie J, du 14 au 28 juin, s'intitule *La France déchirée*. Elle rassemble vingt affiches à thème politique ayant trait pour la plupart à la guerre d'Algérie,

décollées par Raymond Hains (avec Villeglé pour deux d'entre elles) de 1950 à 1961. Dans sa préface, Pierre Restany fait allusion au fait que ces affiches, eu égard à leur sujet, ne sont pas à vendre. *C'est un fait (un signe des temps ?) : depuis plus de dix ans, la France déchirée occupe un deux-pièces-cuisine à Montparnasse. Raymond Hains, le dragueur des murs, le « témoin occuliste » du papier écorché, exhume ses patients trésors, les Gobelins des Faubourgs tissés sur la basse-lisse des trottoirs, en période électorale.*

Certains sont hors de prix : ironiques résidus de nos passions irréductibles et de nos luttes intestines, leur seul souvenir a déjà coûté trop cher. Le maître de l'affiche lacérée cultive les scrupules qui honorent la conscience : que l'on se partage les dépouilles de Cassandre ou de Savignac, mais pas de petits profits sur le déchirement de la Nation.

Tournons ensemble ces quelques pages, effeuillées, du journal des piétons de Paris : les dessous de la politique sont ceux d'une

Annonce de l'émission **En français dans le texte** consacrée à l'avant-garde. **Télé 7 jours** n° 57, 22 avril 1961.

Pierre Restany pendant l'émission **En français dans le texte** consacrée à l'avant-garde, 25 avril 1961. Photo Harry Shunk.

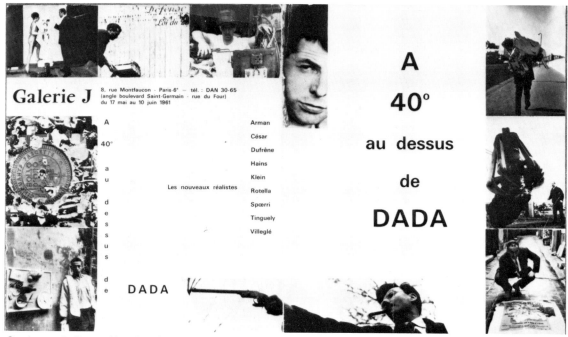

*Catalogue de l'exposition **A 40° au-dessus de Dada**, galerie J, mai 1961.*

Accrochage en cours à la galerie J en 1961. De gauche à droite : une tôle de Hains, des « affiches » pêle-mêle de Hains, Rotella et Villeglé, une « affiche » de Rotella, un assemblage de Raysse. Photo J.-P. Biot.

femme du monde qui aurait eu des malheurs. Notre histoire est pleine de sang, de chichis et de charmes, de quoi faire un peu de poésie, à condition d'avoir la main heureuse et le cœur pur.

Le mois suivant, l'exposition de Niki de Saint-Phalle *Feu à volonté* (30 juin-12 juillet) transforme la galerie J en stand de tir forain. Les visiteurs sont invités à faire preuve de toute leur habileté pour crever, à la carabine, des poches de peinture cachées sous le plâtre de ses reliefs et réaliser ainsi, à distance, des peintures abstraites à la fois matiéristes et lyriques mais aussi peu « peintes » que n'étaient « dessinés » les produits graphiques des Méta-matics de Tinguely.

Au nombre des invités au vernissage, les chefs de file du néo-dadaïsme américain : Jasper Johns et Robert Rauschenberg venus à Paris pour leurs expositions respectives à la galerie Rive Droite et à la galerie Daniel Cordier et avec qui Niki et Tinguely avaient composé le décor de *Variations* II de John Cage joué par David Tudor au théâtre de l'ambassade américaine le 20 juin. Il subsiste de cette rencontre des œuvres communes réalisées par Niki de Sant-Phalle avec Johns et avec Rauschenberg.

Le passage de ces Américains à Paris donne aussi l'occasion à Pierre Restany de présenter à la galerie Rive Droite l'exposition *Le Nouveau Réalisme à Paris et à New York* où figurent Arman, Bontecou, César, Chamberlain, Chryssa, Hains, Johns, Klein, Rauschenberg, Saint-Phalle et Tinguely.

Dans sa préface *La réalité dépasse la fiction* Restany établit une distinction entre les artistes de Paris et ceux de New York : *Plus rigoureux dans leur logique, plus simples et plus précis dans leur présentation, plus directement appropriatifs dans leur démarche, les Européens, pour la plupart, demeurent à tous les sens du terme des « nouveaux réalistes ». Romantiques de cœur, cubistes d'esprit et baroques de ton, plus disponibles aussi à la tentation surréalisante, ceux qu'on appelle déjà les « néo-dadas » américains sont en train de reconstituer un fétichisme moderne de l'objet.*

Juillet

Les relations qu'entretenaient par ailleurs, depuis 1958, certains membres du groupe avec les fondateurs de la revue *Zero* à Düsseldorf se poursuivent en 1961. Dans *Zero 3,* paru en juillet et présenté à la galerie Schmela sont reproduits des textes de Klein (*Le vrai devient réalité* dont, à sa demande, les derniers paragraphes sont brûlés et *Projet d'architecture de l'air* en collaboration avec Ruhnau), de Spoerri (*Tableaux-pièges* et *Autothéâtre),* d'Arman (*Réalisme des accumulations)* de Tinguely (*Static, static, static ! Be static !...* dit à Londres en 1959 et son brevet d'invention pour un *méta-matic* portable).

L'été de cette année est marqué par le premier Festival du Nouveau Réalisme qui est inauguré à Nice le 13 juillet. Une exposition du groupe a lieu à la galerie Muratore où Martial Raysse présente sa première installation sur le thème des vacances à la mer. Le 13 et le 14, à l'abbaye de Roseland, propriété de Jean Larcade, les artistes réalisent une série d'œuvres-spectacles : Tinguely met en eau une fontaine mobile, Niki de Saint-Phalle tire à la carabine, Arman réalise une *Colère* et fixe sur un panneau de bois les morceaux de la table et de la chaise qu'il vient de casser à l'endroit précis où ils sont tombés, Rotella donne un récital de poésie phonétique et Hains découpe et distribue les parts d'un *Entremets de la Palissade* géant.

Hains. Exposition **La France déchirée,** galerie J, juin 1961. Photo Harry Shunk.

Hains, chez lui, rue Delambre, en février 1961. Photo Harry Shunk.

Niki de Saint-Phalle. Exposition **Feu à volonté,** *galerie J, juin 1961. Photo Harry Shunk.*

1. Niki de Saint-Phalle et Jasper Johns.
2,3,4. Iris Clert, Jasper Johns, Yves Klein tirant.
5. A la Coupole : Jasper Johns, Niki de Saint-Phalle,
                 Jean Tinguely, Gérard Deschamps.
6. Robert Rauschenberg.

Pierre Restany, Jasper Johns et Yves Klein lors de l'exposition **Feu à volonté,** galerie J, juin 1961. Photo Heidi Meister.

Niki de Saint-Phalle et Tinguely tirant sur un relief, impasse Ronsin, juin 1961. Photo Harry Shunk.

Pierre Restany, Paris, juin 1961. Photo Harry Shunk.

Août

En août, Marcel Duchamp fait appel à Niki de Saint-Phalle et à Tinguely pour qu'ils participent à un hommage à Salvador Dali, organisé dans les arènes de Figueras. Ils construisent ensemble et lancent sur la piste, un taureau de feu qui, après avoir émis beaucoup de fumée, vole en éclats.

C'est à propos du *Don Quichotte* illustré par Dali et exposé au Musée Jacquemart-André en 1958 que Pierre Guéguen avait écrit cette année-là dans le numéro de mai-juin d'*Art International* l'article *Du nouveau dans le tachisme : le boulettisme* où il décrit la manière dont l'artiste catalan avait tiré à l'arquebuse sur la pierre lithographique et jeté sur elle des coquilles d'escargots remplies d'encre, des coquilles d'œuf, et divers petits animaux, gestes « surréalistes » non sans rapport avec ceux, « nouveaux-réalistes », d'Arman et de Niki de Saint-Phalle.

Septembre

En septembre, Christo fait à la galerie Lauhus de Cologne sa première exposition personnelle (préfacée par Pierre Restany) dont le thème lui est donné par le port de cette ville où il a tout spécialement remarqué les empilements de barrils couverts ou non de bâches. La découverte de ces *monuments temporaires* édifiés par le travail, les échanges économiques, donne une nouvelle dimension et un caractère plus systématique et quantitatif à sa pratique qui consistait depuis 1958 à empaqueter divers objets et plus particulièrement des bouteilles, des flacons, des bidons. Avec le premier projet pour un édifice public empaqueté qu'il conçoit, sous forme de photomontage, en octobre, il a déjà une vision assez nette de l'ampleur future de son geste appropriatif.

Le 2 septembre, dans *Paris-Match*, dont une photographie de Brigitte Bardot illustre la couverture, la deuxième Biennale de Paris est annoncée par un reportage de mode réalisé devant des affiches sur lesquelles Dufrêne et Villeglé sont en train de travailler. Quelques pages plus loin, un article est consacré au *mur de la honte* qui vient d'être édifié à Berlin. Un événement que Christo commémorera l'année suivante.

La Biennale ouvre le 30 septembre. Martial Raysse y montre, sous le titre *Hygiène de la vision* n° 7 un étalage publicitaire pour l'Ambre solaire qu'une baigneuse grandeur nature rend très attrayant et Arman une poubelle (*S'il n'en reste qu'un je serai celui-là*). Dans la section des travaux d'équipe, Dufrêne et Villeglé exposent les très grandes affiches photographiées dans *Paris-Match* et Hains, un peu à part, présente un agrandissement d'une image abstraite de son film *Pénélope*.

Octobre

Trois jours plus tard, au Musée d'Art Moderne de New York, est inaugurée la grande exposition *The Art of assemblage* organisée par William Seitz. Elle parcourt près de soixante ans d'art moderne depuis la *Libération des mots et des objets* au début du siècle, jusqu'aux *Attitudes and issues* de l'avant-garde actuelle. Arman, César, Dufrêne, Hains, Raysse, Rotella, Saint-Phalle, Spoerri, Tinguely et Villeglé y participent.
Spoerri est à Copenhague en octobre. Invité par la galerie Köpcke, il y transporte les produits qu'il vient de « piéger » dans une épicerie et qu'il vend à leur prix courant marqués de l'estampille

Attention œuvre d'art. Puis, à Paris, dans sa chambre d'hôtel, il commence à établir, le 17 octobre, le *relevé exact d'une topographie due au hasard et au désordre* qui consistera à écrire l'histoire de tous les objets qui se trouvent, ce jour-là, sur sa table. Sa *Topographie anecdotée du hasard* sera publiée par la galerie Lawrence en février 1962 et dans la préface il donnera ces informations : *J'ai voulu voir ce que les objets qui se trouvaient sur la moitié de cette table et dont j'aurais pu faire un tableau-piège, pouvaient me suggérer et ce qu'ils éveilleraient directement en moi en les décrivant ; comme Sherlock Holmes qui, partant d'un objet, pouvait résoudre un crime, ou comme les historiens qui, depuis des siècles, reconstituent une époque entière à partir de la plus célèbre fixation de l'histoire, Pompéi. Si, par hasard, cela peut être utile à la compréhension de cet essai, je dois dire que c'est après avoir construit une paire de lunettes dont les verres sont munis d'aiguilles qui menacent de crever les yeux que j'ai éprouvé le désir de recréer les objets à travers la mémoire au lieu de les montrer réellement.*

Voilà l'amorce capitale d'un style nouveau-réaliste du roman écrira Restany dans *Cimaise* (mars-avril 1962).

Novembre

En novembre à Milan, Guido Le Noci et Pierre Restany présentent sous le titre *Il nuovo realismo del colore* une exposition rétrospective d'Yves Klein qui montre pour la première fois ses *Reliefs planétaires* réalisés en août par imprégnation en bleu de cartes en relief de l'Institut Géographique National.

Le même mois, Arman fait lui aussi le voyage de New York où il est invité par la galerie Cordier et Warren. Il y expose notamment une accumulation de masques à gaz, *Home sweet home* qui est la première œuvre de ce type de grand format. Comme ses amis qui l'ont précédé dans cette ville (Tinguely, Klein, César), Arman rencontre Marcel Duchamp.

Christo. **Monument temporaire** photographié sur le port de Cologne, 1961.

Christo. Premier projet de bâtiment public empaqueté, octobre 1961. Photomontage.

Affiche du premier Festival du Nouveau Réalisme, Nice, juillet-septembre 1961.

Décembre

A Paris, en décembre, Tinguely expose à la galerie Rive Droite sa sculpture *Narva*, des *balubas* et le rideau en perles de bois, *Jalousie,* qu'un moteur agite par intermittences. Quant à Pierre Restany, il organise à la galerie J, parallèlement au Nouveau Réalisme, l'exposition *Nouvelles aventures de l'objet* (12 décembre-20 janvier) où figurent Beynon, Boussac, Brusse, Caniaris, Christo, Deschamps, Ilse Getz, le groupe de Chatou, Kapera, Mauri, Nikos, Pera, Scheps et Veysset.

Dufrêne et Villeglé dans **Paris-Match,** *2 septembre 1961. Photo Willy Rizzo.*

Deuxième Biennale de Paris, octobre 1961. Raymond Hains, André Malraux et François Dufrêne devant l'« affiche » de Villeglé **Carrefour Sèvres-Montparnasse, juillet 1961.** Photo Michel Roi.

*Guido Le Noci, Yves Klein et Pierre Restany. Exposition Klein, **Il nuovo realismo del colore**, galerie Apollinaire, Milan, novembre 1961. Photo Ugo Mulas.*

Exposition Tinguely, galerie Rive Droite, décembre 1961. Photo André Morain.

1962

Janvier

Le 26 janvier, Yves Klein vend une *zone de sensibilité picturale immatérielle* à Dino Buzzati qui l'avait soutenu lors de son exposition à Milan en 1957 et, le 10 février, il en vend une autre à l'écrivain américain Michael Blankfort en présence de François Mathey, directeur du Musée des Arts Décoratifs.

C'est pendant cette période qu'il s'attaque à l'imprégnation ultime des Nouveaux Réalistes et de leur critique dont il commence une série de *portraits-reliefs* : les moulages des corps de ses amis seront peints en bleu et fixés sur un fond d'or, le moulage de son propre corps sera doré et posé sur un fond bleu. Seul le *portrait-relief* d'Arman sera complètement réalisé selon ce principe. Les moulages de Raysse et de son vieil ami niçois Claude Pascal sont restés inachevés.

C'est chez Yves Klein, au début de l'année que Christo emballe un modèle vivant sous du plastique transparent. Il laissera inachevé le portrait de Rotraut et d'Yves qu'il peint le jour de leur mariage célébré très solennellement le 21 janvier, en présence des dignitaires de l'ordre des Chevaliers de Saint-Sébastien.

Février

Le 28 février, la galerie J présente *Cinecittà*, la première exposition personnelle de Rotella à Paris. C'est un choix d'affiches italiennes de cinéma lacérées à propos desquelles Restany écrit dans sa préface : *Par l'énormité de ses dimensions, la violence de sa mise en page, l'obsessionnelle vulgarité de ses personnages mythiques (de la pin-up prophylactique au cow-boy - tendre - brute, du métèque séducteur à la mata-hari, sans compter les innombrables versions sous-bardotiennes ou lolobrigidesques de l'éternelle Phryné) - bref, par l'extroversion généralisée de ses moyens et l'agressivité de ses effets, l'affiche de cinéma constitue un matériau de base très spécial, un style dans lequel les techniciens italiens de la publicité sont passés maîtres. L'affiche de cinéma a pris sur les murs d'Italie la place qu'occupent encore les affiches politiques sur les nôtres : ce qui détermine une autre qualité de l'expressivité latente. Le « regardeur » qu'est Rotella n'y est pas resté insensible : très significativement, alors que Hains, breton de Paris, a rassemblé ses affiches politiques sous le thème de « La France déchirée », Rotella, calabrais de Rome, a choisi « Cinecittà » comme terrain d'élection de sa série thématique. [...] Il y a quatre ans à peine, avant que je ne le mette en contact, Rotella ignorait tout des activités de ses collègues parisiens et eux aussi l'ignoraient. Cette rencontre tardive et ce cheminement parallèle parlent d'eux-mêmes.* Outre ces affiches, Rotella expose un bidon d'huile Shell *Rotella T* qu'il érige en *Petit monument à Rotella* avec d'autant plus d'à-propos que le coquillage servant d'emblème à la Shell Company a pour nom savant *Rotella gigantea,* ce qu'il découvrira peu après. De 1961-1962 datent aussi divers assemblages que Rotella compose à partir d'objets trouvés (boutons, bobines, capsules, boules, jouets, ficelle) et le *ready-made* d'un bustier en plastique pour soutien-gorge (*Triumph,* 1961).

Mars

Dans le catalogue du Salon Comparaisons (12 mars-2 avril) est reproduite la photographie de la salle dont est chargé Villeglé : aux murs et dans l'espace, des œuvres de Villeglé, Spoerri, Saint-Phalle, Dufrêne, Rotella, Anouj, Arman, Tinguely, Raysse. Hains est représenté par une *Subraclette triomphante,* un outil de jardinage de la marque Vilmorin, idéal pour « débroussailler » les complexes questions que pose, par exemple, l'utilisation de l'objet dans l'art. En regard de cette photographie, une vue de la même salle avant l'accrochage. Cet espace vide est une zone de sensibilité picturale immatérielle d'Yves Klein (*Zone n° 1, série*

Christo. Empaquetage d'un modèle vivant chez Klein, 1962. Photo Harry Shunk.

n° 5) ainsi légendée par Restany : *La zone de sensibilité picturale d'Yves Klein, immatérielle, extra dimensionnelle, existe en soi. Son « merveilleux » constitue l'essence même du nouveau réalisme : ni les murs, ni les dimensions de la salle où elle se trouve exposée ne correspondent à sa vraie réalité. Son intégralité est ailleurs, partout : inutile d'en dire plus.* A remarquer aussi dans ce Salon de 1962, l'envoi par Claude Yvel d'un tableau peint en trompe-l'œil représentant des affiches lacérées.

La deuxième exposition *Antagonismes* qui ouvre le 7 mars au Musée des Arts Décoratifs a pour thème l'Objet.

François Mathey a demandé à près de cent cinquante peintres et sculpteurs *d'exprimer, grâce à l'objet, un nouvel art de vivre... l'objet avec un grand O, comme une cible, comme un but, l'objet de nos désirs.* Parmi les participants : Agam avec un projet de théâtre à scènes multiples, Arman avec un lustre-accumulation d'ampoules électriques, César avec des chenets et un *Ensemble de télévision*, Lucio Fontana avec *Trois robes de plages spatiales* (1961) et des bijoux, Alberto et Diego Giacometti, Brion Gysin avec sa *Dreamachine*, Kowalski avec une maquette pour un musée d'art contemporain, N. Kricke avec des colonnes et un relief d'eau, Mathieu avec un grand lit et des bijoux, Matta avec des projets d'architecture, Larry Rivers avec *The friendship of America and France* (une peinture double face animée par un moteur de Tinguely), N. Schöffer avec des tours spatiodynamiques et cybernétiques, Takis avec un *Télélumière*. Yves Klein y présente ses projets architecturaux dessinés par Claude Parent et présentés dans le catalogue par Restany : climatisation de l'espace, le toit d'air, le lit d'air, les fontaines d'eau et de feu, les *Fontaines de Varsovie* (projet pour le Trocadéro), le *Rocket pneumatique* qui se déplace dans l'atmosphère par pulsations d'air saccadées. Il montre aussi le *Store-poème* réalisé quelques jours avant l'exposition en collaboration avec Arman, Restany et Claude Pascal.

Depuis le début du mois de février, Tinguely est à Los Angeles où la galerie Everett Ellin l'a invité à exposer. C'est alors que pour la chaîne de télévision N.B.C., il construit dans le désert du Nevada sa deuxième *Etude pour une fin du monde* ou *Opéra - Burlesque - Dramatico - Big Thing - Sculpto - Boum* dont les éléments, souvent colorés, explosent en chaîne le 21 mars. A New York, le 4 mai, lui et Niki collaborent à nouveau avec Rauschenberg pour un spectacle d'une seule soirée au Maidman Playhouse. *The construction of Boston*, sur un scénario de Kenneth Koch et dont la régie est assurée par Merce Cunningham, est « joué » par Billy Klüver, Frank Stella, Rauschenberg qui réalise une *combine-painting*, Niki de Saint-Phalle qui tire sur une « Vénus de Milo » bientôt dégoulinante de couleurs criardes et Tinguely qui, pendant que le spectacle se déroule, construit à l'avant-scène un mur dont l'achèvement rend le tomber de rideau inutile.

Mai

En mai, Arman se rend lui aussi à Los Angeles pour son exposition à la Dwan gallery préfacée par un texte de Restany *Arman et la logique formelle de l'objet.* Il propose alors un nouvel avatar de la *poubelle*, les visiteurs étant conviés à la produire eux-mêmes en jetant dans une cuve en plexiglas tout ce qui encombre leurs poches. A propos des accumulations qu'Arman expose à Paris à la fin du mois, galerie Lawrence, Michel Ragon écrit dans *Arts* (16 mai-12 juin 1962) : *Placer dans des boîtes vitrées, suspendus au mur, une accumulation d'objets identiques, d'objets industriels de série, par exemple 25 robinets de baignoire, 20 appareils de photos, 20 appareils de téléphone, une soixantaine d'intérieurs de réveils, des épingles à linge, des manomètres, des brosses à cheveux, des tubes d'aspirine - dans cette entreprise qui se veut être un « nouveau réalisme », une poétique de l'objet en série se manifeste soudain. Et pourquoi ne pas le dire, une inquiétante beauté. Une idolâtrie de l'objet se fait jour dans cette nouvelle école (que l'on voit, par exemple, le violoncelle ou le moulin à café désarticulé, objets présentés sous toutes leurs faces à la manière cubiste, mais non pas, comme chez les cubistes, peintures de l'objet mais l'objet lui-même).*

Parmi les jeunes critiques de la Biennale de Paris, était né le désir d'organiser une exposition qui donnerait toute leur ampleur aux tendances qu'ils défendent. C'est ainsi que Michel Courtois, Jean-Clarence Lambert, Jean-Jacques Lévêque, Raoul-Jean Moulin, José Pierre et Pierre Restany se réunissent pour organiser, à la galerie Creuze, l'exposition *Donner à voir* (15 mai-8 juin). Pierre Restany y présente évidemment les Nouveaux Réalistes : Arman, César, Deschamps, Dufrêne, Hains, Klein, Raysse, Rotella, Saint-Phalle, Spoerri, Tinguely, Villeglé.

Cette exposition où figure le *Portrait-relief* d'Arman est la dernière où Klein se manifeste de son vivant. Il a en effet subi depuis le début du mois de mai deux crises cardiaques, une troisième attaque provoque sa mort le 6 juin. *Nous l'avons vu disparaître, éblouis, les yeux secs de stupeur, incapables de le pleurer, larmes bien inutiles d'ailleurs : sa légende ne fera que grandir et avec elle une nouvelle dimension de son immuable présence,* écrit Pierre Restany dans *Cimaise* (juillet-août, 1962). Au Japon, la Tokyo Gallery lui rendra hommage par une exposition en juillet. Puis en octobre, au cours d'une soirée commémorative, Pierre Restany jettera un gramme d'or dans la baie de Tokyo pour une cession symbolique d'immatériel.

Rotella arrachant des affiches à Rome en 1960.

*Rotella. Exposition **Cinecittà**, galerie J, février 1962. Photo Harry Shunk.*

La salle des Nouveaux Réalistes au Salon Comparaisons, mars 1962. De gauche à droite : œuvres de Villeglé, Spoerri, Saint-Phalle, Hains, Dufrêne, Rotella, Anouj, Tinguely, Arman. Au premier plan : œuvre de Raysse.

Klein. **Lévitation,** *24 janvier 1962. Photo Harry Shunk.*

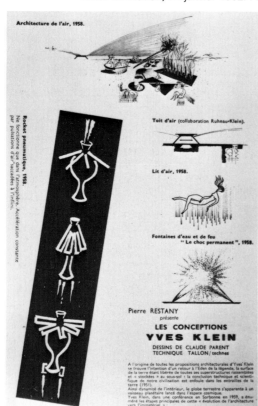

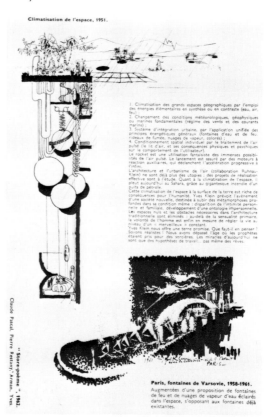

Klein. *Projets d'architecture de l'air dans le catalogue de l'exposition* **Antagonismes 2,** *Musée des Arts Décoratifs, mars 1962.*

Juin

Sous le titre *Art moral, art sacré* Pierre Restany présente l'exposition de Niki de Saint-Phalle à la galerie Rive Droite (15 juin-15 juillet). Elle y montre notamment un *Autel O.A.S.* (Œuvre d'Art Sacré), *L'adoration*, *La cathédrale*, un *Autel noir et blanc*, un *Tombeau vampire*, une *Crucifixion*, le *Tombeau de P.R.*, œuvres ainsi commentées par Restany : *Entre les christs en croix et les bouteilles de Coca-Cola qui participent également du décor de son enfance, entre l'art sacré et l'art moral Niki évolue à l'aise dans son univers qui est celui de la vie, du relatif...*

La nuit du 27 juin, pendant trois heures, la rue Visconti est barrée par un mur de 240 barrils de pétrole s'élevant à la hauteur d'un premier étage. Ce *Rideau de fer* est la réponse de Christo au « mur de la honte » dressé à Berlin un an plus tôt. Dans la galerie J, toute proche, il installe une réplique réduite de ce mur (120 fûts) et il expose des photographies illustrant les possibilités architecturales de ces entassements de tonneaux. A Gentilly, il réalise aussi cette année-là, un monument temporaire de barrils.

Dans *Le docker et le décor*, préface à l'exposition de Christo à la galerie J, Pierre Restany écrit notamment ceci : *Que dire d'un mur de tonneaux réalisé par l'entassement pur et simple de fûts métalliques de même calibre ? Il unit tout autant qu'il divise, il est image, accumulation d'images et image unique en même temps. Chaque circonférence, chaque fond de fût a sa couleur, sa matière, ses inscriptions de service, son bouchon de bonde, bref sa personnalité, ses éléments d'individualisation plastique. Et pourtant l'ensemble, le mur entassé s'offre au regard comme un tout unitaire et cohérent, une image monumentale de notre époque. C'est tout de suite un « monument », pas une barricade improvisée dans l'exaltation de l'émeute ; du travail sérieux, « pas du bidon », serait-on tenté de dire : ce paradoxe verbal ne manque ni de sel ni de sens. Christo, qui assure la responsabilité de ce « donné à voir », a su être sensible à l'exaltante activité des ports de commerce ; on y voit s'élever au rythme bruyant des allées et venues de navires d'étranges monuments temporaires, aux formes puissantes et d'une plasticité immédiate : ces cargaisons déchargées ont une beauté fugitive que Christo veut fixer à jamais. Quelle ambition : il s'est laissé prendre à son propre piège, qui est celui du lyrisme communautaire. Les grues et les débardeurs, la commande électrique et la mécanique humaine construisent de passagères cathédrales, arcs de triomphe de l'instant. Tâchons avec Christo de profiter de cette poésie du réel, produit sensibilisé de l'énergie manutentionnaire : une image émouvante à travers une architecture provisoire, vouée à l'immédiate dispersion de ses éléments. Les stocks sont faits pour être écoulés. Quel dommage. Ne baissons pas trop vite le rideau de fer de la beauté. Demeurons sensibles à la perception d'un instant privilégié, vision transcendantale de l'aveugle énergie du travail, du commerce et de l'activité des hommes : nous parlerons alors, tout naturellement, le langage du nouveau réalisme, qui est aussi celui de Christo.*

Christo mettant la dernière main à son **Rideau de fer,** rue Visconti, 27 juin 1962. Photo Harry Shunk.

Christo. **Mur d'assemblage,** galerie J, juin 1962. Photo R. de Seynes.

Août

En août, à Gstaad, la galerie Saqqarah présente l'exposition *Musical rage* où Arman montre le résultat des *colères* dont ont été les victimes des instruments de musique et notamment un piano à queue systématiquement brisé et exposé sous le titre *Chopin's Waterloo*. Aux *colères* lyriques, apparues dès 1961 lors du premier festival du Nouveau Réalisme à Nice sont liées les *coupes*, plus « cartésiennes », d'instruments à cordes et de statuettes qu'il commence alors à effectuer.

A Amsterdam, Willem Sandberg, avant son départ du Stedelijk Museum, permet à Tinguely, Spoerri et Pontus Hulten de mener à bien un projet déjà ancien d'exposition réalisée par plusieurs artistes travaillant en commun. *Dylaby* ou le *labyrinthe dynamique* (30 août-30 septembre) est conçu comme un parcours contrasté où le visiteur, soumis à de multiples expériences sensorielles (odeurs, sons, lumières variables), traverse en tâtonnant l'obscur labyrinthe de Spoerri avant de sortir par le plafond d'une autre salle piégée où celui-ci a fait basculer d'un quart de tour les tableaux, les sculptures et les meubles exposés. Il est transporté ensuite dans l'atmosphère estivale de la *Raysse Beach* (juke-box, baigneuses, bouées, ballons, piscine en plastique, enseigne au néon). Dans la salle Niki de Saint-Phalle, il rencontre des monstres préhistoriques (*Tyrannosaurus rex, Diplodocus lentus*) qu'il peut, sans danger, éclabousser de peinture en tirant sur des sacs en plastique remplis de couleur. Il passe ensuite par deux salles où Ultvedt et Rauschenberg ont conçu des environnements technologiques et sort de l'exposition en traversant une nuée de ballons projetés par des ventilateurs installés par Tinguely qui a aussi réalisé un balouba géant en hommage à Anton Müller, un artiste aliéné qui, quelques années plus tôt, l'avait beaucoup impressionné. Peu après cette exposition, Tinguely montre à la Kunsthalle de Baden-Baden onze sculptures fontaines.

Octobre

A Paris, Alain Jouffroy et Robert Lebel organisent du 24 octobre au 17 novembre à la galerie du Cercle l'exposition *Collages et objets* qui « corrige et prolonge » *The Art of Assemblage* organisée au Musée d'Art Moderne de New York l'année précédente. Dans son texte d'introduction, *Actualité du collage*, Alain Jouffroy constate que l'art moderne a *suivi contradictoirement deux courbes de développement : l'une — exclusive — qui l'a détourné des apparences immédiates : c'est l'abstraction ; l'autre — inclusive — qui lui a fait ré-absorber le monde des objets : c'est l'histoire du collage*, qui aboutit aujourd'hui au « décollage » d'affffiches lacérées, aux dessous d'affiche, au tableau-piège et au *combine painting*. *Dès l'origine du collage, on peut saisir les liens qui le rattachent à l'univers de l'objet. C'est l'invention du collage qui a fait voir la réalité sous un nouveau jour, qui a fait reculer les limites artisanales de l'art et permis au peintre de considérer le « choix » d'un objet comme une manière de s'exprimer. Sans l'invention et les développements du collage, les bouleversements internes de la peinture et de la sculpture proprement dites n'auraient peut-être pu dégager le créateur de l'emprise immémoriale de la tradition. Du « papier collé » cubiste à l'« accumulation » d'Arman, du « tableau-piège » de Spoerri aux assemblages de matières plastiques de Martial Raysse, il n'y a qu'une lente et irréversible invasion de la réalité par l'art, la reconquête d'un domaine perdu par les chercheurs de formes nouvelles et comme*

la volonté de réinvestir un monde qui se dérobait. *Certes, une grande distance a été parcourue qui a fait d'une affiche lacérée de Hains ou de Villeglé à peu près le contraire d'un papier collé : mais Hains et Villeglé retrouvent parfois dans les affiches lacérées les beautés calculées par Matisse dans ses papiers découpés et c'est l'art informel qu'ils contemplent à travers elles. Pour eux, le hasard est peintre, et, c'est comme si les « dessous d'affiches » de Dufrêne ne faisaient que répercuter fortuitement le « dripping » de Pollock : mais est-ce si fortuit ?. Ce que le critique anglais L. Alloway appelle la « junk culture », ce que le critique parisien P.Restany appelle « nouveau réalisme » — les détracteurs inévitables le nomment « art de la poubelle » — c'est une prise de conscience particulière du rôle toujours plus colossal de l'objet dans notre civilisation...*

Quarante-cinq artistes figurent au catalogue, depuis Arp, Brauner, Cornell, Duchamp, Ernst, Matisse, Miró, Picabia, Picasso, Schwitters, etc... jusqu'à Arman avec la *Hache de Barney* (le saxophone défoncé du jazzman Barney Willen), Baj, Barucchello, Del Pezzo, Deschamps avec un fragment de bâche de l'U.S. Air Force, Jim Dine, Dufrêne avec *Nabi-bis*, Y. Fièvre, Hains avec une tôle, Johns, Kalinowsky, Kudo, Meret Oppenheim, Rauschenberg, Raysse avec le *Miroir aux houpettes*, Réquichot, Rotella, Villeglé, etc.

Spoerri y présente *L'optique moderne*, une collection de lunettes commencée en 1961 à Copenhague. Ces lunettes, de diverses formes, étiquetées, numérotées et accrochées sur trois plaques de bois sont surmontées par une tête en plâtre dans les yeux de laquelle sont plantés des ciseaux. Augmentée pour l'exposition de Spoerri à la galerie Schwarz en avril 1963, cette collection fera l'objet d'un livre publié, cette année-là, par Fluxus. En regard des photographies où Spoerri porte chacune de ces paires de lunettes, d'*Inutiles notules* de Dufrêne sont reproduites. Celle-ci entre autres, à propos des lunettes à verres cannelés de Raymond Hains (modèle Marcel Achard : chez les frères Lissac de l'illisible) : *Silice aclissa illassec Illa sexy lissaclissa.*

Une nouvelle « confrontation » d'artistes américains et européens a lieu, à New York cette fois, à la fin du mois d'octobre. Elle est issue de la rencontre à Paris, quelques mois plus tôt, entre Pierre Restany et le marchand américain Sidney Janis. Son titre, *The New Realists*, s'il assure à ce terme une appréciable

*Spoerri. Salle III de l'exposition **Dylaby**, Stedelijk Museum, Amsterdam, septembre 1962.*

94

promotion outre-atlantique, ne correspond toutefois pas exactement à son contenu. En effet, les authentiques Nouveaux Réalistes européens (Arman, Christo, Hains, Klein, Raysse, Rotella, Spoerri, Tinguely) n'ont plus en face d'eux les « néo-dada » américains qui constituent encore la principale référence de Restany dans sa préface mais ceux qui vont devenir les « pop-artists » : Jim Dine, Rosenquist, Indiana, Lichtenstein, Oldenburg, Segal, Thiebaud, Warhol, Wesselman. Trois italiens (Baj, Barucchello, Schifano), deux suédois (Fahlström, Ultvedt), trois anglais (Latham, Blake, Phillips) représentent aussi l'Europe.

A partir du mois d'octobre, Niki de Saint-Phalle, Raysse et Tinguely exposent tour à tour à la Iolas Gallery de New York et à la Dwan Gallery de Los Angeles. Niki et Raysse exposent chez Iolas ce qu'ils avaient montré à *Dylaby* et Tinguely des *Radio-sculptures* constituées d'éléments de postes de radio toujours reliés à un bouton de sélection qu'un petit moteur fait tourner afin de leur faire diffuser la plus grande variété possible de programmes.

Parallèlement au Nouveau Réalisme, Spoerri entretient des relations avec des artistes liés à Fluxus, mouvement international et très dadaïste d'esprit, lancé de New York par George Maciunas en 1961. Il organise à la galerie One de Londres, du 23 octobre au 8 novembre, le *Festival of Misfits* (Festival des Ratés) où il invite Robert Filliou, Addi Köpcke, Gustav Metzger, Robin Page, Benjamin Patterson, P.O. Ultvedt, Ben Vautier, Emmett Williams. Robert Filliou y montre un poème-machine de 53 kilos, Spoerri y organise une *Do it yourself choral* et Ben (Vautier) vit quinze jours et quinze nuits dans la vitrine de la galerie.

Décembre

A Paris, en décembre, Spoerri et Dufrêne participent à *Festum Fluxorum* qui se tient à l'American Center. Dufrêne y donne le *Tombeau de Pierre Larousse*.

Le même mois, deux expositions personnelles de Gérard Deschamps ont lieu simultanément à Paris. A la galerie J, sous le titre *Deschamps et le rose de la vie,* Pierre Restany présente ses assemblages de lingerie, de chiffons et de toiles cirées et à la galerie Ursula Girardon sont montrées des plaques de blindages et des bâches de signalisation phosphorescentes servant au balisage des aérodromes.

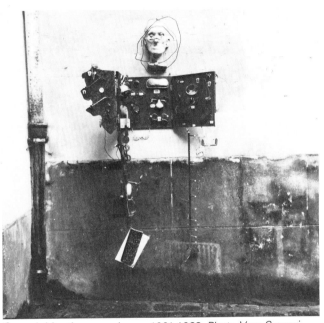

Spoerri. *L'optique moderne,* 1961-1962. Photo Vera Spoerri.

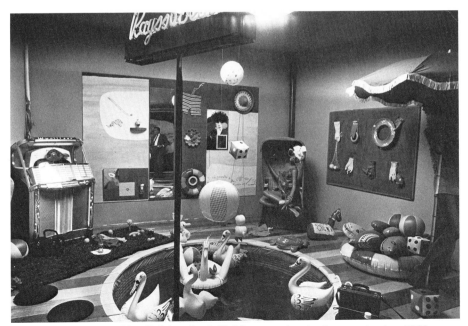

Raysse-Beach, exposition **Dylaby**, Stedelijk Museum, Amsterdam, septembre 1962.

L'optique moderne

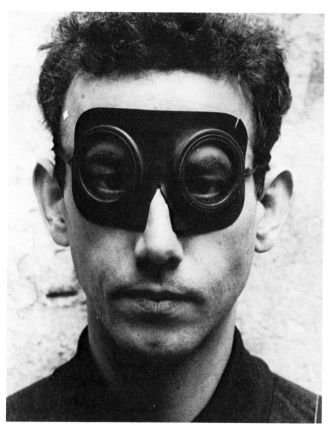

Spoerri et Dufrêne. Couverture de *L'optique moderne,* Edition Fluxus, 1963.

Couverture du catalogue de l'exposition **The New Realists,** galerie Sidney Janis, New York, octobre 1962.

Spoerri portant des lunettes de plongeur avec cette **inutile notule** de Dufrêne en regard : *Hallyday a l'pouls r'lave aisselle !*
Ephèbe anal sue reins vesse oh !...
Messe est manie fesse telle
D'honneu l'hermeph histo.

Gérard Deschamps en 1962. Photo Harry Shunk.

1963

Münich, février

Le 8 février, le second Festival du Nouveau Réalisme est inauguré à Münich. Selon le principe mis au point à Nice, une série d'actions-spectacle accompagne l'exposition du groupe à la Neue Galerie im Künstler Haus. De ce festival, il convient de retenir tout spécialement, d'une part la présence de Christo dont c'est la première participation à une manifestation collective du groupe et, d'autre part, dans la préface de Pierre Restany *(Le Nouveau Réalisme que faut-il en penser ?)* la première mise en perspective historique du mouvement et le constat de sa situation présente : *Aujourd'hui en 1963, la période-charnière [1958-1961] est terminée. Elle a été un facteur décisif de l'évolution générale et elle a permis aux plus jeunes de ces artistes (Raysse, Deschamps, Christo notamment) de préciser leurs positions respectives et d'affirmer leurs personnalités. Les nécessités d'une action commune s'imposent moins, mais cette convergence, ces rapports et ces contacts ont créé des affinités durables, des orientations de base, des options générales. L'esprit le plus absolu du mouvement demeurera Yves Klein. Sa mort prématurée en juin 1962, à 34 ans, ne marque pas seulement la fin d'une existence à la trajectoire météorique, mais sans doute aussi d'une aventure collective à l'élaboration de laquelle il avait puissamment contribué.* Cet examen amène Pierre Restany à conclure de cette façon : *A chacun désormais de tirer la leçon d'une situation historique et d'en incarner les idées dans les faits. Beaucoup plus qu'un « groupe » et bien mieux qu'un « style », le Nouveau Réalisme européen apparaît maintenant comme une tendance ouverte.* On pourrait ajouter à ces observations de Pierre Restany le fait que l'on assiste, dès lors, à une certaine dispersion géographique du groupe.

New York - Los Angeles - Tokyo, janvier-mai.

Les expositions de Raysse, de Niki de Saint-Phalle et de Tinguely à la Iolas Gallery de New York et à la Dwan Gallery de Los Angeles se poursuivent en 1963. En janvier, Niki de Saint-Phalle réalise à Los Angeles son grand relief *King Kong* et Raysse y présente son exposition *Mirrors and Portraits*, déjà présent dans sa *Raysse Beach* de 1962 est utilisé à une plus grande échelle pour une grande « sculpture » lumineuse et clignotante et pour souligner d'un trait de lumière certaines parties de ses tableaux. Le succès que connaît Martial Raysse aux Etats-Unis se traduit, peu après, par son exposition au De Young Museum de San Francisco.

En février, Tinguely se rend à Tokyo afin de préparer son exposition à la Minami Gallery où il montre de petites sculptures devenues plus sobres et plus linéaires. Son exposition de mai à la Dwan Gallery marque une nouvelle étape dans son œuvre. Il peint en noir mat les formes plus dessinées de ses machines qu'il veut rendre plus durables en améliorant leur fonctionnement. Ces sculptures contrastent avec l'exubérance des *Balubas*. Revenu en Europe, il commence pendant l'été la construction d'une sculpture machine - géante - sonore - variable - extensible intitulée *Eurêka* et destinée à l'Exposition Nationale suisse de Lausanne.

En avril, Arman expose chez Sidney Janis. C'est à ce moment qu'il commence à résider à New York. L'exposition de Sidney Janis est montrée à Paris, en mai, à la galerie Lawrence. Des cubes en polyester remplis de billes d'acier, de clous, d'écrous et de boulons servent d'invitations. Ses accumulations sont constituées d'objets plus fins qui leur donnent un aspect mécanique. C'est à ce moment qu'il commence à inclure ses objets dans le plastique.

Le même mois, une autre exposition de lui a lieu à la galerie Schmela de Düsseldorf où il montre essentiellement des *colères*. C'est alors que le cinéaste et photographe Charles Wilp lui donne sa voiture à dynamiter et lui propose de filmer le déroulement de l'action.

Il montre enfin, en novembre, à Milan, chez Arturo Schwarz des sculptures-accumulations de brûleurs à gaz, de fers à repasser, d'outils, des accumulations d'objets fixés dans le polyester, des colères et des coupes de statuettes pour lesquelles Alain Jouffroy écrit une préface.

A Paris, au mois de mars, Spoerri et Hains, quant à eux, cherchent à renverser quelque peu les positions respectives de l'artiste et du critique.

Paris, mars

La galerie J, pendant l'exposition de 723 ustensiles de cuisine

*Couverture du catalogue de l'exposition **Les Nouveaux Réalistes,** Neue Galerie im Künstler Haus, Münich, février 1963.*

(2 au 13 mars) est transformée presque tous les soirs en restaurant dont les fourneaux sont tenus par le chef « Daniel » en personne. L'intention de celui-ci est non seulement de « piéger » les tables de ces différents repas (les *Menus-pièges* seront exposés le 14 mars) mais aussi de mettre à contribution les critiques d'art. C'est ainsi que Michel Ragon, Pierre Restany, Jean-Clarence Lambert, Jean-Jacques Lévêque, Alain Jouffroy, John Ashbery (remplacé à la dernière minute par Michaël Sonnabend) assurent chacun leur tour le service de menus franco-niçois, des Indes occidentales et orientales, roumain, français, hongrois, suisse. J.-C. Lambert, opposant, ne sert qu'un menu de prison (soupe maigre aux choux et 125 g de pain). Le 8 mars, un *Menu-Hommage à Raymond Hains l'Abstrait, Sigisbée de la critique* est composé par Restany et Spoerri. La carte de ce soir-là comporte notamment un potage lettriste, des coquilles Saint-Jacques au gratin Mahé de la Villeglé, des pommes de terre à la Dubourg ou en robe des champs, des Entremets de la Palissade.

Quatre jours plus tôt, le Sigisbée de la critique avait introduit au Salon Comparaisons, pour clore, à sa façon, la querelle à propos de Dada, son *Néo-Dada emballé ou l'art de se tailler en palissade* dont la première pensée lui est venue en voyant un film sur la Guerre de Troie. Il envisage d'abord de le bâtir en planches de palissades recouvertes d'affiches déchirées puis il remarque qu'un jeu de mot devient possible s'il demande à Christo d'emballer l'animal de bois. Christo, avec un jouet, n'en réalise qu'une maquette qui sert à plusieurs photomontages. La construction et l'empaquetage de ce nouveau cheval de Troie est due à Gérard Matisse.

Cette œuvre peut être considérée comme un manifeste de Raymond Hains. Comme presque toujours, chez lui, les objets concrétisent des mots, fixent une pensée non écrite procédant par analogie. Ce dada géant, clos sur lui-même, impénétrable et encombrant « supporte » et contient, pourrait-on dire, ces déclarations : *Poulain de la galerie J, je retrouve mon intégrité et je laisse le Raymond Hains des affiches comme une espèce de vieille dépouille. Et moi aussi je suis critique* (de même qu'Apollinaire avait pu écrire *Et moi aussi je suis peintre*). *Le regardeur devient regardé.* Pour Hains, en effet, le critique qui fait son œuvre en collectionnant et en assemblant des artistes, comme Arman, par exemple, collectionne et assemble des objets, peut devenir lui-même, un objet manipulable, exploitable, et faire partie intégrante de l'œuvre d'un artiste qui se l'approprierait.

Peu après s'être ainsi manifesté à Comparaisons, Hains, ayant vu l'annonce d'un spectacle son et lumière que la ville de Lapalisse consacre à Jacques de Chabannes, Seigneur de La Palice, décide de se rendre dans cette ville pour voir sur place ce qu'il en est. Il en rapportera des boîtes de bonbons *Spécialités, les Lapalissades.*

Exposition Arman, galerie Schwarz, Milan, novembre 1963. Photo S.A.D.E. Archives, Milan.

Restaurant de la galerie J, mars 1963. Le « chef » Daniel Spoerri parlant à des convives. Photo Harry Shunk.

La carte du Restaurant de la galerie J, mars 1963.

Martial Raysse posant à côté de **Souviens-toi de Tahiti, France,** 1963.

Les Nouveaux Réalistes. Typographie « éclatée » par Raymond Hains à l'époque du **Néo-Dada emballé.**

Christo, Hains et le **Néo-dada emballé.** *Photomontage Harry Shunk.*

Hains posant sous son **Néo-dada emballé ou l'art de se tailler en palissade,** *Salon Comparaisons, Musée d'Art Moderne de la Ville de Paris, mars 1963. Photo Harry Shunk.*

Dufrêne chez lui en avril 1963. Photo Harry Shunk.

Exposition Spoerri, galerie Schwarz, Milan. Photo S.A.D.E. Archives, Milan.

Milan - Paris, avril-octobre

A Milan, du 10 avril au 3 mai, la galerie Schwarz expose Daniel Spoerri pour qui Pierre Restany écrit des *Notes analogiques pour un portrait de Daniel Spoerri, topographe du hasard*. Il présente notamment plusieurs *détrompe-l'œil*, série commencée en 1961 où *le choix délibéré des objets fixés interprète, profane et change la signification du support. Exemple : une vue romantique des Alpes, une vallée avec un ruisseau dévalant vers le spectateur est modifiée par l'adjonction d'un jeu de robinets et d'une douche* (66).

Dans une autre salle de la galerie sont exposées simultanément des affiches de petit format des quatre « décollagistes » : Dufrêne, Hains, Villeglé et Rotella.

Cette année-là, Dufrêne et Villeglé font, à la galerie J, leur première exposition particulière. Dufrêne y présente du 6 février au 1er mars des dessous d'affiches sous le titre *Archi-Made* (1957-1963). *Quant à moi*, écrit-il alors, *pour qui la main à la palette vaut la main à la charrue suis-je prêt, devant ce tout-prêt, d'être « ready-médusé » ? Je ne suis pas dans la situation d'une poule qui trouve un faux-col mais un œuf qu'elle peut, si l'envie lui en vient, couver. Adopté, l'enfant n'en est pas moins « naturel » et mieux vaut bâtard que jamais. « L'archi-made » met en question, non seulement la valeur esthétique du travail comme résultat* mais la valeur morale du travail artistique (67).

Villeglé, pour sa part, expose sa cueillette d'affiches du 9 au 31 octobre. Pour lui, Restany écrit ce texte : *Parmi les « affichistes » parisiens, Jacques de la Villeglé témoigne d'un esprit de continuité et d'une fidélité rare à une vision des choses tôt affirmée (dès 1949), mûrie dans la coopération hainsienne, développée ensuite sur un mode très personnel. Les sélections d'affiches de Villeglé s'imposent avant tout par leur présence plastique : là ce sont les couleurs d'un Matisse, ailleurs de savantes architectures cubistes en plans fragmentés ou encore de subtiles décompositions typographiques. Cette aventure est une promenade proustienne au pays des rencontres heureuses, des hasards efficients, des rapprochements lumineux qui excitent la mémoire. Le goût en est toujours très sûr : le promeneur breton sait ce qu'il veut et il ne « voit » que ce qu'il aime. L'image que l'auteur, lambeau par lambeau, redécouvre sur les murs de la ville est le reflet exact d'une culture et d'une personnalité artistique : de la Nation à la Bastille, de l'Etoile à Clichy, Villeglé ouvre pour nous le journal de la rue au chapitre de l'art moderne. Ce parfait honnête homme du XXᵉ siècle est d'une urbanité sans pareille.*

C'est aussi en 1963 que Rotella commence à Rome ses *reports* (ou *reportages*) photographiques sur toile émulsionnée (surimpressions photographiques de détails d'automobiles, de pages de journaux à grand tirage, etc...).

Villeglé arrachant des affiches à Paris en 1961. Photo Harry Shunk.

Juin

Son exposition empaquetée sur le toit d'une Juva 4, Christo se rend en juin à Milan où dans la galerie de Guido Le Noci (à partir du 18), il réalise un *pacco monumento*. Le dépliant publié à cette occasion, reproduit un texte où Pierre Restany écrit notamment ceci : *Récemment, Christo a élevé le geste d'empaquetage à la puissance architectonique en étudiant différents projets de monuments empaquetés à usages divers (stade couvert, hall de conférences, musées, etc.). Avec Tinguely et ses structures d'assemblage animées et surtout avec Yves Klein et ses théories d'architecture de l'air, Christo prend place parmi les « visionnaires architectoniques » du Nouveau Réalisme. A un moment où l'architecture compte beaucoup trop d'ingénieurs ou d'hommes d'affaires et pas assez de vrais poètes, Christo fait partie de ces artistes qui assument la relance imaginative en ce domaine.*

Sur ce dépliant sont aussi reproduites les photographies des « actions » effectuées par Christo, et filmées par Charles Wilp, à Düsseldorf cette année-là : empaquetage d'une voiture, *Strip-tease dépaquetage*.

A Paris, Christo dirige le 11e numéro (printemps 1963) de la revue *KWY*, fondée en mai 1958 par les artistes portugais Lourdes Castro et René Bertholo et dans laquelle son nom apparaît en juin 1960 ainsi que celui du peintre Jan Voss.

Sur la couverture de ce numéro, au-dessus d'une photographie de Harry Shunk et Janos Kender, les lettres KWY sont « éclatées » par Raymond Hains. A l'intérieur : des sérigraphies de Klein (d'après une *Anthropométrie*), Raysse (un portrait à la houpette), Arman (empreintes d'une statue coupée), Dufrêne, Villeglé, Tinguely (un dessin de machine), Saint-Phalle (un dessin pour un *Autel Saint-Sébastien*), des photographies d'expositions (Raysse, Tinguely à la Dwan gallery, Saint-Phalle et Tinguely à *Dylaby*), un morceau du dépliant édité par la galerie Apollinaire pour l'exposition de Christo, une photographie d'Arman réalisant *Le Plein* la reproduction de *chiffons japonais* de Deschamps, de l'affiche *Birra !* de Rotella qui figure aussi dans ce numéro avec trois poèmes phonétiques. On trouve aussi des textes de Spoerri (*Topographical reconstruction of a criminal act* dicté à Emmet Williams et accompagné d'un plan topographique), de Restany (des propos très libres sous le titre *Monoguener*), de Dufrêne (*Liquidation du Stock,* mai 1962, bilan de son expérience lettriste, nouveau-réaliste et « archi-madiste »). Des invités non nouveaux-réalistes apparaissent : Robert Filliou, Emmett Williams, Alain Jouffroy, Bernard Heidsieck (avec le disque *Exorcisme*) et Ben qui informe de sa décision de créer *La Bande à Ben* afin d'écraser *tous les groupements et écoles d'art, les lettristes, les nouveaux réalistes, les popartistes, les junkmen.* La Bande obligera, par exemple, Soulages à faire du Mathieu et Arman à faire du Klein. Une importante partie de ce numéro est consacrée à Klein : photographies d'une cession de zone de sensibilité à Dino Buzzati, de la séance d'*Anthropométries* de mars 1960, d'une peinture de feu, une sérigraphie d'après un projet de fontaine d'eau et de feu et un texte de 1959 *Le réalisme authentique d'aujourd'hui.*

Premier voyage de Christo en Italie, son exposition empaquetée sur le toit de sa voiture, juin 1963. Photo Ugo Mulas.

Septembre

A la 3e Biennale de Paris (28 septembre-3 novembre), Pierre Restany, qui fait partie du groupe des huit critiques de moins de trente-cinq ans désignés pour choisir une partie de la sélection française, invite Christo qui envoie une motocyclette empaquetée, Niki de Saint-Phalle qui montre un grand relief *La Sorcière rouge* annonçant les *Nanas*, Spoerri dont le détrompe-l'œil *Forêt vierge* est réalisé à partir d'un de ces tapis de bazar représentant des cerfs et des biches et Deschamps qui expose un « draping » : *Fleurs de la plaine Saint-Denis*.

Dans la section des travaux d'équipe, le Groupe de Recherches d'Art Visuel (G.R.A.V.), fondé en 1960 crée un parcours destiné à donner au spectateur une participation majeure : *L'instabilité - Le Labyrinthe*. Répartis dans les autres sections de la participation française, plusieurs artistes figureront en 1964 et 1965 dans les expositions *Mythologies quotidiennes* et *Figuration narrative* : Buri, Rancillac, Voss, Aillaud, Arroyo, Brusse. Expositions auxquelles seront invités aussi Raysse et Saint-Phalle.

Mais c'est la sélection britannique qui retient le plus l'attention de la presse en présentant ses artistes (Blake, Boshier, Hockney, Jones, Phillips) sous un label dont le retentissement sera considérable : le *Pop-Art*. Cette expression par laquelle le critique anglais Lawrence Alloway avait désigné, plusieurs années auparavant les produits des « mass-media » et non des œuvres d'art proprement dites connaît une nouvelle fortune, appliquée, cette fois, à des peintures où sont transposés les images-chocs des magazines populaires, les motifs clinquants qui ornent les flippers, les typographies publicitaires, les photographies d'idoles de la chanson.

Les « pop-artists » américains, quant à eux, sont défendus à Paris par la galerie que l'Américaine Ileana Sonnabend a ouverte à la fin de l'année précédente. Ses deux premières expositions consacrées à Johns et à Rauschenberg font de ces « néo-dadaïstes » les introducteurs d'une série d'expositions particulières ou collectives où sont présentés pour la première fois en France : Jim Dine, Lichtenstein, Segal, Oldenburg, Warhol, Rosenquist.

Le terme Pop-Art, par sa consonance, sa clarté, sa concision, son pouvoir de suggestion, sa bonne adéquation à ce qu'il désigne plaît immédiatement et son emploi tend d'autant plus à se généraliser que le pouvoir de ce mot est amplifié par les Etats-Unis. Dès l'apparition de ce terme, il est donc à prévoir avec celui de Nouveau Réalisme un risque de confusion voire de substitution. C'est ainsi qu'une exposition débutant en 1964 au Gemeentemuseum de La Haye sous le titre *Nieuwe Realisten* circulera à Vienne, Berlin et Bruxelles l'année suivante sous celui de *Pop-Art, Nouveau Réalisme, etc...* Une distinction est toujours établie mais il y a déjà une préséance.

Mais, à propos de cette suite d'expositions, il faut surtout remarquer que, sous leurs titres génériques, des courants différents sont répertoriés sous les rubriques suivantes : réalisme traditionnel, nouvelle figuration, nouveau réalisme proprement dit *(Groupe Restany)*, pop art américain, anglais et français (Martial Raysse figurant dans cette dernière section).

Pierre Restany constatait au début de l'année 1963 que le Nouveau Réalisme était devenu une tendance ouverte. Le fait que ce terme coiffe à La Haye en 1964 un certain nombre de courants assez hétérogènes montre qu'en effet son origine précise est déjà un peu perdue de vue. Rien ne s'opposera donc dès lors à ce que s'y substitue celui de Pop-Art. Un certain phénomène d'amalgame voire de dissolution peut donc être observé dès cette époque.

Mais s'il est vrai que nouveaux réalistes et pop-artistes puisent dans ce que nous fournit la civilisation urbaine, commerciale et industrielle, il y a généralement chez les seconds, une tendance à la transposition picturale de l'objet alors que les premiers se caractérisent principalement par leur geste d'appropriation immédiate. Geste de rupture avec la peinture, geste d'ouverture vers la totalité du réel tel qu'il est.

Les nouveaux réalistes vont ailleurs, écrit Pierre Restany en 1962 dans son article *Les nouveaux réalistes et le baptême de l'objet*(68). *Toutes leurs démarches individuelles obéissent à un dénominateur commun, la reconnaissance de l'autonomie expressive du réel sociologique, vertu intrinsèque et générale, chaque fragment objectif de la réalité est doté de ce pouvoir signifiant, au même titre que la réalité elle-même dans son ensemble. Comment opérer la communication c'est-à-dire dégager cette virtualité d'expression ? Par l'appropriation directe et immédiate de la réalité objective à travers un aspect de sa totalité. C'est par ce geste pur que le monde nous est enfin donné à voir comme le Grand Œuvre, source et fin de toutes les significations. Peut-être fallait-il vraiment envoyer Gagarine si haut pour s'apercevoir que le spectacle en vaut la peine.*

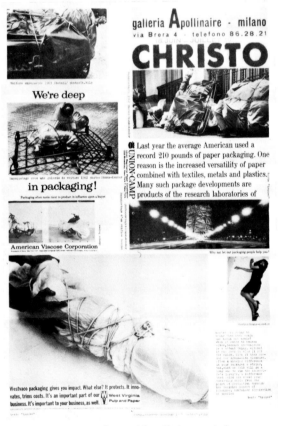

Dépliant annonçant l'exposition Christo, galerie Apollinaire, Milan, juin 1963.

Christo. **Pacco Monumento,** *galerie Apollinaire, Milan, juin 1963.*

Milan 1970

Christo. Empaquetage du Monument à Victor-Emmanuel et manifestation de protestation. Photo Harry Shunk.

En 1970, Pierre Restany et Guido Le Noci, le directeur de la galerie Apollinaire, décident de célébrer, avec le concours de la Municipalité de Milan, le dixième anniversaire de la fondation du groupe des Nouveaux Réalistes.

C'est ainsi que le 27 novembre, dix ans jour pour jour après la publication par Klein du journal *Dimanche 27 novembre 1960*, Arman, César, Christo, Dufrêne, Hains, Raysse, Rotella, Saint-Phalle, Spoerri, Tinguely et Villeglé se retrouvent à Milan pour l'inauguration d'une grande exposition rétrospective à la Rotonda della Besana.

Dans le catalogue : un texte de Pierre Restany portant sur les dix années écoulées, un petit fascicule dépliant pour chacun des treize artistes du groupe et la publication d'un programme d'actions-spectacle qui sera rigoureusement suivi.

Le 27, Christo procède à l'empaquetage du Monument à Victor-Emmanuel II sur la place du Dôme, mais une manifestation de protestation d'anciens combattants dont la municipalité de Milan doit tenir compte l'oblige à se rabattre sur la statue de Léonard de Vinci, place de la Scala, second empaquetage que des néo-fascistes incendieront deux jours plus tard.

Le soir du même jour, une sculpture de feu est allumée, à la mémoire d'Yves Klein, à la Rotonda della Besana avant qu'Arman ne distribue des mini-accumulations de déchets dans des sacs en plastique.

Les deux jours suivants, sous la galerie Victor-Emmanuel II, César réalise une expansion et Niki de Saint-Phalle tire à la carabine sur un Autel.

Le 29, Rotella lacère publiquement des affiches qu'il a fait spécialement coller sur un grand mur Via Formentini mais divers groupes contestataires qui les avaient couvertes de slogans ne lui rendent pas la tâche facile. Le soir, de la tribune érigée devant un étrange et gigantesque catafalque violet frappé des lettres NR qui intriguait les Milanais depuis quelques semaines, François Dufrêne déclame devant 5 000 personnes, avec une emphase toute mussolinienne, la version italienne du *Tombeau de Pierre Larousse*.

A peine a-t-il fini que le grand voile violet tombe enfin et laisse apparaître la *Vittoria* de Jean Tinguely, un immense phallus doré et orné de pampres qui, bourré d'explosifs et de pétards, va en moins de trois quarts d'heure s'auto-détruire dans des gerbes d'étincelles et des flots de fumée.

Pendant que cette fête païenne se déroule, un puissant rayon lumineux projette dans le ciel et sur les bâtiments de la place des images archétypales de Martial Raysse (le contour d'un visage féminin, la croix, l'étoile, les lettres X, Y, Z).

Son film, *Camembert extra-doux*, ouvre ensuite, au restaurant Biffi, le grand dîner que Spoerri a conçu et ordonné. Pour cette *Ultima Cena* ou *Banquet funèbre des Nouveaux Réalistes*, il offre à chacun des membres du groupe sa « spécialité » sous une forme culinaire.

Arman reçoit à sa table des accumulations d'anguilles, de poisson, de cuisses de grenouilles en gelée, César, des compressions de bonbons à la liqueur et de boudin, Christo, un menu emballé, Dufrêne, une soupe lettriste, Hains, un entremets de la Palissade décoré de mille bougies (Milano = mille anni), Niki de Saint-Phalle, une *Nana* ice-cream et une montre liquide, Raysse, un nécessaire à maquillage en massepain, Rotella, la réplique sucrée du bidon d'huile Shell qui porte son nom, Tinguely, un gâteau fourré de ballons de baudruche, Villeglé, des coquilles Saint-Jacques au gratin Mahé. Pour Deschamps, absent, une épaulette militaire comestible d'un mètre. Pour Klein, la reconstitution de *Ci-gît l'espace*. Quant à Pierre Restany, il reçoit de Spoerri une magnifique tiare pontificale en pain de Gênes. C'est ainsi que, ce soir-là, tous se reconnurent en ces *nouvelles approches... digestives du réel*.

César réalisant une **Expansion.** *Photo Harry Shunk.*

Niki de Saint-Phalle tirant sur un **Autel.** *Photo Harry Shunk.*

Pierre Restany et Rotella devant le mur d'affiches que Rotella lacérera. Photo Yehuda Neiman.

*Dufrêne prononçant le **Recitativo all'italiana**, suite au **Tombeau de Pierre Larousse**. Photo André Morain.*

*Tinguely. **La Vittoria** devant le Dôme de Milan. Photo André Morain.*

Hains allumant les mille bougies de sa **Tarte de Milan.** Photo André Morain.

Les profils de Pierre Restany et de Guido Le Noci et la flamme à la mémoire d'Yves Klein. Photo Ugo Mulas.

La sérigraphie de l'**Ultima Cena, banquet funèbre du Nouveau Réalisme.**

Pierre Restany découpant sa tiare. Photo André Morain.

(1) Jacques de la Villeglé in catalogue *Raymond Hains*, CNAC, Paris, 1976, p. 23.
(2) Charles Estienne, *Combat*, 7 juillet 1948.
(3) Ayant décidé de ne se faire connaître que sous son seul prénom, Armand, il adopte en 1958 la forme abrégée Arman, due à une erreur typographique dans le catalogue d'une exposition à la galerie Iris Clert.
(4) Pontus Hulten, *Méta*, Paris, P. Horay, 1973, p. 16.
(5) Pierre Restany, *Une vie dans l'art*, Paris, Ides et Calendes, 1983, p. 12.
(6) C. Bryen et J. Audiberti, *L'ouvre-boîte* (1952) cité par Daniel Abadie, in *Bryen abhomme*, Bruxelles, La Connaissance, 1973, p. 27.
(7) C. Bryen : extrait du tract annonçant la parution de *Hépérile éclaté*, Paris, Librairie Lutetia, 1953.
(8) Hains et Villeglé, *L'intrusion du verre cannelé dans la poésie*, extrait du tract annonçant la parution de *Hépérile éclaté*, op. cit.
(9) F. Dufrêne, in catalogue *Raymond Hains*, CNAC, Paris, 1976, p. 47.
(10) Bernadette Allain citée par Thomas McEvilley in catalogue *Yves Klein*, MNAM, Paris, 1983, p. 33.
(11) Journal d'Yves Klein, daté du 13 janvier 1955, cité par Nan Rosenthal in catalogue *Yves Klein*, MNAM, op. cit., p. 205.
(12) Arman in catalogue *Yves Klein*, MNAM, op. cit.
(13) B. Allain, citée par T. McEvilley in catalogue *Yves Klein*, MNAM, op. cit., p. 35.
(14) P. Hulten, *Méta*, op. cit., p. 30.
(15) P. Hulten, catalogue de l'exposition *Niki de Saint-Phalle*, MNAM, Paris, 1980, p. 3.
(16) *Cimaise*, novembre-décembre 1956.
(17) Galerie Rive Droite, Paris.
(18) Repris par F. Dufrêne in *L'Encyclopédie des farces et attrapes*, Paris, J.-J. Pauvert, 1964, p. 377.
(19) Yves Klein, *Le Dépassement de la problématique de l'art* (1959), cité par Nan Rosenthal in catalogue *Yves Klein*, MNAM, op. cit., p. 210.
(20) Yves Klein, *L'aventure monochrome*, texte dactylographié (archives Klein) cité par Nan Rosenthal in catalogue *Yves Klein*, MNAM, op. cit., p. 211.
(21) Yves Klein, *L'aventure monochrome*, op. cit., p. 211.
(22) *C'est toujours à la Coupole que nous nous réunissions pour organiser nos coups, Yves, Baba (B. Allain), le poète Claude Pascal, Robert Godet, Raymond Hains, Jean Tinguely et d'autres, qui faisaient partie de notre brain-trust. Les idées originales et farfelues autour de la démarche de Klein fusaient comme des éclairs. Robert Godet, pilote-explorateur-ésotériste-humoriste, était plein d'idées pétillantes ; il me suggéra de fabriquer des timbres tous bleus pour lancer mes invitations. La proposition fut adoptée à l'unanimité.* Iris Clert, *Iris-time*, Paris, Denoël, 1978, pp. 136-137.
(23) J. de la Villeglé, « Des réalités collectives », *Grâmmes* n° 2, 1958, p. 10.
(24) F. Dufrêne in catalogue *Raymond Hains*, CNAC, op. cit., p. 47.
(25) J. de la Villeglé, « Des réalités collectives », op. cit., p. 11.
(26) F. Dufrêne in catalogue *Raymond Hains*, CNAC, op. cit., p. 47.
(27) F. Dufrêne, op. cit., p. 47.
(28) P. Restany, *Cimaise*, juillet-août 1957.
(29) Roland Barthes, *Mythologies*, Paris, Seuil, 1957, p. 171.
(30) P. Restany, « Biennale de Venise : ouverture sur le futur », *Art International*, septembre-octobre 1958.
(31) Mimmo Rotella, in catalogue de la galleria Selecta, Rome (avril 1957), cité par Tommaso Trini, *Rotella*, Milan, G. Prearo, 1974, p. XV.

(32) J. de la Villeglé, « Des réalités collectives », op. cit., p. 10.
(33) *Cimaise*, mai-juin 1958.
(34) *Le Monde*, extrait de presse cité par Iris Clert in *Iris-time*, op. cit., p. 159.
(35) Y. Klein cité par T. McEvilley in catalogue *Yves Klein*, MNAM, op. cit., p. 43.
(36) *Cimaise*, juillet-septembre 1958.
(37) *Cimaise*, décembre 1958.
(38) P. Hulten, *Méta*, op. cit., p. 79.
(39) Yves Klein, « Remarques sur quelques œuvres exposées chez Colette Allendy » (archives Klein), cité par T. McEvilley in catalogue *Yves Klein*, MNAM, op. cit., p. 238.
(40) Werner Spies, texte d'introduction à *Running Fence*, cité par D.-G. Laporte, *Christo*, Paris, Art Press-Flammarion, 1985, p. 43.
(41) G. Bachelard, *L'air et les songes*, chapitre « Le bleu du ciel », Paris, 1943.
(42) T. Tzara cité par P. Hulten, *Méta*, op. cit., p. 94.
(43) R. Lebel, *Sur Marcel Duchamp*, Paris, Trianon, 1959.
(44) J. de la Villeglé, « Le lacéré anonyme » in *Lacéré anonyme*, MNAM, Paris, 1977, p. 21.
(45) F. Dufrêne, in catalogue *Raymond Hains*, CNAC, op. cit., p. 48.
(46) *Combat*, 16 juillet 1959.
(47) *Combat*, 5 octobre 1959.
(48) *Combat*, 12 octobre 1959.
(49) *Paris Match*, 10 octobre 1959.
(50) D. Spoerri, in catalogue *Daniel Spoerri*, Cnacarchives, Paris, 1972, p. 76.
(51) Yves Klein, *Le dépassement de la problématique de l'art*, La Louvière, Montbliard, 1959.
(52) Arman, cité par Otto Hahn, in *Arman*, Paris, Hazan, 1972, p. 31.
(53) P. Hulten, in catalogue *Raymond Hains*, CNAC, op. cit., p. 1.
(54) Billy Klüver, « The garden party » in *Zero 3*, Düsseldorf, juillet 1961.
(55) Yves Klein, « Manifeste de l'Hôtel Chelsea », reproduit in catalogue *Yves Klein*, MNAM, op. cit., p. 196.
(56) *Combat-Art*, 7 mars 1960.
(57) F. Dufrêne, « Liquidation du stock » (mai 1962), *KWY* n° 11, printemps 1963.
(58) Exposition *Télé-magnétiques* de Takis, galerie Iris Clert, novembre 1959.
(59) P. Restany, in catalogue *Nouveau Réalisme 1960/1970*, galerie Mathias Fels, Paris, 27 oct.-27 nov. 1970.
(60) P. Restany, *Yves Klein*, op. cit., p. 85.
(61) P. Restany, « Le nouveau réalisme, que faut-il en penser ? » in catalogue *Les nouveaux réalistes*, Neue galerie im Künstler Haus, Münich, février 1963.
(62) P. Restany, « Un nouveau réaliste en sculpture : César », *Cimaise*, septembre-octobre 1961.
(63) J. Tinguely cité par P. Hulten in *Méta*, op. cit., p. 171.
(64) Daniel Spoerri, in *Catalogue anecdoté de 16 œuvres de l'artiste de 1960 à 1964*, galerie Bonnier, Genève, septembre 1981.
(65) P. Restany, *Yves Klein*, op. cit., pp. 146-147.
(66) J. Spoerri, in catalogue *Daniel Spoerri*, Cnacarchives, Paris, op. cit., p. 81.
(67) F. Dufrêne, « Liquidation du stock », (mai 1962), in *KWY* n° 11, Paris, printemps 1963.
(68) Pierre Restany, « Les nouveaux réalistes et le baptême de l'objet », *Combat-Art* n° 86, 5 février 1962.

Œuvres exposées

Les indications d'expositions et de reproductions, dans la mesure où nous avons pu les recueillir, ne concernent que la période la plus proche de l'exécution des œuvres.
Les dimensions sont en centimètres. La hauteur précède la largeur.

Arman

1 — **Grand cachet,** 1957. Empreintes de cachets sur papier marouflé sur toile. 150 × 260. Signé et daté en bas à droite. Galerie Beaubourg, Marianne et Pierre Nahon, Paris.

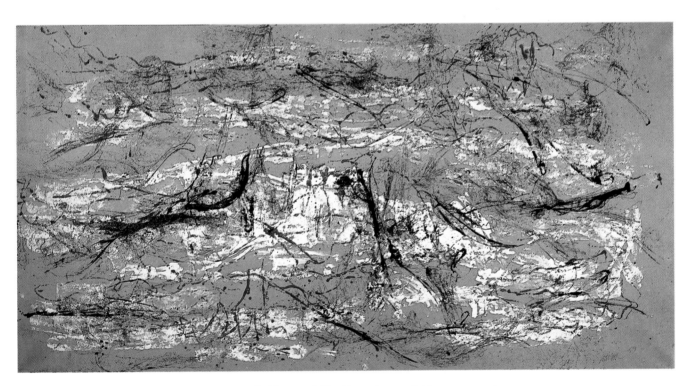

2 — **Allure d'objets,** 1958. Empreintes d'objets sur papier marouflé sur toile. 150 × 294. Signé et daté en bas à droite. Galerie Beaubourg, Marianne et Pierre Nahon, Paris.

3 — **Poubelle ménagère,** *1960. Ordures ménagères dans une vitrine. 65 × 40 × 10. Signé et daté au dos. Galerie Beaubourg, Marianne et Pierre Nahon, Paris.*

4 — ***Portrait-robot d'Yves Klein, le monochrome,*** *1960. Effets personnels dans une vitrine. 76 × 50 × 12. Signé et daté au dos. Collection particulière, Paris.*

5 — ***Portrait-robot d'Iris Clert,*** *1960. Effets personnels dans une vitrine. 41 × 42 × 8,5. Signé et daté au dos. Galerie Beaubourg, Marianne et Pierre Nahon, Paris. Exposition : les 41 présentent Iris Clert, galerie Iris Clert, Paris, 1961.*

118

6 — **L'Affaire du courrier,** *1962. Courrier de Pierre Restany dans une vitrine. 120 × 140 × 40. Signé et daté en bas, au milieu, sur une lettre. Collection particulière, Paris.*

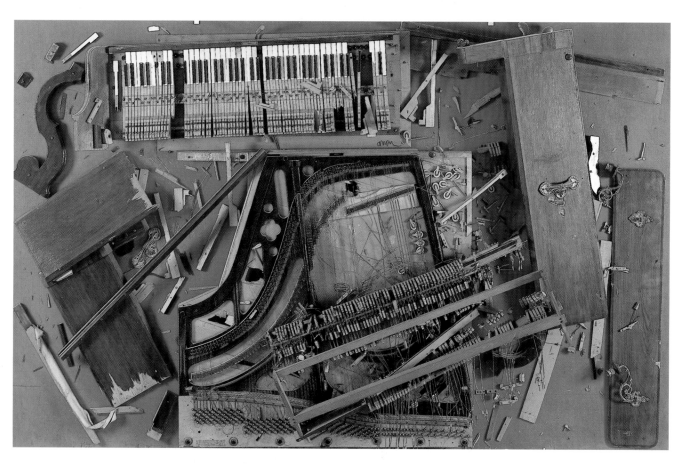

7 — ***Chopin's Waterloo,*** *1962. Piano cassé sur un panneau de bois. 186 × 300 × 48. Signé en haut au milieu. Musée National d'Art Moderne - Centre Georges Pompidou. Exposition : Arman, Musical rage, galerie Saqqarah, Gstaad, 1962. Reproduction : Art International VII/3, mars 1963.*

8 — **Le village de grand-mère,** 1962. Moulins à café coupés et fixés dans une caisse. 141 × 83 × 12,5. Signé et daté au dos. Galerie Beaubourg, Marianne et Pierre Nahon, Paris.

9 — **Choral,** 1962. Violoncelle scié sur panneau de bois.
162 × 130 × 25. Signé et daté sur un morceau de violoncelle.
Collection particulière, Genève.

10 — **Fétiche à clous,** 1963. Sculpture-accumulation de revolvers. 55 × 30 × 29. Städtische Kunsthalle, Mannheim.

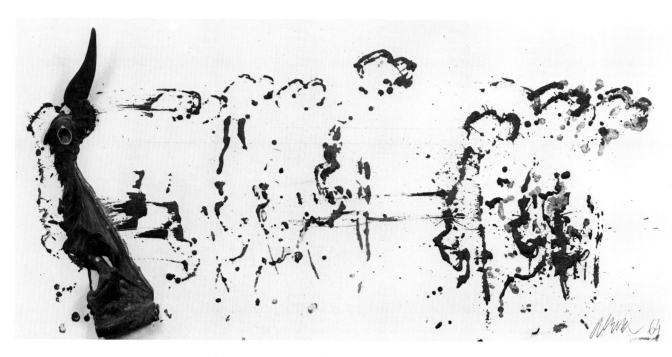

11 — ***Coupe-empreinte,*** *1964. Empreintes de sculpture coupée sur un panneau de bois. 56 × 120. Signé et daté en bas à droite. Galerie Beaubourg, Marianne et Pierre Nahon, Paris.*

César

12 — **Compression,** 1958. Cuivre compressé. 35 × 13 × 15.
Signé et daté sur un côté. Galerie Beaubourg, Marianne et
Pierre Nahon, Paris.

13 — ***Compression d'automobile,*** *1960. Acier compressé.*
151 × 63 × 45. Daté 1960. Musée d'Art et d'Histoire, Genève.
Exposition : Salon de Mai, 1960.

14 — ***Compression d'automobile,*** *1960. Acier compressé.*
157 × 82 × 64. Galerie Sonia Zannettacci, Genève. Exposition :
Salon de Mai, 1960.

15 — ***Relief tôle,*** *1961. Assemblage de morceaux de carrosserie d'automobile sur châssis. 95 × 100 × 25. Signé en bas à droite. Galerie Beaubourg, Marianne et Pierre Nahon, Paris.*

16 — **Relief tôle,** 1961. Assemblage de morceaux de carrosserie d'automobile sur châssis. 100 × 100 × 25. Signé en bas à gauche. Galerie Beaubourg, Marianne et Pierre Nahon, Paris.

17 — **Compression d'automobile,** *1962. Acier compressé.*
153 × 85 × 65. Signé et daté en bas. Galerie
Reckermann, Cologne.

18 — **Le Pouce,** *1964-1966. Bronze. 185 × 103 × 76. Fonds
National d'Art Contemporain, Paris.*

Christo

19 — ***Trois barrils et deux barrils empaquetés,*** *1958-1959.*
Tôle, toile traitée, cordes. 60 × 36 chacun. Collection
particulière, Paris.

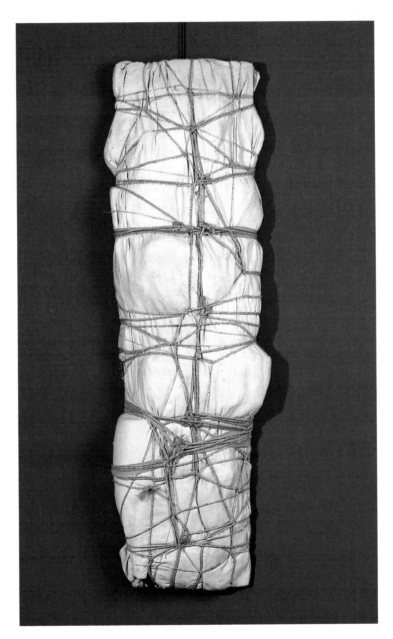

20 — **Empaquetage,** *1962. Tissu, cordes et ruban. 100 × 30.
Signé et daté au dos. Collection Henri Rustin, Paris.*

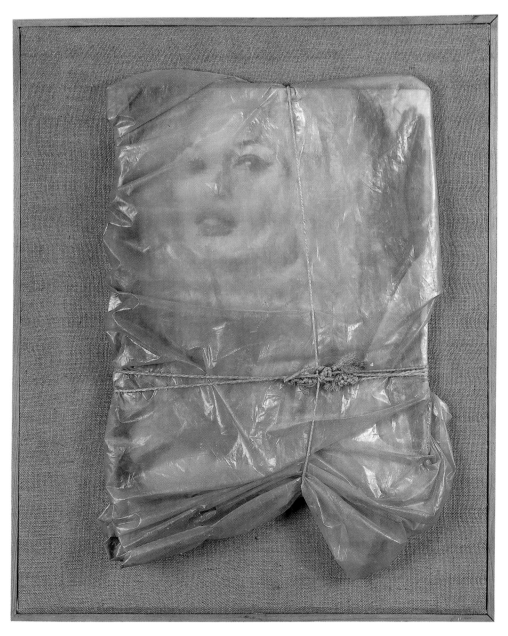

21 — **Portrait de Brigitte Bardot empaqueté,** *1962. Tableau à l'huile sur toile, polyéthylène, cordes. 61 × 74. Collection Henri Rustin, Paris.*

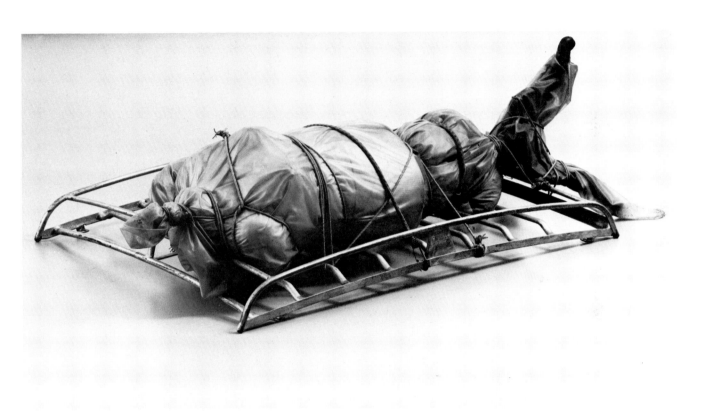

22 — ***Mannequin de couturière empaqueté sur une galerie d'automobile,*** *1962. Métal, polyéthylène, textile, bois, cordes, cordon de caoutchouc. 47 × 150 × 99. Signé et daté sur le plastique au pied du paquet. Museum Boymans van Beuningen, Rotterdam.*

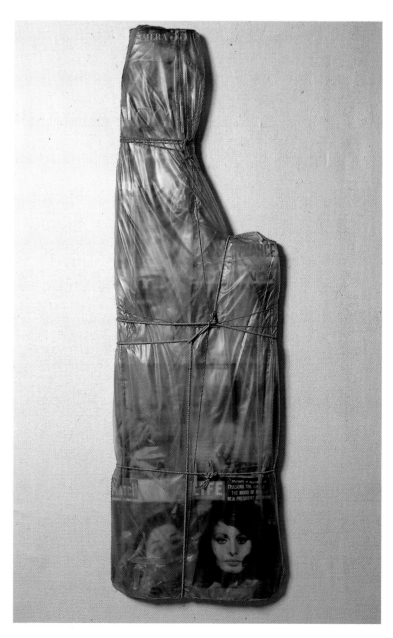

23 — **Look,** 1963. Magazines, polyéthylène, cordes.
160 × 50 × 5. Signé et daté au dos. Galerie Leger, Malmö.

24 — **Dada emballé,** *1963. Maquette pour* Le Néo-Dada emballé
ou l'art de se tailler en palissade *exposé par Raymond Hains au*
Salon Comparaisons de 1963. Jouet, tissu, corde. 43 × 51 × 16.
Collection Jan et Ingeborg van der Marck, Miami.

Gérard Deschamps

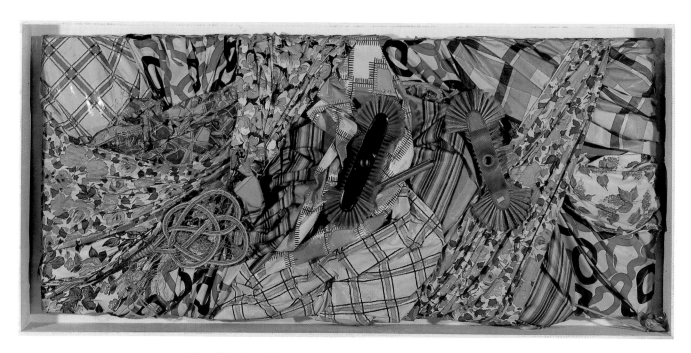

25 — ***Plastique à la tapette,*** *1961. Toiles cirées, balais, tapette.*
70 × 120 × 18. Musée de Toulon.

26 — **Corsets roses,** 1962. Lingerie féminine. 130 × 145 × 10.
Collection particulière, Paris.

27 — **Bâche de signalisation,** 1961. 168 × 79. Museum moderner Kunst, Vienne.

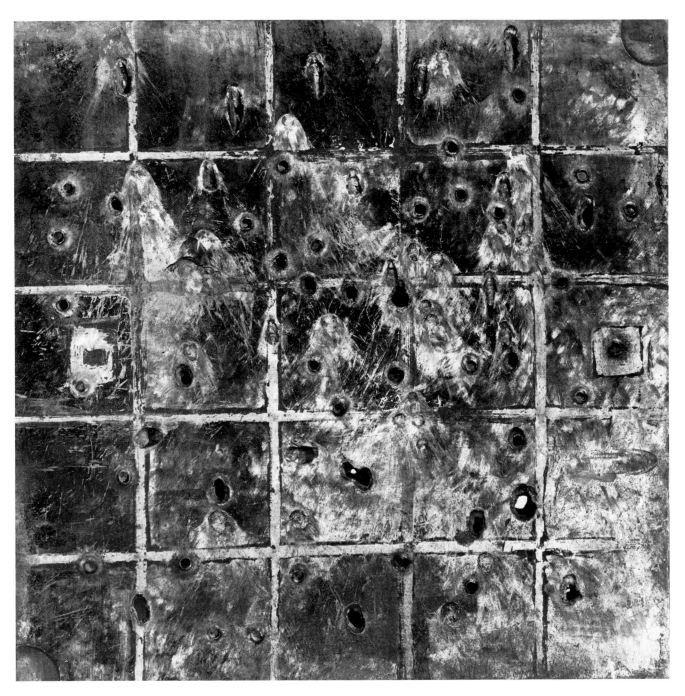

28 — ***Plaque de blindage n° 2,*** *1962. Acier. 72 × 70. Museum moderner Kunst, Vienne.*

François Dufrêne

29 — **Jappe jap,** 1958. Affiches lacérées marouflées sur toile.
140 × 50. Signé et daté en bas à droite.
Collection Ginette Dufrêne, Paris.

30 — **1/8 du plafond de la Biennale de Paris,** 1959. Dessous
d'affiches lacérées marouflés sur toile. 146 × 114. Signé et daté
en bas à droite. Collection Ginette Dufrêne, Paris. Exposition :
1re Biennale de Paris, Musée d'Art Moderne
de la Ville de Paris, 1959.

31 — **Le décor de l'envers,** 1960. Dessous d'affiches lacérées
marouflés sur toile. 185 × 155. Daté et signé en bas à gauche.
Collection Ginette Dufrêne, Paris. Exposition : Salon Comparaisons, Musée d'Art Moderne de la Ville de Paris, 1960.

32 — **Livrée de nuit,** *1961. Dessous d'affiches lacérées marou-flés sur toile. 368 × 136. Signé et daté en bas à droite. Collection Ginette Dufrêne, Paris.*

33 — **La demi-sœur de l'inconnue,** 1961. Dessous d'affiches lacérées marouflés sur toile. 146 × 114. Signé et daté en bas à droite. Collection Ginette Dufrêne, Paris.

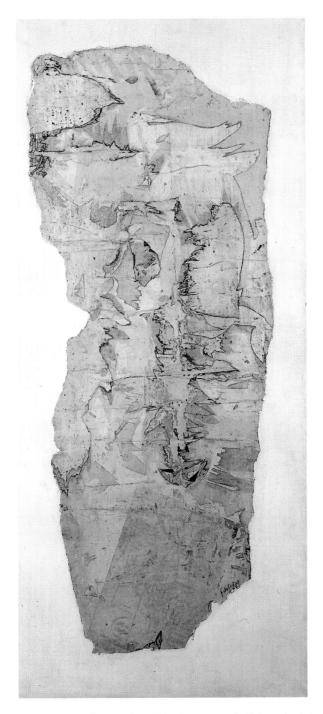

34 — **Madame Gaspard,** 1962. Dessous d'affiches lacérées
marouflés sur toile. 220 × 100. Signé et daté en bas à droite.
Collection Ginette Dufrêne, Paris.

35-37 — *Le M, le O, le T du MOT NU MENTAL,* 1964. Dessous d'affiches lacérées découpés et marouflés sur toile. 146 × 114 (× 3). Signé et daté en bas à droite. Collection Ginette Dufrêne, Paris. Exposition : Dufrêne, le Mot Nu Mental, galerie J, 1964.

Hains-Villeglé

38 — ***Ach Alma Manetro,*** *1949. Affiches lacérées marouflées sur toile. 58 × 256. Collection particulière, Milan. Expositions : Loi du 29 juillet 1881, galerie Colette Allendy, Paris, 1957. Les Nouveaux Réalistes, galerie Apollinaire, Milan, 1960.*

Raymond Hains

39 — **L'affiche en yiddish,** 1950. Affiches lacérées. 34 × 54.
Signé et daté en bas à droite. Collection Yehuda Neiman, Paris.

40 — **Paix en Algérie,** 1956. Affiches lacérées marouflées sur
toile. 37,5 × 32,5. Collection Ginette Dufrêne, Paris. Exposition :
Raymond Hains, La France déchirée, galerie J, Paris, 1961.

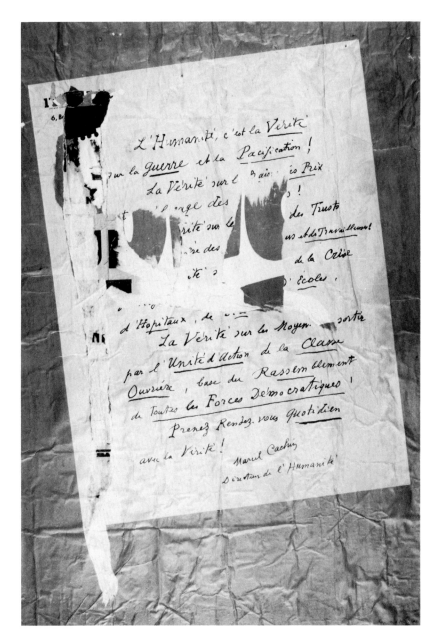

41 — ***L'Humanité c'est la vérité,*** *1957. Affiches lacérées marou-flées sur toile. 110 × 74. Signé et daté en bas à droite. Collection particulière, Paris.*

42 — **Cet homme est dangereux,** 1957. Affiches lacérées marouflées sur toile. Signé et daté en bas à droite. Collection de l'artiste, Paris. Exposition : Raymond Hains, La France déchirée, galerie J, 1961.

43 — **Sans titre (dite Le perroquet),** *1957. Affiches lacérées marouflées sur toile. 54 × 72. Signé et daté en bas à droite. Collection particulière, Paris. Reproduction : Pierre Restany, Le nouveau réalisme et le baptême de l'objet, Combat-Art n° 86, 5 février 1962.*

44 — ***La planche à Ullmann,*** *1957. Planche de palissade,*
affiches lacérées. 148,5 × 22,5. Signé et daté en haut à droite.
Collection particulière, Paris.

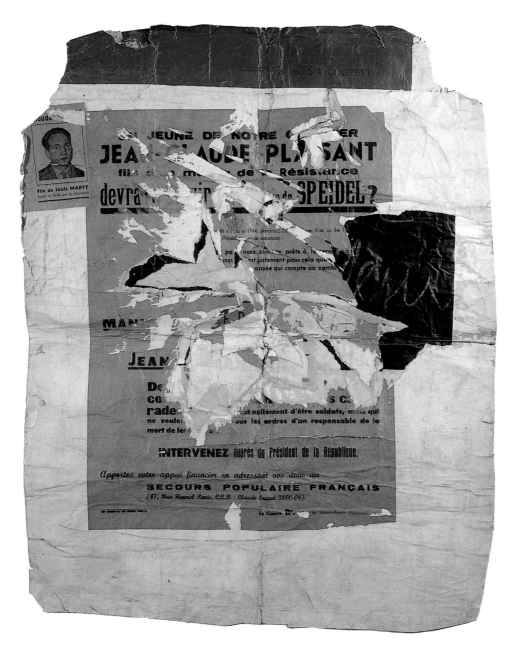

45 — **Jean-Claude Plaisant,** *1958. Affiches lacérées. Collection de l'artiste, Paris. Exposition : Raymond Hains, La France déchirée, galerie J, 1961.*

46 — *C'est ça le renouveau ?,* 1959. Signé et daté en bas à droite. Collection de l'artiste, Paris. Exposition : Raymond Hains, La France déchirée, galerie J, 1961.

47 — **OAS, fusillez les plastiqueurs,** *vers 1961. Affiches lacérées marouflées sur toile. 50 × 73. Collection de l'artiste, Paris.*

48 — **La lessive Génie,** *1961. Affiches lacérées marouflées sur toile. 145 × 128. Collection Thérèse Treize.*

49 — **Tôle,** 1961. Plaque de tôle galvanisée, restes d'affiches.
200 × 146. Collection Charles de Montaigu, Genève.

50 — **Pochette d'allumettes,** *1964. Bois peint. 175 × 140.*
Signé et daté au dos. Collection privée, Paris.

Yves Klein

51 — ***Monochrome bleu (I.K.B. 175),*** *1957. Peinture sur toile marouflée sur isorel. 50 × 50. Musée d'Art et d'Industrie, Saint-Etienne.*

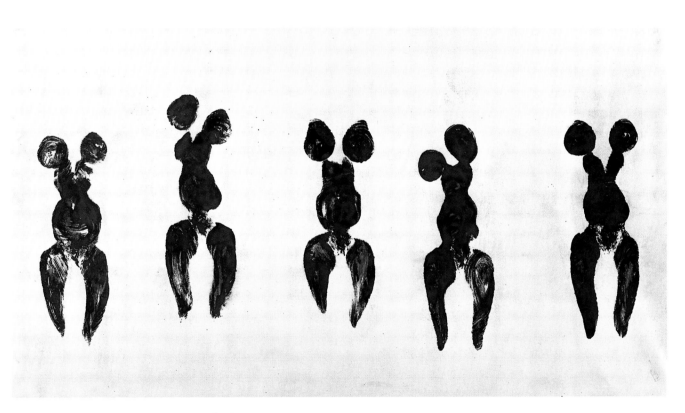

52 — **Anthropométrie (ANT 82),** *1960. Pigment pur et résine synthétique sur papier monté sur toile. 155 × 281. Musée National d'Art Moderne - Centre Georges Pompidou.*

53 — **Monochrome bleu (I.K.B. 75),** *1960. Pigment pur et résine synthétique sur toile montée sur bois. 199 × 153. Signé et daté au dos. Louisiana Museum of Modern Art, Humlebaek.*

54 — **Grand Monopink (MP 16),** *1960. Pigment pur et résine synthétique sur toile montée sur bois. 199 × 153. Signé et daté au dos. Louisiana Museum of Modern Art, Humlebaek.*

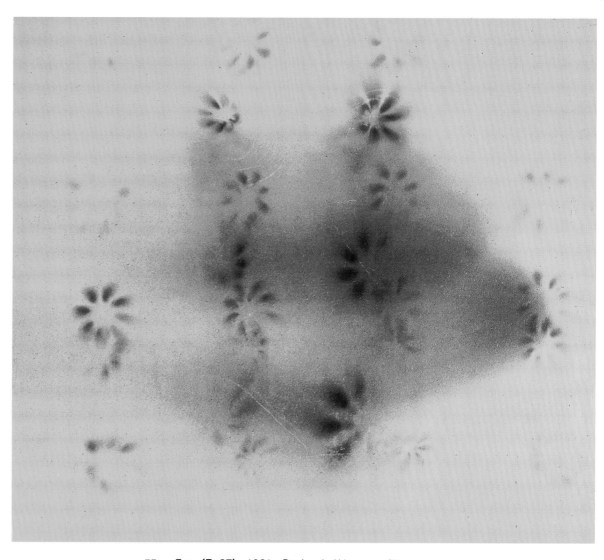

55 — **Feu (F 97),** *1961. Papier brûlé marouflé sur carton.*
70 × 100. Kaiser Wilhelm Museum, Krefeld.

56 (non reproduit) — **Cosmogonie (COS 2),** *1960. Pigment brut*
sur papier. 65 × 50. Signé et daté en bas à droite.
Collection particulière.

57 — **Store-poème (ANT SU 15),** *1962. Pigment bleu, noir et rose et résine synthétique sur toile non tendue. 1 480 × 78. Réalisé en collaboration avec Arman, Claude Pascal et Pierre Restany. Collection particulière. Exposition : Antagonismes 2, Musée des Arts Décoratifs, Paris, 1962.*

58 — **Portrait-relief d'Arman,** *1962. Bronze d'après moulage en plâtre, peint en bleu et fixé sur un panneau de contreplaqué doré sur feuille. 175 × 95 × 26. Musée National d'Art Moderne - Centre Georges Pompidou. Exposition : Donner à voir, galerie Creuze, Paris, 1962.*

Martial Raysse

59 — **Objets en matière plastique,** 1960. Diamètre 40, épaisseur 25. Signé et daté. Collection Ben Vautier, Nice.

60 — **Super marché magie multicolore,** 1960. Objets en matière plastique. 195 × 40 × 30. Musée de Toulon. Exposition : Arman et Raysse, galerie Schwarz, Milan 1961.

61 — ***Miroir aux houpettes,*** *1962. Accessoires de maquillage, miroir, photographie, matière plastique, papier. 40 × 60. Signé et daté. Collection Robert Calle, Paris. Exposition : Collages et objets, galerie du Cercle, Paris, 1962.*

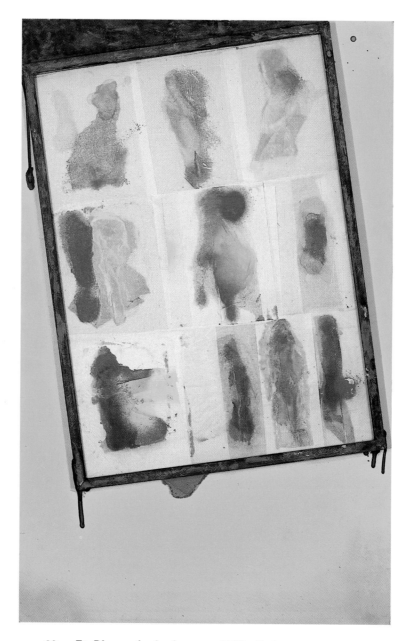

62 — **Et Dieu créa la femme,** *1962. Fixés sous-verre sur panneau de bois peint. 111 × 71. Signé et daté au dos. Galerie de France, Paris.*

63 — **Le rêve,** 1963. Photographie, objets, peinture sur toile, luminaire. 46,5 × 96,5 × 14. Signé et daté au dos. Collection particulière, Liban.

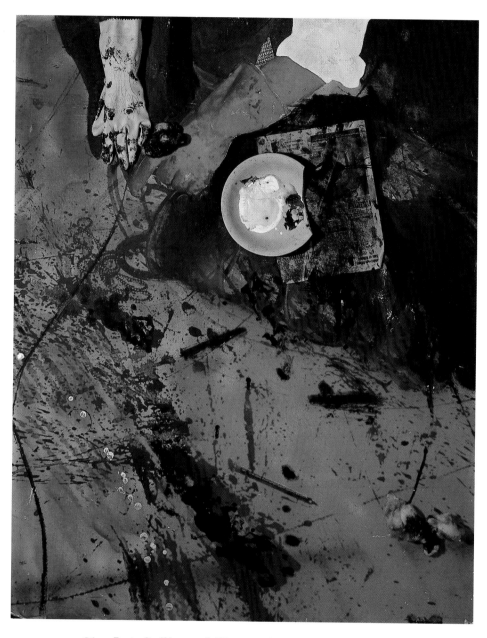

64 — **Portrait d'Arman à l'époque des allures d'objets,** *1963.*
Photographie, acrylique, sérigraphie, objets sur papier. 126 × 100.
Signé et daté au dos. Collection particulière, Nice.

65 — **Souviens-toi de Tahiti, France,** 1963. Photographie, acrylique et sérigraphie sur toile, parasol, ballon. 180 × 170. Louisiana Museum of Modern Art, Humlebaek.

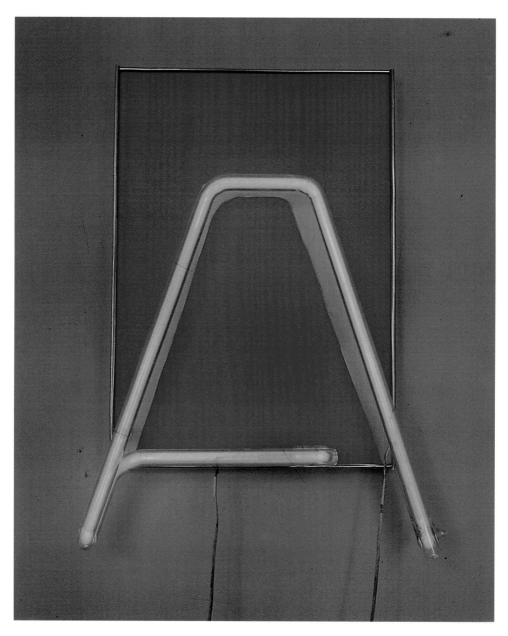

66 — **A,** *1963. Néon fixé sur toile peinte. 41 × 28. Galerie Samy Kinge, Paris.*

Mimmo Rotella

67 — ***Pirotecnico,*** *1954. Affiches lacérées marouflées sur toile.*
63 × 62. Signé et daté en bas au centre.
Collection de l'artiste, Milan.

68 — **Il mostro immortale,** *1961. Affiches lacérées marouflées sur toile. 197 × 140. Signé et daté en bas à droite. Collection de l'artiste, Milan.*

69 — **_Europa di notte,_** _1961. Affiches lacérées marouflées sur toile. 180 × 108. Signé et daté en bas à gauche. Museum Moderner Kunst, Vienne. Exposition : Rotella, Cinecittà, galerie J, Paris, 1962. Reproduit sur la couverture du catalogue. Reproduction : Art International VI/3, avril 1962._

70 — **La Dolce Vita,** *1962. Affiches lacérées marouflées sur toile.*
160 × 133. Signé et daté en bas à droite. Collection Graziella
Lonardi Buontempo, Rome.

71 — ***Petit monument à Rotella,*** *1962. Laiton et bois. 28 × 11. Signé et daté en bas. Collection de l'artiste, Milan. Exposition : Rotella, Cinecittà, galerie J, Paris, 1962.*

72 — **Hommage au Président,** *1963. Affiches lacérées marou-flées sur toile. 82 × 174. Signé et daté en bas à gauche. Collection privée, Turin.*

73 — **Coppa Susy,** 1963. Affiches lacérées marouflées sur toile. 83 × 115. Signé et daté en bas à gauche. Collection particulière, Rome.

74 — **L'Auto perfetta,** 1963. Report photographique sur toile.
91 × 120. Signé et daté en bas à droite. Collection
de l'artiste, Milan.

Niki de Saint-Phalle

75 — ***Saint-Sébastien ou le Portrait de mon amour,*** *1961.*
Chemise, cible, fléchettes. 72 × 55 × 7. Collection de l'artiste.

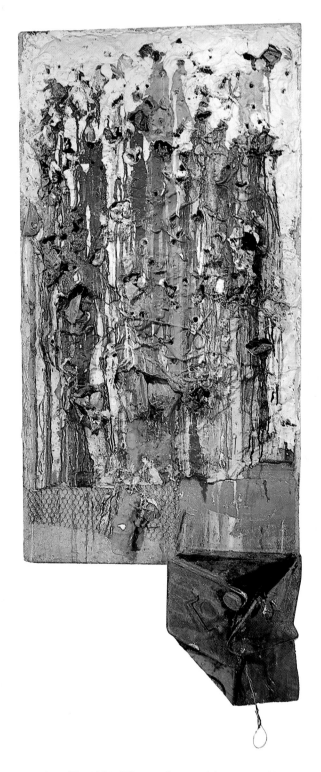

76 — **Tir,** 1961. Plâtre, peinture, objet. 175 × 80.
Collection Pierre Restany, Paris.

77 — **Tir,** 1961. Plâtre, peinture, cadre. 90 × 75. Signé et daté au dos. Collection Marcel Lefranc, Paris.

78 — **Tir,** 1961. Plâtre, objets, peinture sur panneau de bois. 330 × 210 × 35. Signé et daté au dos. Galerie Beaubourg, Marianne et Pierre Nahon, Paris. Reproduction : Art International V/8, octobre 1961.

79 — **Assemblage et tir en collaboration avec Robert Rauschenberg,** 1961. Plâtre, objets, bois, peinture. 218 × 58 × 42. Collection de l'artiste. Exposition : Niki de Saint-Phalle, Feu à volonté, galerie J, 1961.

80 — **Autel O.A.S.,** 1962. Objets fixés sur bois doré. 220 × 240 × 40. Collection particulière, Paris. Exposition : Niki de Saint-Phalle, galerie Rive Droite, Paris, 1962.

81 — **Cœur miroir,** *1963. Assemblage d'objets et peinture sur panneau de bois. 70 × 100. Galerie Samy Kinge, Paris.*

82 — **La femme éclatée,** 1963. Assemblage d'objets, peinture
sur panneau de bois. 199 × 122. Collection de l'artiste.

83 — **Monstre,** 1963. Sculpture-assemblage d'objets.
78 × 103 × 55. Musée de Toulon.

Daniel Spoerri

84 — **Tableau-piège au fer à repasser,** *1960. Objets fixés sur panneau de bois. 52,5 × 48,5 × 30. Signé et daté au dos. Collection Jan et Ingeborg van der Marck. En prêt au Rijksmuseum Kröller-Müller, Otterlo. Exposition : Festival d'Art d'Avant-garde, Pavillon américain, Porte de Versailles, Paris, 1960.*

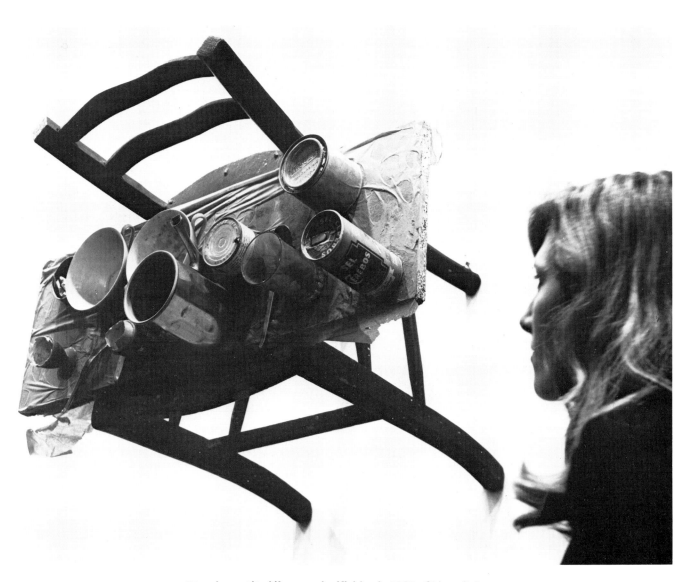

85 — **Le petit déjeuner de Kichka I,** 1960. Objets fixés sur panneau de bois, chaise. 36,5 × 69,5 × 64,5. The Museum of Modern Art, New York, Philip Johnson Fund, 1961. Exposition : The Art of Assemblage, Museum of Modern Art, New York, 1961. Reproduction : Zero 3, Düsseldorf, juillet 1961.

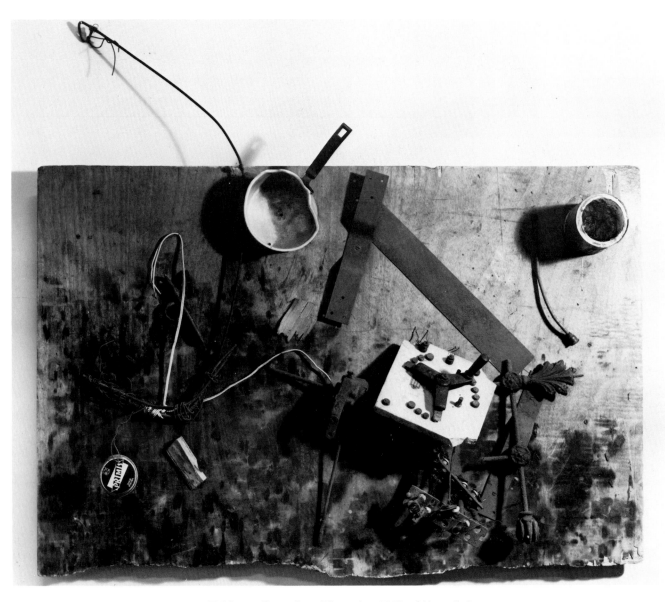

86 — **Tableau-piège chez Tinguely,** *1960. Objets fixés sur panneau de bois. 80 × 120 × 17. Signé et daté au dos. Städtisches Museum Abteiberg, Mönchengladbach.*

87 — **Ich darf nicht tanzen,** *1961. Objets fixés sur panneau de bois. 105 × 25. Signé et daté au dos. Collection particulière, Genève. Exposition : Spoerri, galerie Schwarz, Milan, 1963.*

88 — **Les Puces,** 1961. Objets et tapis fixés sur panneau de bois.
58 × 110. Galerie Patrice Trigano, Paris.

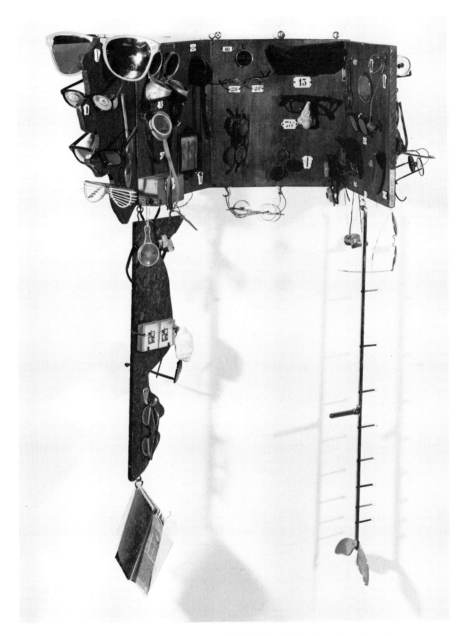

89 — **L'Optique moderne,** *1961-1962. Collection de paires de lunettes et appareils d'optique fixés sur panneaux de bois. 125 × 70 × 60. Museum Moderner Kunst, Vienne. Exposition : Collages et objets, galerie du Cercle, 1962 ; Spoerri, galerie Schwarz, Milan, 1963.*

90 — **La Douche (Détrompe l'œil),** *1962. Tableau à l'huile sur toile, robinetterie. 70 × 97 × 21. Signé et daté au dos. Collection Arturo Schwarz, Milan. Exposition : Daniel Spoerri, galerie Schwarz, Milan, 1963. Reproduction : Art International VI/3, avril 1962.*

91 — **Collection d'épices,** 1963. Produits d'épicerie sur éta-
gères. 61 × 206 × 15. Moderna Museet, Stockholm.

Jean Tinguely

92 — **Méta-matic 17,** 1959. Fer, papier, ballon, moteur. Hauteur : 330. Moderna Museet, Stockholm. Exposition : 1re Biennale de Paris, 1959, Musée d'Art Moderne de la Ville de Paris.

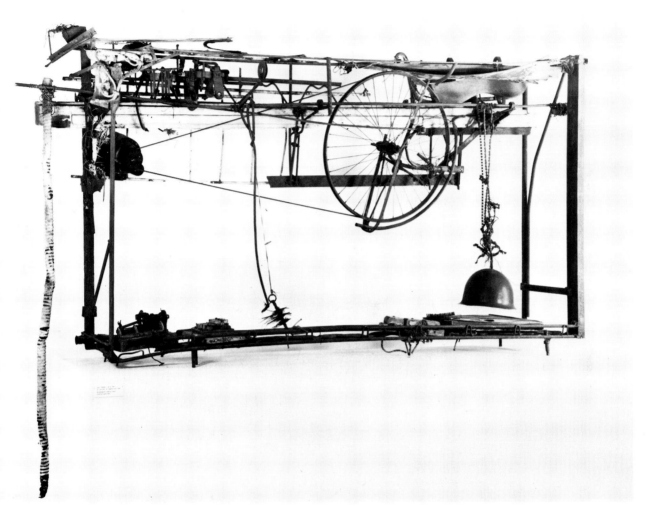

93 — **Si c'est noir, je m'appelle Jean,** 1960. Fer, bois objets,
moteurs. 135 × 230 × 50. Musée d'Art et d'Histoire, Genève.
Exposition : Kricke, Luginbühl, Tinguely, Kunsthalle
de Berne, 1960.

94 — ***So grün war mein Tal,*** *1960. Fer, moteur, plume.*
135 × 52 × 42. Louisiana Museum of Modern Art, Humlebaek.

95 — **Baluba XIII,** 1961. Bidon, fer, moteur, plume. 224 × 80.
Wilhelm-Lehmbruck Museum der Stadt, Duisburg.

96 — **Radio-sculpture WNYR nº 10,** *1962. Fer, aluminium,
plume, radio. 77 × 30 × 23. Signé et daté.
Collection particulière, Zürich.*

Villeglé

97 — ***Boulevard du Montparnasse, 21 octobre 1950.*** *Affiches lacérées marouflées sur toile. 42 × 30. Daté au dos. Collection particulière, Paris. Exposition : Lacéré anonyme, chez F. Dufrêne, Paris, 1959.*

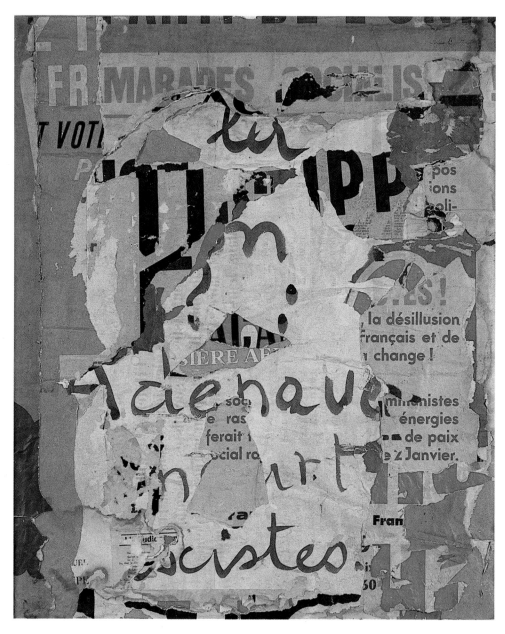

98 — **Camarades, 24 décembre 1956.** *Affiches lacérées marou-
flées sur isorel. 61 × 51,5. Daté au dos. Collection particulière,
Paris. Exposition : Loi du 29 juillet 1881, galerie
Colette Allendy, Paris 1957.*

99 — **Le Nouveau Demours, février 1959.** *Affiches lacérées marouflées sur toile. 115 × 85. Signé et daté en bas à droite. Collection particulière, Paris. Exposition : Lacéré anonyme, chez F. Dufrêne, Paris, 1959.*

100 — **Angers, 21 septembre 1959.** *Affiches lacérées marou-*
flées sur toile. 162 × 130. Daté au dos. Galerie
M. Szwajcer, Anvers.

101 — **14 juillet, décembre 1960**. Affiches lacérées marouflées
sur toile. 50 × 61. Daté au dos. Collection particulière, Paris.

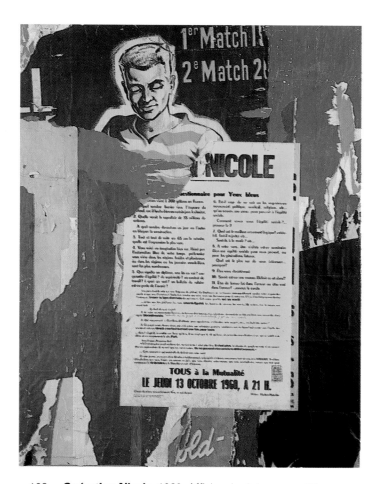

102— **Opération Nicole,** 1960. Affiches lacérées marouflées sur
toile. 100 × 81. Signé et daté en bas à gauche.
Galerie Patrice Trigano, Paris.

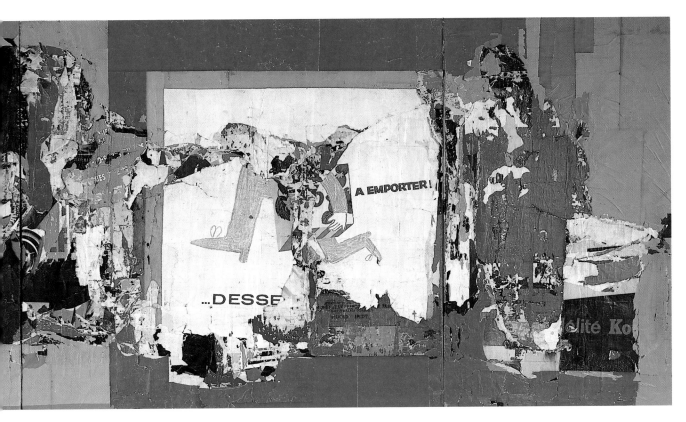

103 — **Carrefour Sèvres-Montparnasse, juillet 1961.** Affiches
lacérées marouflées sur toile. 319 × 810. Daté au dos. Galerie
Claudine Bréguet, Paris. Exposition : 2ᵉ Biennale de Paris, Musée
d'Art Moderne de la Ville de Paris, 1961.

104 — *Rue de la Perle, 20 juillet 1962.* Affiches lacérées
marouflées sur toile. 50 × 37,5. Daté au dos. Collection
particulière, Paris.

105 — **_Boulevard de la Chapelle, 20 novembre 1965._** *Affiches lacérées marouflées sur toile. 331 × 251. Daté au dos. Galerie Claudine Bréguet, Paris.*

Le Jeudi 27 octobre 1960,
les nouveaux réalistes ont
pris conscience de leur
singularité collective.

Nouveau Réalisme = nouvelles
approches perceptives du
réel.

Yves le monochrome
MARTIAL RAYSSE
Spoerri
Hains
Gillé
RESTANY
arman
Tinguely
Dufrêne

106 — **Déclaration constitutive du Nouveau Réalisme, 1960.**
Craie sur papier peint en bleu. 100 × 66. Collection Villeglé, Paris.

Crédits photographiques
pour la partie
« œuvres exposées »

Maurice Aeschimann : n° 13
Archives Denyse Durand-Ruel : n° 6
Jean-Claude Bloch : n°s 20, 21
J.-J. Derenne : n° 78
Galerie Leger : n° 23
Galerie Reckermann : n° 15
Rolf Giesen : n° 56
Patrick Goëtlen : n°s 9, 62, 87
Tom Haartsen : n° 22
Rune Hassner : n° 75
Pascal Humbert : n° 44
Ruth Kaiser : n° 86
Bernd Kirtz : n° 95
M. de Lorenzo : n° 64
Louisiana Museum of Modern Art :
n°s 52, 53, 65
André Morain : n°s 19, 26, 29, 30, 31, 32,
33, 34, 35, 36, 37, 40, 44, 45, 50, 61, 77,
80, 81, 99
Musée National d'Art Moderne, Centre
Georges Pompidou : n°s 7, 18, 54, 58
Museum Moderner Kunst, Vienne :
n°s 27, 28, 69, 89
Yehuda Neiman : n° 39
David van Piper : n° 84
François Poivret : n°s 97, 98, 101, 103,
105
Adam Rzepka : n°s 1, 2, 3, 4, 5, 11, 12
Harry Shunk : n° 57
Marc Vaux : n° 38
Fabienne Villeglé : n°s 100, 106
P. Willi : n°s 16, 17

Biographies

Noëlle Réveillaud-Chabert
Sylvain Lecombre

ARMAN *(Armand Fernandez, dit)*

Né le 17 novembre 1928 à Nice.

1946. Après son baccalauréat, il entre à l'Ecole des Arts Décoratifs de Nice.

1947. Rencontre Yves Klein à l'école de judo de Nice. Décide de renoncer à son nom de famille et de se faire connaître sous son prénom.

1949. S'installe à Paris. Etudes à l'Ecole du Louvre, Département d'art et d'archéologie orientales.

1953-1955. Commence à s'intéresser à la peinture abstraite. Découvre en 1954 Kurt Schwitters lors d'une exposition à Paris et exécute en 1955 ses premiers *cachets* avec des tampons-encreurs de bureau.

1956. Il les expose avec des peintures et des gouaches lors de sa première exposition individuelle à la galerie du Haut-Pavé à Paris.

1958. Une coquille sur la couverture d'un catalogue le décide à supprimer le « d » final de son prénom. Commence les *Allures d'objets* avec des objets imprégnés de peinture à l'huile qui laissent leur empreinte sur le papier. Expose chez Iris Clert, Paris.

1959. Début des *Accumulations* (« Accumulations d'objets utilitaires identiques en général utilisés et usés ») et des *Poubelles* (« déchets, détritus, ordures entassés dans un récipient transparent »). Exposition à Milan, galerie Apollinaire.

1960. Exposition *Le Plein* en contrepoint au *Vide* de Klein, galerie Iris Clert, Paris. Signature de la déclaration constitutive du Nouveau Réalisme et début de sa participation à toutes les manifestations du groupe. Expositions à Düsseldorf et Paris. Contacts avec le groupe Zero.

1961. Première exposition individuelle à New York (Cordier-Warren Gallery). Premières *Coupes* (« objets découpés ou sciés ») et *Colères* (« objets cassés ou violemment endommagés ») en public.

1962. Exposition à Bruxelles, Los Angeles où Edward Kienholz devient son assistant et Paris (Galerie Lawrence). A Gstaad, démolition publique d'un piano à queue (galerie Saqqârah).

1963. Début des *Combustions* (« objets brûlés ou calcinés »). *Sculptures-Accumulations.* Acquiert une résidence secondaire à New York. A la demande du producteur et collectionneur Charles Wilp, il fait exploser sa M.G. blanche à Essen.

1964. Première exposition dans un musée, le Walker Art Center à Minneapolis, suivie d'une autre au Stedelijk Museum, Amsterdam. Exposition de petits rouages mécaniques, Sydney Janis Gallery New York. Cette exposition préfigure la collaboration Arman-Renault et impose Arman sur la scène américaine. Le polyester qu'il utilise comme colle depuis 1961 prend une place prépondérante dans son œuvre avec les *Inclusions* (accumulations d'objets coulés dans la résine de polyester transparente). Accumulations incluses dans du marbre synthétique.

1965. Expositions personnelles au Musée Haus Lange à Krefeld, puis à Chicago, Lausanne, Venise et Paris. Arman organise à New York une manifestation publique à l'Artist Key Club : « Des œuvres d'art et des objets sans valeur sont enfermés dans une consigne de station de métro. Les clés sont vendues à prix fixe et le hasard désigne les gagnants ».
Commence les inclusions de tubes de peinture écrasés dans le polyester. Elles seront exposées à Paris, Galerie Sonnabend, en 1967.

1966. Première rétrospective de son œuvre au Palais des Beaux-Arts de Bruxelles. A l'Allan Stone Gallery, New York, il organise *Le*

Grand Tas des Echanges : des dépôts d'objets non pas vendus mais échangés.

1967. Début d'un « Art-Industrie » en collaboration avec le constructeur d'automobiles Renault. Il s'agit d'accumulations réalisées à partir de matériaux et pièces de série (ailes de voiture, fils de bougies, vilebrequins soudés, coupes de culasse, feux arrière, etc.) mis à la disposition de l'artiste. Dans le Pavillon français de l'Exposition Universelle de Montréal, Arman présente ses premières accumulations de pièces de voiture.

1968. Expositions à Milan et à New York. Participe à la Biennale de Venise et à la *Documenta* de Kassel. Enseigne à l'Université de Californie à Los Angeles et vit pendant ce temps à Santa Monica.

1969. Exposition itinérante des œuvres exécutées avec Renault à Amsterdam (Stedelijk Museum), Paris (Musée des Arts Décoratifs), Berlin (Galerie du XXe siècle), Humlebaek (Musée Louisiana) et Düsseldorf (Städtische Kunsthalle).
Art by Telephon, Institute of Contemporary Art de Chicago : les visiteurs apportent et entassent eux-mêmes des détritus. Février, 2 expositions à Paris : *Arman, œuvres de 1960 à 1965,* Galerie Mathias Fels et *Arman, les Ustensiles familiers,* Galerie Sonnabend. Ce sont des inclusions récentes réalisées à partir du matériel artistique traditionnel du peintre de chevalet : tubes d'encre, palettes, fusains, pinceaux, couteaux, etc.

1970. Se met à travailler le béton pour des accumulations monumentales extérieures. Dans un esprit néo-dada, il réalise *Venus, Poupée dollars* (billets de 1 dollar inclus dans un torse transparent en polyester). Sous le titre *L'Amérique coupée en 2,* il se charge contre une rémunération au profit des Black Panthers de couper en deux et de signer tous les objets qu'on lui apporte. Expose au Pavillon français à l'Exposition Universelle d'Osaka, au Japon. Expositions dans les musées d'Helsinki, de Ludwigshafen, de Stockholm et de Zürich. Fête à Milan le Dixième Anniversaire du Nouveau Réalisme.

1971-1972. Trouve le moyen de conserver les déchets périssables dans le polyester. *Nouvelles Poubelles.* Prend en seconde nationalité, la nationalité américaine. *Coupes dans le béton : 2 × 1/2 = 1* (violon et étui découpé inclus dans du béton) et *Colères dans le béton : Les désenchantés* (violons brisés inclus dans du béton).

1974. Importante exposition itinérante dans 5 musées américains. Exposition *Concrete Lyrics,* Andrew Crispo Gallery, New York.

1975. Exposition *Objets Armés (1971-1974)* au Musée d'Art Moderne de Paris : essentiellement des instruments de musique découpés, sciés, brûlés, inclus dans un support de béton. Action *Conscious Vandalism* à la Gibson Gallery, New York. Se partage entre Vence, New York et Paris.

1976. Reprise des *Sculptures-Accumulations* en trois dimensions à partir d'outils en fer (pinces, marteaux, etc.). Exposition galerie Beaubourg en 1977. Construit un environnement pour la Biennale de Venise. Avec sa femme Corice pratique l'art du « Kung-fu ».

1978. Exposition *Hard and Soft,* Andrew Crispo Gallery New York, œuvres réalisées à partir de vêtements (chemises, gants, etc.).

1979-1980. Premiers tirages en bronze d'objets accumulés ou découpés. Exposition *Accumulative Tapestry,* galerie Bonnier, Genève. Nombreuses expositions personnelles à Munich, Genève, Caracas, Florence, Paris (F.I.A.C.) Osaka, Tokyo, Nice, Stuttgart, Darmstadt, etc.

1981-1982. *Accord final :* colère de piano servant à la réalisation d'une sculpture en bronze. Devient Shodan dans le jeu de Go.

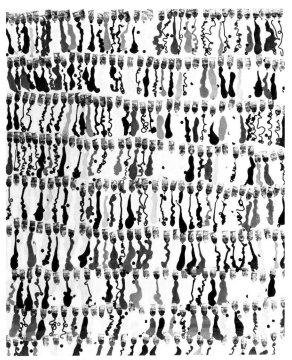

Le fauteuil d'Ulysse, combustion, 1965. Photo Archives Denyse Durand-Ruel.

Tubes de peinture inclus dans le polyester, 1965. Photo Archives Denyse Durand-Ruel.

Accumulation Renault n° 106 (capots noirs R.4), 1967. Photo Archives Denyse Durand-Ruel.

Début des *Accumulations-Reliefs :* pièces murales, réalisées à partir de joints mécaniques, scies égoïnes, etc. *(Olympic mécanique ou Piranyas).* Empreintes d'objets sur papier. Grande exposition rétrospective *La Parade des Objets* au Kunstmuseum d'Hanovre et à Darmstadt. A l'automne 1983, termine dans le parc de la Fondation Cartier de Jouy-en-Josas : *Long term parking* : accumulation de 60 voitures sur 18 mètres de hauteur dans du béton.

1983. *La Parade des Objets* va au Musée de Tel Aviv, à la Kunsthalle de Tübingen, au Musée Picasso d'Antibes et au Musée d'art contemporain de Dunkerque. A Antibes, pour l'*Hommage à Picasso* réalisation de : *A ma jolie,* accumulation de trente guitares et à Dunkerque, accumulation d'ancres marines. *Arman's Orchestra,* Marisa del Re Gallery, New York. Expose des sculptures en bronze réalisées à partir d'instruments à corde découpés, cassés ou accumulés. A la fin de l'année, commence *The Day After :* un ensemble mobilier faux « Louis XV » est brûlé puis les restes calcinés sont respectueusement récupérés afin d'être coulés en bronze.

1984. A la foire d'art de Chicago, réalisation d'une immense tour de caddies de supermarché. Pour le 14 juillet, inauguration au Palais de l'Elysée à Paris du monument pour le bicentenaire de la révolution française, première grande sculpture de marbre réalisée par Arman.

1985. *Arman Aujourd'hui,* exposition au Musée de Toulon de *The Day After* et réalisation de *Feu Louis XV, Hommage au Musée de Toulon,* commode calcinée, bronze. En réponse à une commande publique, réalise deux accumulations monumentales, l'une à partir de valises, l'autre à partir d'horloges pour la cour d'accès de la gare Saint-Lazare, Paris. Décembre, *Arman œuvres de 1955 à 1977,* Galerie Sonia Zannettacci, Genève.

1986. Travaille sur le projet d'une sculpture-accumulation de grues de chantiers navals pour le port de Dunkerque.

Long term parking, *1982. Photo Galerie Beaubourg.*

CESAR (César Baldaccini, dit)

Né le 1er janvier 1921 à Marseille.

1935. Entrée à l'Ecole des Beaux-Arts de Marseille.

1943. Entrée à l'Ecole Nationale Supérieure des Beaux-Arts. Elu grand Massier des sculpteurs par les élèves.

1947. Premières recherches avec le plâtre et le fer.

1949. Utilise le plomb en feuilles repoussées et des fils de fer soudés. Au début des années cinquante, premières sculptures en métal à partir de déchets industriels récupérés dans une usine à Trans en Provence puis à Villetaneuse.

1954. Première exposition personnelle : *Animaux en ferraille*, galerie Lucien Durand, Paris. Il utilise déjà des morceaux de carrosserie de voiture pour donner de la couleur aux plumes de ses gallinacés.

1955. Avec Appel, galerie Rive Droite, Paris. Salon de Mai, Paris.

1956-1957. Salle entière réservée à la Biennale de Venise et 1er prix de participation étrangère obtenu à la Biennale de Carrare, Italie. Expositions personnelles à Paris et à Londres. Participation à des expositions internationales à São Paulo (Biennale), à Padoue et chez Claude Bernard à Paris. Dans ses sculptures, abandonne le morcellement apparent des matériaux pour une matière métallique homogène.

1958-1959. Début des *plaques* (ailes, stèles) — 3e prix du Carnegie Institute, Pittsburgh. A l'*Exposition Internationale de Sculpture* à Bruxelles, obtient une médaille d'argent. Expose au Salon de Mai, à *Documenta II* à Kassel et à *New Image of Man* au Museum of Modern Art de New York. Exposition personnelle galerie Claude Bernard, Paris.

1960. Participe à *European Art Today*, exposition itinérante organisée par le Minneapolis Institute of Art, à *Cent sculpteurs de Daumier à nos jours*, Musée d'Art et d'Industrie de Saint-Etienne, à *Sculpture contemporaine*, Musée Cantini, Marseille. Au Salon de Mai, expose 3 *Compressions* d'automobiles et commence à participer à toutes les manifestations du Nouveau Réalisme. Exposition *César recent sculpture*, Hanover Gallery, Londres.

1961. Voyage aux Etats-Unis à l'occasion de son exposition personnelle à New York, Saidenberg Gallery. Début des *Compressions dirigées*. *Reliefs tôles*.

1963. Trois sculpteurs : *César, Roël d'Haese, Ipousteguy*, galerie Claude Bernard, Paris.

1964. Participe à *Figuration et défiguration*, Gand ; *Documenta III*, Kassel et *10 ans de peinture et sculpture*, Tate Gallery, Londres.

1965. A l'exposition *César, Roël d'Haese, Tinguely* au Musée des Arts Décoratifs (Paris), César montre la *Victoire de Villetaneuse*. Cette extraordinaire femme sans tête au ventre « gonflé » de vie est à la fois l'aboutissement d'une recherche ininterrompue sur le nu féminin (*Nu de la Belle de Mai* 1957, *Ginette* 1958, *La Venus de Villetaneuse* 1962) et la preuve manifeste du refus absolu de l'artiste à se laisser enfermer dans un genre convenu. En décembre, à l'exposition *la Main* chez Claude Bernard (Paris), présentation du *Pouce*, empreinte humaine agrandie au pantographe. La série comprend un pouce monumental en plastique rouge, un pouce en métal argenté et un pouce en plastique mou surmonté d'un ongle dur. A l'occasion d'une *Conversation autour d'un pouce* publiée dans *Les Lettres Françaises* du 30 décembre, César à nouveau réaffirme contre les attaques sévères de certains critiques, le droit de l'artiste à la non-spécialisation. Première collaboration avec la Régie Renault : *L'hommage à Louis*, compression de pare-chocs et d'enjoliveurs d'automobiles.

1966. Exposition personnelle, Stedelijk Museum, Amsterdam et Wilhelm Lehmbruck Museum, Duisburg. Au Salon de Mai, il expose un pouce de 2 mètres de haut puis moule le sein d'une danseuse du Crazy Horse. Il sera agrandi l'année suivante à cinq mètres de diamètre et deux mètres cinquante de haut pour orner le bassin de l'usine des Parfums Rochas à Poissy. Il achève *La Pacholette* le dernier de ses fers soudés qui clôt momentanément son bestiaire de ferraille. Rétrospective au Musée Cantini, Marseille.

1967. Les moulages du *Pouce* et du *Sein* lui font utiliser un nouveau matériau, la mousse de polyuréthane dont il découvre les propriétés expansives. Au Salon de Mai : grande expansion orange *(40 litres d'expansion)*. A la Biennale de São Paulo où il présente un ensemble rétrospectif, il reçoit un prix d'encouragement en principe destiné aux jeunes artistes. Il le refuse aussitôt au profit de Raynaud. Ensuite, réalisation des expansions en public à Münich, Lund, São Paulo, Rio de Janeiro, Montevideo, etc. Au cours de ces *happenings*, le public censé participer à la réalisation a parfois des réactions inattendues notamment lorsqu'il s'arrache des morceaux d'expansion afin de se les faire promptement dédicacer par l'artiste. Participe à de multiples expositions à l'étranger dont l'Exposition Universelle de Montréal (Canada).

1968. Expansions réalisées en public à Londres (Tate Gallery), Saint-Paul-de-Vence (Fondation Maeght), Göteborg, Bruxelles (Palais des Beaux-Arts), Musée de Gand, Rome (Galerie Nationale d'Art Moderne) et Paris (galerie Mathias Fels). Aux Assises du siège contemporain des Arts décoratifs, Paris, il présente un prototype de méridienne réalisé dans les ateliers du Mobilier National. *Documenta IV*, Kassel et *Triennale* de Milan.

1969. *César chez Daum*, Musée des Arts décoratifs, Paris. Résultat d'un an de collaboration avec la cristallerie Daum de Nancy qui lui a ouvert les ateliers de son usine. Y trouvant l'occasion de dialoguer avec un nouveau matériau, il travaille avec les ouvriers-verriers à partir du cristal en fusion. *Compressions*, galerie Mathias Fels, Paris : compressions de petites dimensions (20-25 cm de haut) exécutées sur des matériaux divers : tubes d'aluminium léger, fragments de carrosserie Renault etc.

Participation à *Ars 69*, Helsinki (Musée de l'Atheneum et expositions personnelles, galerie Creuzevault, Paris *(Autoportrait)* et galerie Givaudan, Paris *(Boîtes)*. Met au point la technique qui permet la conservation des expansions. Désormais il les ponce, les colore, les vernit. Réalise un poing monumental pour le Prytanée militaire de Saint-Cyr.

1970. *Le peintre photographié*, Musée des Arts décoratifs, Paris. Pour les décors du Ballet théâtre contemporain, Maison de la Culture d'Amiens, il crée à la demande du chorégraphe Dirk Sanders trois expansions géantes. *César, Plastiques*, Centre National d'Art Contemporain, Paris. Il est nommé Professeur Chef d'atelier à l'Ecole Nationale des Beaux-Arts. Réalisation d'une *Pale d'Hélice* en bronze de 10 m de haut pour le Mémorial des Rapatriés à Marseille. Participation au 10e anniversaire du Nouveau Réalisme à Milan avec la dernière expansion réalisée en public, Galerie Victor Emmanuel. *César 1960-1970*, galleria Schwarz où il expose surtout des compressions de motocyclettes.

1971. Premières compressions de bijoux. *Objets et bijoux compressés*, galerie Semiha Huber, Paris et *Bijoux*, Morabito, Paris. Début des compressions de plastique, utilise les propriétés de transparence du matériau à la lumière. *Plastiques*, fondation Sonja

César chez Poilane : moulage en pain de sa propre tête, 1973. Photo André Morain.

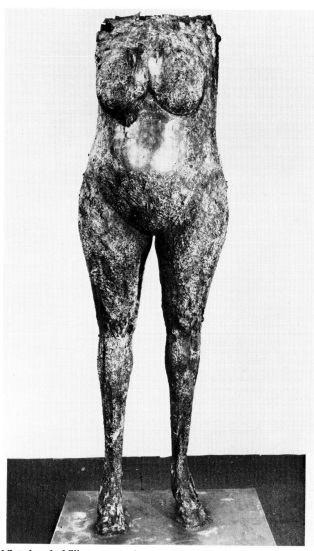

Victoire de Villetaneuse, *bronze, 1965. Photo Archives Denyse Durand-Ruel.*

Les Expansions *(1969-1977), vue d'ensemble de l'exposition présentée galerie Daniel Templon en décembre 1979. Photo André Morain.*

Henie (Oslo), Kunsthalle (Hambourg) et Maison de la Culture (Rennes). *César par César*, Denoël, Paris, 1971.

1972. *César 72*, Musée Cantini, Marseille. *Motos*, Galerie Mathias Fels, Paris. *Compressions acryliques*, galerie Lucien Durand, Paris puis galerie Fred Lanzenberg, Bruxelles. Commence la série des *Masques* avec le moulage de son propre visage. Tiré en plastique ou en bronze celui-ci est systématiquement découpé, déformé ou à demi-oblitéré par des matériaux divers : toile plastifiée, mousse de polyester etc. Plusieurs masques peuvent aussi être incorporés à une expansion : *Bassine de têtes.*

1973. *Tête à têtes,* galerie Creuzevault, Paris. La présentation des auto-portraits-masques est l'occasion de créer à partir d'un moule en pain de sa propre tête des *miches-César* découpées et dévorées pendant le vernissage... *Compression d'or et d'orfèvrerie*, Cartier, New York. Rétrospective César, Centre culturel de Romainville.

1974. Rétrospective César, Rotonda della Besana, Milan.

1976. *César, Rétrospective des sculptures,* exposition itinérante à travers les Musées de Genève, Grenoble, Casino de Knokke le Zoute, Rotterdam, et Musée d'Art Moderne de Paris. Galerie Beaubourg, Paris : expose différents travaux dont des compressions de cartons et d'emballages, murales ou en trois dimensions.

1978. 2 expositions de ses *Portraits de Compressions* (Nice et Tokyo). Ce sont des compressions plates, collées sur un grand papier qui les déborde et sur lequel l'artiste dessine un espace perspectif dans lequel elles viennent s'intégrer. Exposition rétrospective, Musée Picasso, Antibes. Expansions murales, galerie Beaubourg, Paris.

1979. *Les Expansions*, galerie Daniel Templon, Paris. Commence une « réinvention » de ses propres sculptures en retravaillant d'anciennes pièces en fer à partir d'agrandissements en plâtre. Il procède aussi par ajout d'objets accumulés en prévision dans l'atelier. Les œuvres nouvelles sont ensuite tirées en bronze. César comme jadis sur les fers, rapporte alors des éléments de bronze qui font de chaque tirage quasiment un original. Parmi cette série de « bronzes soudés » : *Homme oiseau 1958-1980* ou *Poule Andrée 1958-1980.* La galerie Beaubourg présente une rétrospetive de ses œuvres à la F.I.A.C., Paris.

1981-1982. Réalisation monumentale pour Djeddah (Arabie Saoudite). Rétrospectives à Liège (Musée d'Art Moderne), à Nice (Espace Niçois d'Art et de Culture) et au Japon (Fondation Seibu et Musée Ottara). *Les Grands portraits de compressions*, galerie Beaubourg, Paris. *César à Villetaneuse*, Villetaneuse.

1983. *César*, Pavillon des Arts, Paris. Pour l'*Hommage à Picasso*, Musée d'Antibes, réalise *Le Centaure.* Cette œuvre de six mètres de haut, achevée en 1985 a été montrée au moment de la F.I.A.C. devant le Grand Palais. Son emplacement définitif dans Paris n'est pas encore fixé.

1984. Série des *auto-portraits en vitrines* (plâtre, objets divers). Commence pour le parc de la Fondation Cartier (Jouy-en-Josas) *L'Hommage à Eiffel*, une plaque monumentale (17 m de haut) réalisée à partir des fragments d'un des escaliers de la Tour Eiffel. *Bronzes*, Musée de la Poste, Paris. *Les fers de César*, Fondation Cartier, Jouy-en-Josas.

1985-1986. Compressions plates d'automobiles Peugeot.

Le Centaure, Hommage à Picasso, lors de son installation devant l'entrée du Grand Palais, 1985. Photo Galerie Beaubourg.

CHRISTO *(Christo Javacheff)*

Né le 13 juin 1935 à Gabravo, Bulgarie.

1952-1956. Etudes à l'Académie des Beaux-Arts de Sofia. Réalise des affiches de propagande pour l'Association de la Jeunesse Communiste.

1956. Séjour à Prague. Expériences de régie et de mise en scène théâtrales avec le théâtre d'Avant-garde Burian. Vit de commandes de portraits. Décide de « passer » à l'Ouest.

1957. Reste un semestre à Vienne. Etudie la sculpture à l'Académie des Beaux-Arts.

1958. S'installe à Paris. Premiers *objets emballés* (petites bouteilles, boîtes enveloppées dans des tissus cirés et ficelés). Entre en contact avec Pierre Restany et les futurs membres du Nouveau Réalisme.

1959. Stocke à Gentilly dans un garage des bidons d'huile enduits de cire et ficelés : *Inventaire 1958-1960.* Lucio Fontana, l'artiste italien, lui achète une boîte de conserve emballée.

1961. Première exposition particulière galerie Haro Lauhus, Cologne. Dans le port de Cologne, premiers « monuments temporaires » à partir de bidons d'huile superposés et de pots emballés. *Projet pour l'emballage de l'Ecole Militaire à Paris* (manifeste 1961, photo-collage 1963). *Projet d'un édifice public empaqueté* (manifeste et photo-collage).

1962. Construction d'un mur de bidons, *Le Rideau de fer,* rue Visconti à Paris. Exposition galerie J et simultanément réalisation d'un mur de tonneaux à Gentilly. Empaquetages de modèles vivants à Paris (chez Klein), Londres et Düsseldorf où l'action est filmée par Charles Wilp. Empaquetages de motocyclette, caméra, signaux routiers... Mariage avec Jeanne-Claude de Guillebon.

1963. Expositions personnelles galerie Schwarz, Milan, galerie Schmela, Düsseldorf, galleria del Leone, Venise. Premières « Vitrines », *Show Cases :* boîtes rectangulaires en verre éclairées et empaquetées de l'intérieur par du tissu qui tapisse chaque paroi. Participe à une manifestation dans le cadre du Nouveau Réalisme en élevant à Münich un mur de tonneaux de bière. Film *Voiture empaquetée* produit par Charles Wilp, Düsseldorf.

1964. Empaquetage d'une statue, Esplanade du Palais de Chaillot, Paris, filmé par la T.V. belge. Premières « Devantures d'étalages », *Store Fronts,* élaborées à partir des mêmes principes que les vitrines et insérées dans des cadres d'architecture colorés en bois, plastique ou métal. Exposition personnelle chez Leo Castelli, New York (1966). Projet d'emballage de deux gratte-ciel à New York : *Lower Manhattan Packed Buildings.* Réside désormais à New York.

1965-1966. Première exposition particulière de Christo dans un musée au Stedelijk Van Abbe Museum d'Eindhoven (1966). A cette occasion, premier emballage d'air sous forme d'un ballon ficelé d'environ 5 m de diamètre : *Air Package.* Projet non réalisé d'« arbres emballés », *Packed trees* pour le Parc Forest, St-Louis (Missouri). Nouvel empaquetage d'air : *42,390 Cubic Feet Package,* Walker Art Center, Minneapolis School of Arts.

1967. Projet non réalisé d'un immense mur flottant de bidons barrant le Canal de Suez : *Floating Oil Drums Mastaba, Suez Canal.*

1968. Empaquetages d'une fontaine : *Packed Fountain* et d'une tour médiévale : *Packed Medieval Tower* à Spolète. Premier empaquetage d'un édifice public : la Kunsthalle de Berne, *Packet Kunsthalle Bern.* Projets non réalisés : l'empaquetage du Museum of Modern Art de New York dans le cadre de

l'exposition *Dada, Surrealism and their Heritage ;* les barrages des cinquième et sixième avenues de New York avec des barrils d'huile et l'empaquetage des sculptures extérieures du musée lors de son exposition personnelle au Museum of Modern Art de New York. Installation de *5 000 Cubic Meter Package* soit un empaquetage de 5 000 m^3 d'air sur 93 mètres de haut et 11 m de diamètre à la Documenta 4 de Kassel. L'enveloppe de tissu Trevira renforcée est maintenue par 1 818 mètres de turbans d'acier retenus par des fondations de 183 tonnes de béton disposées en un cercle de 273 mètres de diamètre. Toujours à la Documenta : *corridor-devanture de magasin, Corridor Store Front* d'environ 500 m^2. A l'institut d'Art Contemporain de Philadelphie, réalisation d'un mastaba de 1 240 barrils : *1240 Oil Drums Mastaba* et empaquetage de deux tonnes de foin, *Two Tons of Stacked Hay.* Exposition personnelle Institute of Contemporary Art, University of Pennsylvania, Philadelphie.

1969. Emballage de l'édifice et de 853,55 m^2 de surface intérieure au Musée d'art contemporain de Chicago : *Packed Museum of Contemporary art et Wrapped Floor.* Mai-juin *Wrapped Floor - Wrapped Stair Case :* emballage de la Wide White Space Gallery à Anvers (Belgique). La « côte empaquetée », *Wrapped Coast.* A Little bay, près de Sydney en Australie : environ 1,5 km d'empaquetage d'une côte rocheuse dans 304.000 m^2 de tissu ficelé sous 58 km de cordes de nylon. Parallèlement, exposition personnelle, National Gallery of Victoria, Melbourne, Australie. Film, *Wrapped coast,* Blackwood Productions. Projets non réalisés : l'empilement de 1 249 000 tonneaux de pétrole au Texas : *Project for Stacked Oil Drums Houston Mastaba,* le barrage d'une autoroute : *Closed Highway* et l'emballage de tous les arbres de l'avenue des Champs-Elysées à Paris : *380 Wrapped Trees.*

1970. Différents projets non réalisés de chemins recouverts de tissu : *Wrapped Walk ways* dans le parc de Ueno à Tokyo, d'emballage des Cloîtres à New York : *the Cloisters Wrapped - Project for New York,* et d'un mur de tissu à Berlin Ouest : *Curtains for West-Berlin - Project for the Berlin Wall.* Dans le cadre du Xe anniversaire du Nouveau Réalisme, empaquetage de la statue de Victor Emmanuel, Piazza del Duomo et du Monument de Léonard de Vinci, piazza Scala à Milan, *Wrapped Monuments Milano.*

1971-1972. Nombreuses expositions personnelles dans des musées allemands (Haus Lange Museum de Krefeld, Kunsthaus de Hamburg), américains (the Museum of fine Arts, Houston) et dans des galeries en Angleterre, Italie, France, Suisse, etc. Réalisation au terme de 28 mois de travail du « Rideau dans la Vallée », *Valley Curtain.* Une première tentative ayant échoué en octobre 1971, c'est le 10 août 1972, Grand Hogback Rifle dans le Colorado que se déploie sur 394 mètres de large, un rideau de polyamide orange qui « barre » ou « bouche » le fond de la vallée entre deux flancs rocheux. Au bout de 28 heures, une rafale de vent soufflant à 100 km/heure a nécessité son démontage. Film, *Christo's Valley Curtain,* Maysles Brothers and Ellen Guiffard.

1973-1974. Multiples expositions personnelles dans des musées européens : Stedelijk Museum d'Amsterdam, Neue Pinakothek de Münich, Kunsthalle de Düsseldorf, Kröller Müller Museum d'Otterlo, Louisiana Museum d'Humlebaek, et aux Etats-Unis. A Rome, mur empaqueté : *The wall.* Pendant quarante jours une partie du mur de Marc-Aurèle, Via Veneto a été enveloppé des 2 côtés de tissu polypropylène. *Ocean front :* à Newport, Rhode Island, 13 940 m^2 de tissu polypropylène flottent sur l'océan.

*Christo et **The Wrapped Coast, Little Bay, Australie,** 1969. Photo Harry Shunk.*

Surrounded Islands, Biscayne Bay, Greater Miami, Florida, *1980-1983.*
Photo Wolfgang Volz.

Projet d'emballage du Pont Alexandre III à Paris (non réalisé) et projet pour le Pont Neuf : *The Pont Neuf Wrapped - Project for Paris*. Divers projets d'emballages non réalisés à Genève notamment celui des jets d'eau, quai Gustave Ador et à Washington le centre J.F. Kennedy.

1975. Nombreuses expositions personnelles aux Etats-Unis et en Suisse dont celle du Musée Rath à Genève : *Christo : Valley Curtain,* janvier-février. Projet d'empaquetage de la monumentale statue de Christophe Colomb à Barcelone : *Wrapped Monument to Cristobal Colon,* (projet en cours).

1976. « Clôture en fuite » ou « Barrière qui court », The *Running Fence,* en Californie est un projet de Christo datant de 1972 qui se concrétise le 10 septembre 1976. Pendant 14 jours, au Nord de San Francisco, cette « frontière » de nylon blanc de 5,50 m de hauteur a traversé sur 40 km de long les terres de 59 propriétaires pour aller se jeter dans l'Océan Pacifique à Bodega Bay. Film *Runningfence,* Maysles Brothers and Charlotte Zverin.

1977. Rencontre par Christo des autorités allemandes notamment du chancelier Willy Brandt pour le projet, lancé en 1972, d'empaquetage du Reichstag à Berlin : *Wrapped Reichstag Berlin.* Une exposition consacrée au projet et à toutes ses transactions a lieu à Londres (Annely Juda Fine Art) en novembre-décembre 1977. « Le Mastaba d'Abu Dhabi » : *Abu Dhabi Mastaba, Project for United Arab Emirates.* Constitué de 390 500 bidons de pétrole ce gigantesque Mastaba, symbole de la puissance des « Emirs du pétrole » n'a pas encore été réalisé. Projet en cours.

1978-1979. Chemins recouverts, *Wrapped Walk Ways* dans le Loose Memorial Park à Kansas City, Missouri du 2 au 16 octobre. Sur 4,5 km de chemins et d'allées, 13 mille m² de nylon orangé ont été fixés au sol par des clous et des agrafes. Film *Wrapped Walk Ways, Blackwood Productions.* Multiples expositions dans le monde entier, Münich (Galerie Art in Progress), Otterlo (Rijk museum Kröller-Muller), Grenoble (Musée de peinture et de sculpture).

1980. « Les portes », *The Gates* est un projet pour Central Park à New York. Il s'agit d'équiper les chemins et allées du parc de grands cadres métalliques (1,70 m de haut) installés perpendiculairement et tous les 3 mètres. Ils seraient munis d'un rideau de toile accroché au montant supérieur et flottant librement à l'horizontale. Contrairement au quadrillage géométrique de Manhattan ces tissus iraient dans le sens d'un mouvement organique.

1981. Du 12 au 14 mai, à l'Ecole Polytechnique, à l'E.N.A., aux Beaux-Arts et à l'Ecole nationale des Ponts et Chaussées, Christo présente son projet pour le Pont Neuf.

1983. « Les Iles Encerclées », *Surrounded Islands.* En Floride, à Biscayne Bay, Miami, onze îles ont été entourées de 60 hectares de tissu polypropylène flottant sur l'océan. L'installation a duré 15 jours. Le projet avait été lancé en 1980. Film *Islands,* Maysles Brothers.

1985. « Les Ombrelles », *The Umbrellas, Project for Japan and Western U.S.A.,* avril 1985. Christo se propose de faire serpenter simultanément au Japon et dans l'Ouest des Etats-Unis sur une ligne de 10-12 km de long 3 000 ombrelles de forme octogonale. Parfois groupées, parfois espacées les unes des autres, elles suivront la courbe du terrain.

Empaquetage du Pont Neuf à Paris, *the Pont-Neuf Wrapped, Paris 1974-1985* (20 septembre-4 octobre). Utilisation de 40 000 m² de toile et 13 000 mètres de cordes.

Le Pont Neuf Empaqueté, Paris, *1975-1985. Photo Wolfgang Volz.*

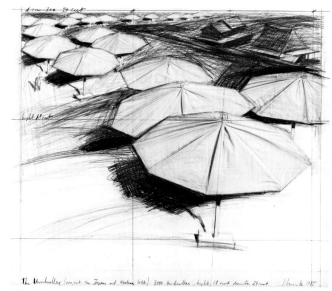

The Umbrellas (Project for Japan and Western U.S.A.), *collage - crayon - fusain - tissu, 1985. Photo Eeva Inkeri.*

Gérard DESCHAMPS

Né à Lyon en 1937.

1956. Exposition de peintures abstraites, galerie du Haut Pavé, Paris.

1957. Exposition des collages, plissages et premiers chiffons, galerie Colette Allendy, Paris. Rencontre Hains et Villeglé.

1961. Invité par Villeglé au Salon Comparaisons il expose des « collages » de dessous féminins. Commence à se manifester avec les Nouveaux Réalistes lors de leur exposition à la galerie Samlaren, Stockholm.

1962. Exposition personnelle *Deschamps et le rose de la vie,* galerie J et galerie Ursula Girardon : bâches de signalisation, chiffons, plaques de blindage.

1963. Salon Comparaisons : sculpture en morceaux d'avion.

1964. Salon Comparaisons : toiles cirées agrandies. Expose des *Tôles* irisées qui servent à isoler les réacteurs d'avion, galerie del Leone, Venise.

1965. A la Biennale de Paris, expose des barettes de décorations militaires, familièrement appelées « bananes », qui sont transposées sur des grillages colorés.

1966. Médaille d'Honneur des Pompiers du Salon de Mai. Participe à l'exposition de l'ordre du *Million d'éléphants et du parasol blanc,* galerie l'Elefante, Venise. Lors du Prix Marzotto, *la Barette du Mérite Artistique* de Gérard Deschamps, l'artiste qui n'était pas invité, est remise par Hains au Président Marzotto.

1978. Exposition *Bigeart-Bise art* avec Orlan, galerie Lara Vincy, Paris : Deschamps montre une grande barette de décorations.

1980. Exposition personnelle, Centre Régional d'Art Contemporain, Châteauroux.

Remise de la Barette du Mérite Artistique au Président Marzotto, 1966. Photo André Morain.

Bananes, *1965. Photo André Morain.*

François DUFRENE
Paris 1930-1982

1946. Adhère au Mouvement lettriste.

1950. Rencontre Yves Klein. Premier récital personnel à la Maison des Lettres.

1952. *Tambours du jugement premier* : film imaginaire sans écran ni pellicule présenté en marge du Festival de Cannes. Diffusé en 1973 sur France Culture (Ateliers de Création) et au Centre Pompidou en 1983 dans *Trente ans de cinéma expérimental en France*.

1953. Rupture avec le groupe lettriste. Se consacre désormais aux *crirythmes ultralettristes* qui explorent dans la voie d'un automatisme organique les possibilités vocales d'une musique concrète, forme d'expression fondée sur la spontanéité et sans partition, directement enregistrée au magnétophone.

1954. Rencontre Hains et Villeglé. Rencontre Pierre Restany.

1955. Premier récital de crirythmes à la galerie l'Escalier (F. Maspero).

1957. Premier *dessous d'affiches*.

1958. Parution du *Tombeau de Pierre Larousse* dans la revue Grâmmes, n° 2. Le *T.P.L.* aura des suites : *Hurly burly-ric Rock, Recitativo all'italiana* donné à Milan en 1970.

1959. Première exposition publique de dessous d'affiches à la Biennale de Paris.

1960. Signe la déclaration constitutive du Nouveau Réalisme et participe désormais à toutes les activités du groupe. Pendant le Festival d'Art d'Avant-garde, organise et présente à la galerie des Quatre Saisons le premier panorama de la poésie phonétique. Chargé de la salle d'art dit expérimental au Salon Comparaisons. Villeglé lui succède en 1961. Récital personnel dans le cadre de l'exposition *Anti-Procès* organisée par A. Jouffroy et J.J. Lebel. Il donne *Anti-Etude*.

1962. Donne *Meredith's Blues* dans le cadre de *La catastrophe*, premier happening de J.J. Lebel à Paris. Participe à Paris à la manifestation fluxus *Festum Fluxorum*. Son poème *U 47* enregistré par Philips (*Panorama des musiques expérimentales*).

1963. Participe à *La lettre et le signe dans la peinture contemporaine*, galerie Valérie Schmidt. Première exposition personnelle, galerie J (les *Archi-Made*).

1964. Participe à l'exposition *Lettrisme et hypergraphie*, galerie Stadler. Expose le MOT NU MENTAL à la galerie J. Ses *Comptines* sont dites en janvier dans le spectacle de Marc'o *Les Playgirls* (Théâtre de la Grande Séverine, musique de Jean Wiener). Elles sont publiées en mars dans le numéro de *Bizarre, Littérature illettrée et littérature à la lettre*.

1965. A la Biennale de Paris, il donne *Eryximaque* (suite au *T.P.L.*), chorégraphie de Teresa Trujillo et conception plastique de Miriam Bat-Yoseph. Récital à Bruxelles avec Wolman et J.L. Brau. Enregistrement de *Crirythme dédié à J.L. Brau*.

1967. Dans l'exposition *Lumière et Mouvement* au Musée d'Art Moderne de la Ville de Paris, sonorisation de la salle du G.R.A.V. avec H. Chopin, Wolman et J. Blaine. Enregistrement par Philips de *Granulométrie* (ex - *Anti étude* de 1960 arrangée par Pierre Henry pour *La noire à soixante* + *Granulométrie* donnée en première audition au Sigma de Bordeaux).

1969. Dans le catalogue de l'exposition Jorn à la galerie Bucher, trilogue entre Jorn, F.D. et N. Arnaud.

1970. Exposition personnelle de dessous d'affiches galerie Weiller, Paris. Edition par Guy Schraenen d'un coffret de trois cassettes : *Œuvre désintégrale* (dix crirythmes, une suite au *T.P.L.*, des comptines et diverses autres pièces).

1971. Texte *Sur les dessous* dans le catalogue de l'exposition Dufrêne, Hains, Rotella, Villeglé, Vostell dans la collection Cremer, Staatsgalerie, Stuttgart.

1972. *Trois peintres opérationnels marrons,* galerie Weiller (avec Wolman et Aubertin).

1973. Exposition personnelle de *stencils* et de *dessous de stencils,* galerie Weiller. Première *Bibliothèque en ouate de cellulose* (un matériau qui sert à nettoyer les photocopieuses). Participe au numéro d'*Opus, Poésie en question* avec le texte *Le lettrisme est toujours pendant*.

1976. Participe à l'exposition *Beautés volées*, Musée de Saint-Etienne. Soirée Dufrêne, Atelier Annick Lemoine dans le cadre de la manifestation *Poésie sonore - Poésie action*.

1977. Soirée Dufrêne au Centre Georges Pompidou. Il y donne sa *Cantate des mots camés* commencée en 1972. Un poème qui s'enfante de lui-même à partir d'une syllabe-mère (édité en cassette par le Centre Pompidou, réédité en 1983 par Achèle éditeur). A la galerie Raph, il expose la transcription visuelle des structures sonores de sa *Cantate* (30 planches de 100×65 cm). Expose sa série d'envers d'affiches *Dufrêne et le Dé/Klein* dans la *Boutique aberrante* que Spoerri installe dans le *Crocrodome* de Tinguely au Centre Pompidou.

1979. Participe à *Polyphonix* 1 à l'American Center. Il prendra part chaque année jusqu'en 1982 à cette manifestation.

1980. Expose à Arras, au Centre Noroit avec Villeglé. Participe aux rencontres internationales de poésie sonore, Centre Pompidou et au Festival des musiques expérimentales à Bourges. Dessins de mots mêlés.

1981. *Dufrên'ch quand quand,* galerie Moulin Rouge, Paris. Expose au Centre d'Art Contemporain de Rouen (*Archi-Made et Ouestampages ou le Blackslang*). Participe à l'exposition *Bryen éclaté*, Musée de Nantes. *Crirythme Exprès*, première anthologie sonore enregistrée par Polyphonix.

1983. *Pour François Dufrêne*, exposition présentée par l'Association Polyphonix au Centre Pompidou. Dans le catalogue, des textes de J.L. Brau, J.J. Lebel, Villeglé, P. Restany, B. Heidsieck. *Texticules ou Fodrakjlanot sella (Déclarations de futilité publique)*, texte inédit publié par les Cahiers Loques.

Récital François Dufrêne dans l'atelier d'Annick Le Moine, janvier 1976. Photo André Morain.

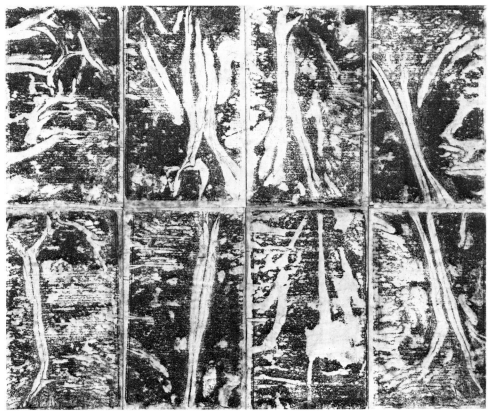

Dessous de stencil 012, *1976.*
Photo André Morain.

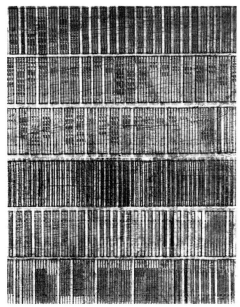

Bibliothèque en ouate de cellulose, *1976.*
Photo André Morain.

Cantate des mots camés *(extrait), 1977.*
Photo André Morain.

Raymond HAINS

Né le 9 novembre 1926 à Saint-Brieuc.

1944. A Laval, découvre le livre : *La Photographie française* dont la couverture est d'Emmanuel Sougez. Premières photographies.
1945. Inscrit à l'atelier de sculpture de l'Ecole des Beaux-Arts de Rennes, il rencontre Jacques de la Villeglé. Arrivé à Paris en octobre, il travaille avec E. Sougez au service photographique de *France-Illustration.*
1946-1947. Premières photographies abstraites prises à l'aide d'un réflecteur circulaire équipé de petits miroirs qui démultiplient les objets. Publication d'une de ses photos dans *Plaisir de France* (mars 1948). Découverte des verres cannelés et invention d'un objectif cannelé, *L'hypnagogoscope.* Premiers courts métrages dont *Saint-Germain-des-Près-Colombiens,* film qui commence sur l'image d'une palissade recouverte d'une affiche lacérée.
1948. Première exposition à Paris des *Photographies hypnagogiques,* galerie Colette Allendy. Rencontre de Camille Bryen qui expose à la même galerie.
1949. Arrache sa première affiche lacérée. Achète une caméra 16 mm et tourne avec Villeglé *Loi du 29 juillet 1881.* Ensemble, ils arrachent une série d'affiches à prédominance typographique *(Ach Alma Manetro).* Exposition des photographies hypnagogiques à la librairie des Nourritures Terrestres, Rennes.
1950. Ils commencent le film *Pénélope* (1950-1954) inachevé. Invente le concept *d'ultra-lettre* et se consacre aux *lettres éclatées* sous l'action des verres cannelés. Assiste à un récital de poèmes lettristes de François Dufrêne. Exposition de photographies, Falconnerie de Tytgat, Knokke-le-Zoute.
1952-1953. Publie « Quand la photographie devient l'objet » dans le n° 5 de *Photo Almanach Prisma* et en collaboration avec Villeglé *Hépérile éclaté* à partir d'un poème phonétique de Bryen, *Hépérile.*
1954. Rencontre de François Dufrêne puis, par l'intermédiaire de Dufrêne, d'Yves Klein.
1955. Publication d'un extrait du tract « Flagrant Dali » dans *Combat.*
1957. Exposition des affiches lacérées par Hains et Villeglé, galerie Colette Allendy, sous le titre *Loi du 29 juillet 1881.*
1959. Au Salon des Réalités Nouvelles, expose une affiche publicitaire lacérée sous le titre *Retraits à vue.* A la première Biennale de Paris, il expose la *Palissade des emplacements réservés.* Participe aux colloques de la Biennale. La critique découvre alors le discours « hainsien », ses jeux de mots, ses glissements de sens.
1960. Au Salon Comparaisons, Hains déjà surnommé *Raymond l'abstrait* et devenu depuis la Biennale *l'abstraction personnifiée de la palissade* expose une illustration de l'Encyclopédie Clartés *L'entremêts de la Palissade. Etudes aux Allures :* nouveau nom du film *Pénélope* après la sonorisation par Pierre Schaeffer de certains passages du film. Premier voyage en Italie. Couverture en lettres éclatées du catalogue de l'exposition *Les Nouveaux Réalistes* organisée par P. Restany à la galerie Apollinaire, Milan. Signe la déclaration constitutive du Nouveau Réalisme et participe désormais à toutes les manifestations du groupe.
1961. Participe à *Le Mouvement dans l'art,* Stedelijk Museum (Amsterdam) puis Moderna Museet (Stockholm) et Louisiana Museum (Humlebaek). Galerie J, présente des tôles galvanisées conservant les traces d'affiches déchirées. Exposition personnelle d'affiches politiques lacérées par les passants : *La France déchi-*rée, galerie J, Paris. Participe à *l'Art de l'Assemblage,* Museum of Modern Art, New York puis Dallas et San Francisco.
1962. Exposition personnelle de tôles et d'affiches lacérées, galerie Handschin, Bâle. Exposition personnelle d'affiches lacérées, galerie Aujourd'hui, Bruxelles.
1963. Au Salon Comparaisons, présente le *Néo-Dada emballé ou l'art de se tailler en palissade,* d'après une maquette de Christo. Désormais prend ses distances vis-à-vis du Nouveau Réalisme et de la critique et déclare : *Et moi aussi je suis critique.* Voyage « initiatique » à Lapalisse (département de l'Allier) à l'occasion d'un spectacle son et lumière sur Jacques de Chabannes, Seigneur de La Palice. Il en rapporte des boîtes de bonbons fourrés *(Spécialités les Lapalissades)* qu'il expose chez Henriette Legendre et la conviction que les vérités de La Palice sont encore plus profondes qu'on ne le croit généralement.
1964. Déforme avec les verres cannelés des échelles optométriques servant aux opticiens. Fait *éclater* typographiquement le texte de P. Restany *Le Nouveau Réalisme et le baptême de l'objet,* catalogue du Salon Comparaisons. Galerie du Lion à Venise, il expose une boîte d'allumettes géante illustrée de la fable *L'âne vêtu de la peau de lion.* « Invente » les personnages Seita et Saffa (ce sont les sigles des régies française et italienne des tabacs) qui sont aux allumettes ce que lui-même est à la palissade. Ils sont aussi des *artistes à part entière comme Soto et Staempfli.*

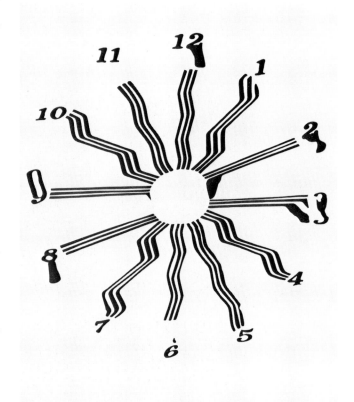

Echelle optométrique, *photographie, 1964. (Agrandi et peint sur émail à la Fondation Cartier en 1986).*

*Hains et sa boîte d'allumettes **L'âne vêtu de la peau de lion,** 1964. Photo André Morain.*

Photographie sans titre, 1982.

1965. *Seita et Saffa, copyright by Raymond Hains,* galerie Iris Clert. *La Biennale déchirée de Raymond Hains,* galerie Apollinaire, Milan : affiches lacérées de la Biennale de Venise 1964.

1966. *La Biennale 1964 déchirée par Raymond Hains,* galerie du Lion, Venise. Participe au prix Marzotto et remet au Président Marzotto la *Barette du Mérite Artistique* de Gérard Deschamps.

1968. Il vit à Venise jusqu'en 1971. *Biennale éclatée,* galerie de l'Eléphant, Venise. Lors de cette exposition il présente notamment sur des panneaux en fibre de plastique les couvertures, déformées avec les verres cannelés, des catalogues de chaque pavillon national de la Biennale 1964.

1970. Participe à *Documenta* IV, Kassel avec trois pochettes d'allumettes et au Xe anniversaire du Nouveau Réalisme avec la *Tarte de Milan.* Exposition *La Manne de Saint-André,* galerie Sant'Andrea, Milan. Jouant sur le nom de la galerie, il a invité les artistes San Gregorio et San Tommaso, barré des deux XX de la revue de San Lazzaro *XXe Siècle* des images de Saint-André et exposé, évidemment, une bouteille de San Pellegrino. La galerie Blu de Milan édite son *Disque Bleu pour Saffa.*

1971. Retour à Paris. Début de l'époque dite Delage.

1972. Participe à *Douze ans d'art contemporain en France,* Grand Palais, Paris, par le mot *Matheymatics* (de Mathey, l'organisateur de l'exposition), écrit à la bombe sur les cimaises qui lui sont réservées et par une déclaration : *Faites-vous des métamatheymatiques comme Venet fait des mathématiques.*

1973. Exposition *Saffa et Seita,* galerie della Trinita, Rome.

1975. Deuxième voyage à Lapalisse à l'occasion du tournage du film d'Adrien Maben et d'Otto Hahn sur les Nouveaux Réalistes.

1976. La dernière exposition du Centre National d'Art Contemporain, Paris, est une rétrospective de Raymond Hains organisée par Daniel Abadie. Hains baptise cette exposition *La Chasse au C.N.A.C. Les Palissades de Beaubourg* (palissades en matière plastique), exposition personnelle, galerie Verbeke, Paris. *L'Art à Vinci,* galerie Lara Vincy, Paris. Participation à *Beautés volées* (Musée de Saint-Etienne).

1981. Participe à l'exposition *Bryen éclaté,* Musée des Beaux-Arts, Nantes.

1982. Lors de l'exposition rétrospective des Nouveaux Réalistes à Nice, expose des photo-rébus composées d'objets ayant trait à l'histoire du mouvement : livres de P. Restany, bonbons « mono-gold », confiseries *Les vérités de La Palisse,* etc.

1983. A Paris, galerie Eric Fabre, expose *Le monochrome dans le métro.* Reconstitution partielle d'une station de métro avec panneau d'affichage recouvert de papier bleu. Dans cette exposition, il montre aussi une déformation sur tôle émaillé de la marque des Petit Beurre Lu fabriqués à Nantes, ville natale de Camille Bryen. Des photographies de stores font référence aux rayures de Buren. Ce motif des bandes verticales qui rappelle les planches de la palissade est aussi offert par les codes-barres imprimés sur les produits commercialisés et que Flaminio Gaggioni expose, agrandis, au même moment.

1984. Présentation par Hains du *Centre artistique aéré* de Cergy-Pontoise à l'occasion du Musée Ephémère et Ubiquiste.

1986. A la Fondation Cartier à Jouy-en-Josas, près de Bièvres, exposition personnelle qui porte principalement sur le Marquis de Bièvre, auteur d'une « tragédie » où règne le calembour, *Vercingentorixe* (1770). L'ayant découverte lors de sa réédition chez Pauvert, il l'associe visuellement aux pots noirs et aux pots rouges de J.P. Raynaud.

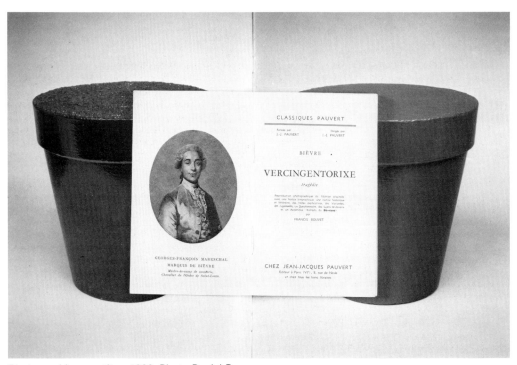

Photographie sans titre, 1986. Photo Daniel Pype.

Yves KLEIN

Nice 1928-Paris 1962

Il est le fils de Fred Klein et de Marie Raymond, tous deux peintres.

1944-1946. Etudes à l'Ecole Nationale de la Marine Marchande. A Nice, apprend le judo dans un cours où il rencontre Claude Pascal et Armand Fernandez. Piano jazz dans l'orchestre de Claude Luter à Paris. Premières expériences picturales.

1947. Devient membre de la Société rosicrucienne.

1948. Voyage en Italie et commence à écrire son journal intime (jusqu'en 1957).

1949. Première version de la *Symphonie Monoton*.

1950. Séjours à Londres où il travaille chez un encadreur puis en Irlande.

1951-1952. Voyages en Espagne et à travers l'Europe. Embarquement à l'automne 1952 pour le Japon.

1953. A l'institut Kodokan de Tokyo, il obtient son 4e dan de judo.

1954. Retour en Europe. Directeur Technique de la Fédération espagnole de judo. Il expose à Madrid et publie un recueil de 10 planches monochromes, *Yves Peinture* et *Haguenault Peintures*. Les Editions Grasset publient son livre, *Les Fondements du judo*.

1955. A Paris, commence à enseigner le judo à l'American Center puis il ouvre sa propre école et dans la salle, accroche trois grands monochromes (bleu, blanc et rose). Rencontre Jean Tinguely et Bernadette Allain. Exposition *Yves, Peintures*, Club des Solitaires, Paris : monochromes de différentes couleurs. Rencontre de Pierre Restany à qui il demande de préfacer sa prochaine exposition.

1956. Exposition *Yves, propositions monochromes*, galerie Colette Allendy. Préface de Pierre Restany, *La minute de vérité*. Participe au *Premier Festival d'Art d'Avant-Garde* organisé par Michel Ragon dans l'unité d'habitation de Le Corbusier à Marseille.

1957. Exposition *Yves Klein, Proposte monocrome, epoca blu*, galerie Apollinaire, Milan : onze monochromes bleus de même format. Deux expositions ont lieu simultanément à Paris : *Yves le Monochrome*, du 10 au 25 mai chez Iris Clert et *Pigment pur*, du 14 au 23 mai, galerie Colette Allendy. Première « peinture-feu », *Feux de Bengale* (16 feux de Bengale sont fixés sur un monochrome bleu et Klein les allume lors du vernissage). *Premier Immatériel* : 1 salle de la galerie est laissée totalement vide. L'Exposition *Yves, propositions monochromes* inaugure la galerie Schmela de Düsseldorf. *Monochrome, Propositions of Yves Klein*, Gallery One, Londres. Participe à *Arte Nucleare 1957*, galerie San Fedele, Milan.

1958. Exposition du *Vide* (28 avril) : les murs nus de la galerie Iris Clert sont « sensibilisés » par la seule présence de Klein. Premières expériences avec un « pinceau vivant », un modèle nu imprégné de peinture bleue. En novembre, *Vitesse pure et stabilité monochrome*, galerie Iris Clert : des disques bleus réalisés en collaboration avec Tinguely. Ayant obtenu la commande de la décoration du Théâtre Musical de Gelsenkirchen, il réalise avec l'aide de Rotraut Uecker ses premiers *Reliefs-éponges* et élabore avec l'architecte du chantier, Werner Ruhnau sa théorie de « l'architecture de l'air ». Projets de fontaines d'eau et de feu.

1959. Participe à l'exposition *Vision in Motion* au Hessenhuis à Anvers. Il présente l'*Immatériel* qu'il met en vente pour 1 kg d'or. Donne deux conférences à la Sorbonne sur l'*Evolution de l'art vers l'immatériel* et l'*Architecture de l'air* (3 et 5 juin). *Exposition Bas-reliefs dans une forêt d'éponges*, galerie Iris Clert, Paris. Participation à la Première Biennale de Paris, à *Dynamo 1*, galerie Renate Boukes, Wiesbaden, R.F.A. et à *Works in three dimensions*, galerie Leo Castelli, New York. En novembre, il vend sa première « zone de sensibilité picturale immatérielle ». Dessin du « Chéquier pour zone de sensibilité picturale » que fera imprimer Iris Clert. En Belgique publication de sa brochure : *Dépassement de la problématique de l'art*. Les actualités Gaumont réalisent une séquence filmée de 3 minutes sur Klein.

1960. A *Antagonismes*, Musée des Arts Décoratifs, il expose son premier *Monogold* (monochrome or). *Anthropométries de l'époque bleue*, Galerie internationale d'art contemporain, Paris : première présentation publique d'empreintes humaines sur toile et sur papier avec trois modèles nus et un orchestre de vingt musiciens. Participe à l'exposition les *Nouveaux Réalistes*, galerie Apollinaire, Milan. Premières *Cosmogonies* (peintures réalisées à l'aide d'éléments atmosphériques : pluie, vent...) Exposition *Yves Klein le monochrome*, Jean Larcade, Paris. Signe la déclaration constitutive du Nouveau Réalisme. Réalisation de l'*Anthropométrie des Nouveaux Réalistes* : empreinte collective d'Arman, Hains, Raysse, Restany et Tinguely. Publication du *Journal d'un seul jour, Dimanche 27 novembre 1960*.

1961. Exposition *Yves Klein : Monochrome und feuer*, Museum Haus Lange, Krefeld. Premières grandes séries de « peintures de feu » au Centre d'essais du Gaz de France. Voyages à Cascia pour déposer un ex-voto à Sainte Rita et aux Etats-Unis pour sa première exposition personnelle : *Yves Klein le monochrome*, galerie Leo Castelli, New York. Voyage à Los Angeles pour une exposition à la Dwan Gallery.

1962. Mariage avec Rotraut Uecker. Entreprend les moulages individuels des corps des Nouveaux Réalistes dans l'idée de réaliser un grand portrait-relief collectif. Meurt le 6 juin d'une crise cardiaque.

Expositions importantes consacrées à Klein après sa mort :
1962 - Tokyo Gallery, Tokyo. 1963 - Galerie Tarica, Paris. Kaiser Wilhelm Museum, Krefeld. 1964 - Galerie Bonnier, Lausanne. Galerie Schmela, Düsseldorf. 1965 - Galerie Alexandre Iolas, Paris. Stedelijk Museum, Amsterdam. 1966 - Moderna Museet, Stockholm. Palais des Beaux-Arts de Bruxelles. Galerie Bonnier. 1967 - Jewish Museum, New York. 1968 - Louisiana Museum, Humlebaek. Galerie Couturier, Paris. 1969 - Musée des Arts Décoratifs, Paris. Musée de Peinture et Sculpture de Grenoble. Galleria Blu, Milan. 1971 - Musée d'Art Moderne de Belgrade. 1973 - Galerie Karl Flinker, Paris. Galerie Gimpel Fils, Londres. 1974 - Tate Gallery, Londres. 1978 - National galerie de Berlin et Neuer Berliner. Kunstverein et Städtische Kunsthalle de Düsseldorf. 1982 - Rice University Institute for the Arts, Houston. Contemporary Art Museum, Chicago. Guggenheim Museum, New York. 1983 - Centre Georges Pompidou, Paris. 1985-1986 - Exposition itinérante au Japon.

Martial RAYSSE

Né à Golfe Juan le 12 février 1936.
Etudes de Lettres.

1957-1959. Deux expositions personnelles à Paris (galerie Longchamp, galerie d'Egmont). Premières recherches à partir d'objets en matière plastique.

1960. Début de sa participation à toutes les manifestations du Nouveau Réalisme dont il signe la déclaration constitutive.

1961. L'étalage *Hygiène de la vision* est présenté à la Biennale des Jeunes, Paris.

1962. Juin, galerie Schmela, Düsseldorf. Août, à l'occasion du *Dylaby,* Stedelijk Museum, Amsterdam, réalisation de l'environnement *The Raysse beach* aussi montré en novembre, Iolas Gallery, New York. Utilisation de montages photographiques découpés en association avec des sérigraphies. Introduction du néon dans son œuvre.

1963. Janvier, *Mirrors and Portraits,* Dwan Gallery, Los Angeles puis De Young Museum, San Francisco. Expose une grande sculpture lumineuse en néon, matériau dont il fera des environnements.

1964. Mai, Dwan Gallery, Los Angeles. Juin-juillet, *Fontana, Martial Raysse,* Salon Apollinaire, Venise. Juillet-octobre, *Cinquante ans de Collage,* Musée d'Art et d'Industrie, Saint-Etienne puis Musée des Arts Décoratifs, Paris. *Mythologies quotidiennes,* Musée d'Art Moderne de Paris. Juillet-septembre, *Figuration et Défiguration dans l'art,* Musée des Beaux-Arts, Gand. Novembre-décembre, *Made in Japan... Tableau horrible... Tableau de mauvais goût,* galerie Iolas, Paris puis New York (1965). Il s'agit de montages photographiques à partir de célèbres tableaux du XIXe comme par exemple *Le bain turc* d'Ingres. Utilisation du néon et emploi de couleurs violentes.

1965. « La beauté c'est le mauvais goût », entretien de Raysse avec J.J. Lévêque, *Arts* le 16 juin 1965. Octobre-novembre, *Rétrospective Martial Raysse, maître et esclave de l'imagination,* Stedelijk Museum Amsterdam. Octobre : *La figuration narrative,* organisée par Gassiot-Talabot, galerie Europe et Creuze, Paris.

1966. 33e Biennale de Venise, pavillon français : il obtient le prix David Bright récompensant un artiste de moins de quarante ans. En collaboration avec Tinguely et Saint-Phalle, décors et costumes pour *L'éloge de la folie,* ballet de Roland Petit créé au Théâtre des Champs-Elysées et repris à l'Alhambra. Premiers *Tableaux à géométrie variable.* Ces portraits féminins sont obtenus par juxtaposition de panneaux assemblés dans un ordre inhabituel. Pour l'artiste ces visages évoquent « notre existence dont tous les éléments sont profondément hétérogènes mais sont mis en coexistence par une volonté qui se confond avec la notion même de vie ». « J'ai mille choses à classer » et « A géométrie variable », textes de Raysse publiés dans *Collage* n° 6, Palerme, septembre et *Paris Review* n° 39, Londres - New York.

1967. Expositions personnelles à Milan, Bruxelles, Paris, Los Angeles, Cologne et Stockholm. Décors et costumes de *Lost Paradise,* ballet de Roland Petit créé à Covent Garden, Londres et repris à l'Opéra de Paris (1968). Réalisation de deux films : *Jesus Cola,* 35 mm, couleur : « critique paranoïaque de la société de consommation » et *Portrait Electro Machin Chose,* 16 mm, couleur : « Portrait d'une jeune-fille par un peintre au pupitre d'une video ». « La peinture n'existe plus », propos recueillis par G. Moll, *Jeune Afrique,* Paris, 13 août 1967.

1968. *Homero Presto,* 35 mm, couleur : « ... retrace l'odyssée d'Homère en appliquant les méthodes de consommation express... Tout se terminera mal comme d'habitude ». Mars, *Films,* galerie Claude Givaudan, Paris. Mars-avril, Museum of Contemporary Art, Chicago. Juin-octobre, *Dokumenta 4,* Kassel. Décembre, *Trois jours, trois Martial Raysse,* galerie Iolas, Paris.

1969. Participation à de nombreuses expositions collectives à New York, *Peintres européens d'aujourd'hui* (Jewish Museum), Londres, *French Art since 1900* (Royal Academy of Arts), Berne, *Pläne und Projekte als Kunst* (Kunsthalle) et Paris, *Peintres européens d'aujourd'hui* (Musée des Arts Décoratifs). Septembre-octobre, *Une forme en liberté,* galerie Iolas, Paris (puis New York

Tableau simple et doux, 1965.

1970). Par élimination successive de toute anecdote, les recherches précédentes sur le visage féminin aboutissent à une réflexion sur l'indépendance de la forme vis-à-vis « des contingences de sa représentation » quelle que soit son format et le matériau-support (carton, métal, papier). On reste dans le cadre des recherches ayant trait à *l'hygiène de la vision. Camembert Martial Extra-doux,* 16 mm, couleur : « De braves gens dégustent un camembert hallucinogène suite et fin ». Décors et costumes de *Votre Faust,* opéra de H. Pousseur et de M. Butor créé à la Piccola Scala (Milan). Octobre-novembre — *Rétrospective Martial Raysse, œuvres et objets,* Galerie Nationale, Prague.

Propositions to escape : Heart garden. *Galerie Iolas, 1967.*
Photo André Morain.

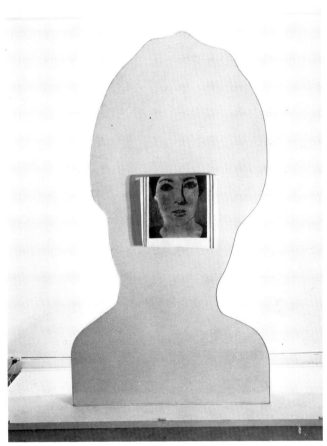

Portrait double, *métal - sérigraphie - tissu, 1968.*
Photo André Morain.

1970. Participation au dixième anniversaire du Nouveau Réalisme, Milan. *Oued Laou,* Modern art Museum, Münich. *Le Grand départ,* 35 mm, couleur. Retiré des circuits artistiques, donne à son œuvre une nouvelle orientation.

1971. *Pig Music* 3/4 de pouce, noir et blanc en couleur. Assistant technique Alain Jacquier.

1972. Avril, *Six images calmes, sérigraphies et objets,* galerie Iolas, Paris. Cette série de petites images (60 × 75) hédonistes marque le retour de Martial Raysse à la nature.

1974. Mai-juin, *Coco Mato,* exposition organisée par Gilles Raysse, 25, rue du Dragon, Paris. Ni sculptures, ni objets, ni même assemblages, les « choses » de coco mato (nom italien de l'amanite tue-mouche, champignon hallucinogène) sont faites de toutes sortes de matériaux hétéroclites (plumes, ficelles, terre). Elles sont « moyens de méditation » et aussi « instruments de communication ». Cette recherche s'inscrit dans le contexte des expériences communautaires du début des années 1970.

1976. Juin, *Loco Bello,* galerie Flinker, Paris. Résultat de trois années de travail, ces dessins, pastels, aquarelles et sculptures abordent des thèmes rupestres ou dyonysiens avec parfois une certaine note d'humour. Textes-poèmes de Raysse dans le petit livre catalogue. Juillet-septembre, 37ᵉ Biennale de Venise. *Lotel des Folles Fatmas,* 3/4 de pouce 25'. « Dans la cave du fameux hôtel, Velasquez Barca et le bon Karyos mettent en pratique les cinq vérités extérieures ».

1978. Novembre - *Spelunca,* galerie Flinker, Paris. Vues de la campagne italienne dans laquelle se promènent héros antiques et demi-dieux grecs au hasard de scènes qui n'obéissent qu'à une logique proprement picturale.

1979-1980. *La petite maison,* série de petites peintures à l'eau sur papier — format 24 × 21. Représentation du décor intérieur de la maison à travers divers éléments comme la porte, le miroir, la cheminée, etc. La peinture devient le moyen technique de se mettre à l'écoute des choses.

1980. Juin-juillet *12 dessins, un jardin au bord de la lune,* galerie Claude Givaudan, Genève. *Intra Muros* 3/4 de pouce, noir et blanc et couleur, 12', commencé en 1977. *La petite danse* 3/4 de pouce 15', commencé en 1978.

1981. Février-mars, *Martial Raysse 1970-1980* Centre Georges Pompidou, Paris.

1982. Juin, Biennale de Venise. Rétrospective *Martial Raysse à Antibes,* Château Grimaldi Musée Picasso. Les œuvres récentes (1980-1982) y sont présentées notamment des nus.

1984. Exposition personnelle, galerie Karl Flinker, Paris.

1985. Invité à la Nouvelle Biennale de Paris, Parc de la Villette.

1986. Exposition galerie Beaubourg, Paris.

Image L X Cent ans, Spelunca, tempera sur bois, 1980. Photo Jean Dubout.

Pierre RESTANY

Né en 1930 à Amélie-les-Bains. Enfance au Maroc. Etudes universitaires en France, Italie, Irlande.

1952. Premiers textes sur l'art.

1953. Se lie d'amitié avec Guido Le Noci, directeur de la galerie Apollinaire à Milan.

1956. Premier texte sur Yves Klein (préface pour la première exposition de Klein dans une galerie, celle de Colette Allendy). Membre du comité de rédaction de *Cimaise* jusqu'en 1961. Il collaborera aussi à *Combat, Art International, Planète* (1961-1968).

1957. Organise l'exposition *Espaces imaginaires* à la galerie Kamer (Bellegarde, Bertini, Brüning, Halpern, Hundertwasser, Delahaye).

1958. Ecrit *Lyrisme et abstraction* (publié en 1960 par les éditions Apollinaire, Milan).

1960. Avril : Rédige le texte *Les Nouveaux Réalistes* pour l'exposition Arman, Dufrêne, Hains, Klein, Tinguely, Villeglé qu'il a organisée galerie Apollinaire, Milan. Il le présentera bientôt comme le premier manifeste du mouvement. Octobre : rédige et signe la déclaration constitutive du Nouveau Réalisme.

1961. Ouverture de la galerie J dont il est le conseiller artistique. Premier voyage au Brésil.

1962. Premier voyage au Japon.

1963. Entre à la revue *Domus* dont le siège est à Milan. Livre sur Fautrier (F. Hazan, Paris).

1963-1964. Conférences à l'Institut Torcuato di Tella de Buenos Aires, très active fondation culturelle argentine.

1965. Préface pour l'exposition *Hommage à Nicéphore Niepce* à la galerie J. Les artistes qu'il présente : Béguier, Bertini, Bury, Jacquet, Nikos et Rotella utilisent la technique du report photographique. Cette production d'images bi-dimensionnelles par des procédés de reproduction mécanique est susceptible de donner lieu à une diffusion à grand tirage, ce que développera particulièrement Alain Jacquet. Cette tendance artistique, à laquelle se rallie Neiman en 1966, est connue sous le nom de *mec-art*.

Jusqu'en 1969, il est le correspondant des journaux tchèques *Vitvarne Prace* et *Vitvarne Umeni*. Il organisera à Prague des expositions de Klein et de Raysse.

1966. Fermeture de la galerie J. Elle rouvrira cependant fin 1967 pour une exposition Buren, Mosset, Toroni.

1967. Publie à Milan le manifeste *Contre l'internationale de la médiocrité : un sens nouveau de la nature moderne* est apparu avec le néo-dadaïsme et le nouveau réalisme. L'artiste doit désormais utiliser tout ce que lui procure la ville, la technologie, les moyens d'information. *L'art de demain sera un art total correspondant à une esthétique généralisée, fondement des indispensables métamorphoses planétaires.* Dans ce manifeste il prend nettement position contre la *figuration narrative.* Organise l'exposition *Superlund* à la Lunds Konsthall (Suède) : mec-art, assemblages et environnements, décor quotidien de la vie, architecture prospective et villes de l'avenir.

1968. Publie en mai le *Livre rouge de la révolution picturale* (éd. Apollinaire, Milan). Quelques titres de chapitres : *Quand le signe devient objet, Bonne chance au mec-art !, Adieu à la pièce unique, Les multiples, première étape de la socialisation de l'art, La métamorphose du quotidien (... Optez pour la technologie galopante), L'occupation de l'espace, Le sentiment de la totalité, L'architecture mobile.* Le 18 mai, prend l'initiative de fermer le Musée National d'Art Moderne *pour cause d'inutilité.*

Organise au Musée Galliera avec M.C. Dane l'exposition *Le décor quotidien de la vie en 1968* (Arnal, M. De Rosny, Saint-Phalle, Sanejouand, Tinguely, C. Xenakis).

Publie les *Nouveaux Réalistes* (édition Planète, réédité par 10/18 en 1978).

1969. Publication du *livre blanc-objet blanc* sans titre ni nom d'auteur sur la couverture (éd. Apollinaire, Milan, livre écrit en août 1968). Chapitres sur la responsabilité du critique d'art, *L'art-jeu (l'artiste sera à la fois le poète du temps libre et l'ingénieur du bien-être dans le loisir),* sur l'art de *l'environnement,* sur la transformation du rôle des musées, sur les expériences de liaison art-technologie, art-industrie.

Chargé de la section Art et Technologie à la Biennale de Sao Paulo. Mais c'est l'année de la prise du pouvoir par les militaires et il participe au boycott de cette Biennale.

1970. Organise avec Guido Le Noci la célébration du 10ᵉ anniversaire du Nouveau Réalisme à Milan.

Organise l'exposition *Art Concepts from Europe* à la galerie Bonino, New York : (textes, projets, photos, films, bandes magnétiques, etc.)

1972. Pendant une campagne électorale, lance à Naples l'*Opération Vésuve* pour la création au sommet du volcan d'un *Parc culturel international :* réception de 220 projets qui donnent lieu à trois expositions.

1974. Organise à Rio de Janeiro l'exposition *Art en situation critique* qui circulera en Amérique du Sud.

Publication de *Yves Klein le Monochrome* (Hachette). Nouvelle version en 1982 (Le Chêne-Abrams).

1975. Préface pour l'exposition du *Collectif art sociologique* (Hervé Fischer, Fred Forest, J.-P. Thénot) au Musée Galliera. Il participera à plusieurs initiatives de ce groupe. Projet d'un grand voyage de découverte de l'hémisphère sud par des artistes de l'hémisphère nord *(Capricorn Logbook).*

1976. Commissaire du pavillon français à la Biennale de Venise. Invite Lavier, Jacquet, Hains, Raynaud, Sanejouand et le Collectif d'art sociologique.

1978. Avec Sepp Baendereck et Krajcberg, remonte le Rio Negro de Manaus à la frontière Colombie-Venezuela. Publie à Manaus, en août, le *Manifeste du Naturalisme intégral :* allergie aux pouvoirs, conscience planétaire, dématérialisation de l'art.

Publication dans *Domus,* de janvier à juillet, de *L'autre face de l'art* (histoire de la fonction déviante dans l'art contemporain). Publié en français aux éditions Galilée.

1979. Exposition *Un critique, une collection, P. Restany,* galerie NRA, Paris.

1981. Participe en Israël à un symposium sur le thème sculpture et environnement. Avec J.-L. Daval il sera chargé d'animer en 1986 un colloque sur l'art et la ville à l'initiative du Groupe central des Villes Nouvelles, Palais du Luxembourg, Paris.

1983. Publication de *Une vie dans l'art* (réponses à des questions de Jean-François Bory sur son itinéraire de critique d'art). A Milan, définit le concept et les structures de la *Domus Academy,* institut post-universitaire de recherche sur le design (mode, design, mobilier urbain, automobile, électronique, technologie). En est le directeur des études.

1986. Voyage en Corée du Sud (pour sélectionner de jeunes artistes en vue d'échanges artistiques franco-coréens), au Japon (où circule une exposition Klein), en Australie.

Mimmo ROTELLA

Né le 7 octobre 1918 à Catanzaro (Calabre)
Fréquente l'Académie des Beaux-Arts de Naples dont il obtient en 1944 le diplôme de fin d'études.

1941-1944. Séjours à Rome (employé dans un ministère) et à Caserta (élève sous-officier).

1945-1950. Installé à Rome. Fait des peintures figuratives puis géométriques abstraites. Compose et récite en 1949 ses premiers poèmes phonétiques.

1951. Première exposition personnelle Galleria Chiurazzi, Rome. Obtient une bourse d'études de la *Fulbright Foundation* et en août part pour l'université de Kansas City (Missouri).

1952. Ayant obtenu un statut « d'artist in residence » réalise un grand panneau mural pour le salon de la Faculté de Géologie et Physique de l'université. Exposition de ses tableaux abstraits, Rockhill Nelson Gallery, Kansas City. Enregistrement de poèmes phonétiques pour la Library of Congress, Washington. En août, rentre en Italie et s'installe dans un atelier près de la Piazza del Popolo à Rome.

1953. Premiers collages à base d'affiches lacérées décollées. Ces *Compositions*, visibles à Rome en 1954, sont abstraites et le resteront jusqu'en 1960. Le poète Emilio Villa est l'un des premiers à les admirer.

1955. Avril-mai, participe à l'*Exposition d'art actuel* organisée par Villa dans une galerie flottante sur le Tibre.

1955-1957. Chaque année, exposition de ses *affiches lacérées,* Galleria del Naviglio à Milan. Lors de sa troisième exposition, un texte expliquant les motivations de son travail figure dans le catalogue. A la même date, son succès se manifeste par une série d'expositions personnelles à Zurich (galerie Beno), Londres (Institute of Contemporary Art), Venise (Galleria del Cavallino), et Rome (Galleria Selecta).

1958-1959. Reçoit la visite de Pierre Restany.
Participation à des expositions collectives à New York (Whitney Museum), Mexico (galerie Souza), Tokyo puis Lima *(Peinture italienne contemporaine),* Ljubljana *(Biennale Internationale de Gravure).*
Première exposition personnelle à la Galleria la Salita, Rome (la deuxième a lieu en 1961).
Commence à valoriser les détails figuratifs dans des affiches de cinéma ou de publicité.

1960. Début de sa participation à toutes les manifestations du Nouveau Réalisme.

1961. Participe à *The Art of Assemblage*, M.O.M.A., New York (puis Dallas et San Francisco). Commence la « Rotellisation d'objets divers » : *Petit monument à Rotella* ou *Il canto d'amore dei pesci*, construction qui sert de support à un récital *épistaltique* dans ce langage du même nom dont il est l'inventeur *(Manifeste de l'épistaltisme).* Début des assemblages d'objets : *Tappezzeria Romana, Il Saltarello...*

1962. Première exposition personnelle à Paris, *Cinecittà Ville ouverte,* galerie J.

1963. Participation à l'*Art et l'écriture,* Stedelijk Museum, Amsterdam et aux Biennales de Tokyo, San Marino et Sao Paulo.
Première œuvres réalisées entièrement avec des moyens mécaniques. Il s'agit des *reportages* ou *reports* photographiques sur toiles. Après avoir sélectionné diverses images dans des journaux

Il Traffico, toile émulsionnée, 1966.

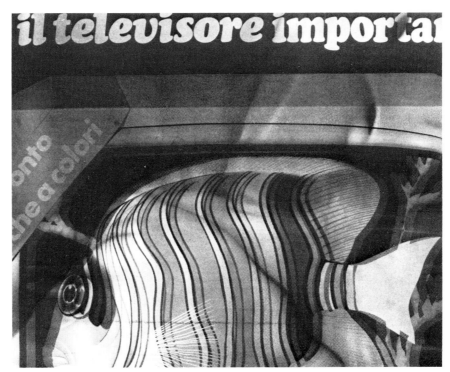

Il Pesce, *artypo sur toile, 1970.*

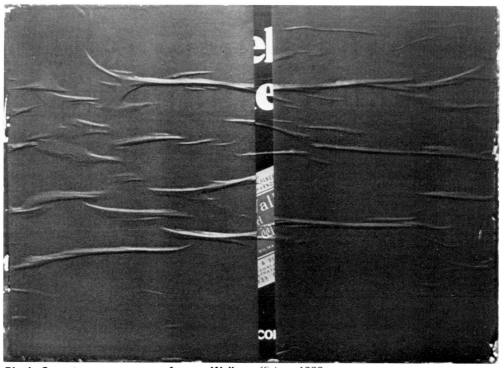

Blank, Copertura marrone con fessura Walker, *affiches, 1982.*

ou des magazines, Rotella projette les négatifs des photographies imprimées sur des toiles émulsionnées, traitées en laboratoire. Il reporte également certains de ses *décollages* et découvre les *macules*, ces épreuves d'imprimerie sur lesquelles sont superposées les impressions typographiques. Premiers dessins érotiques.

1964. S'établit à Paris.

Février, expose son premier *Reportage* au Salon Comparaisons. Une salle lui est consacrée à la 32e Biennale de Venise. Participation à *50 ans de Collage*, Musée d'Art et d'Industrie (Saint-Étienne) puis Musée des Arts Décoratifs (Paris) et à *Figuration et défiguration dans l'art*, Musée des Beaux-Arts, Gand.

1965. Exposition des photo-reportages sous le titre *Vatican IV*, galerie J, Paris.

Participe à *Hommage à Nicéphore Niepce*, exposition organisée par Pierre Restany, galerie J, en vue de regrouper différents artistes utilisant des procédés photographiques pour élaborer « mécaniquement » une nouvelle image de synthèse.

Début des *Artypos*, marouflages sur toile de « macules », ces feuilles d'affiches utilisées pour la mise en train et le réglage des machines d'imprimerie et donc surchargées de couleurs et d'images d'autres affiches.

1966. *L'Automobile et reportages 1963-1966*, Galleria del Naviglio, Milan : exposition d'une série de photo-reports consacrée à l'automobile.

Rotella Metrica (objet de mesure homonyme, « rotellisé » par l'artiste).

Exposition des premiers *Artypos* lors de sa première rétrospective, Teatro la Fenice, Venise. Participe à *Donner à voir*, exposition consacrée au Mec-Art, galerie Zunini, Paris. Participe à l'exposition *Erotic Art*, Sidney Janis Gallery, New York.

1967. A New York, commence une série de portraits photographiques pris au polaroïd et reportés directement sur toile avec des virages colorés (Lichtenstein, Oldenburg, Sidney Janis etc.).

Jan Leering organise au Van Abbe Museum de Eindhoven (Hollande) une exposition intitulée *Artypo*, consacrée aux différentes formes d'art typographique réalisées par poètes et artistes. Rotella qui y participe y trouve l'occasion de baptiser son travail.

Organise des Happenings-vérités, sorte de cérémonies érotiques où il convie amis et photographes.

Participe à *Hommage à Marilyn Monroe*, Sidney Janis Gallery, New York.

1969. Expose une série de portraits, *Ritratti*, Galleria del Naviglio, Milan (auto-portrait, portraits de *Restany, César, Fontana* etc.)

1971. Avril-mai, *Rétrospective Rotella, Décollages, Mec-art, Artypo*, galerie Mathias Fels, Paris.

1972. L'autobiographie de l'artiste, *Autorotella*, éd. Sugar, Milan, a pour thème principal la vie érotique de son auteur (ses *concerts pour femme seule*, son *test érotico-surréaliste*, ses photographies etc.).

1973. Exposition *Erotellique*, galerie Marquet, Paris. Sur le thème du nu féminin semi-habillé et dans des situations relevant de l'iconographie sado-masochiste, série de reports-photos sur lesquels l'artiste intervient manuellement par une technique de frottage de couleurs et par des procédés proches de la décalcomanie. Commence à utiliser des supports rigides en plastique pour les *Artypos*.

1974. *La Révolution plastique de Rotella*, galerie Inter-Arts, Lyon.

1975. Expositions peronnelles, Rotonda della Besana et Galleria Plura *(Plastiforme)*, Milan.

1976. Participe à l'exposition *Beautés volées*, Musée de Saint-Étienne.

1978. *Rotella, œuvres de 1958 à 1975, Décollage, collage, Artypo, frottage*, Galleria Civica d'Arte Moderna, Portofino.

1981. Février, *Rotella, la nouvelle image*, galerie Denise René, Paris. Nouvelle étape de l'aventure affichiste, Rotella expose maintenant les *Blanks*. Il s'agit d'une ou de plusieurs couches d'affiches recouvertes d'un papier monochrome (généralement blanc ou bleu) que les spécialistes ont l'habitude de coller sur les panneaux d'affichage entre deux campagnes publicitaires.

Participe à l'exposition *Art italien contemporain*, Musée de Fort Lauderdale, Floride.

1983-1984 . Expose au Palazzo Rosso, Gênes et à Telamone Centro d'arte, Lecce.

Série de peintures à l'acrylique sur toile d'après des affiches de cinéma.

1986. Série de peintures exécutées directement sur des affiches de cinéma. Exposition galerie Nicoli, Parme.

Don't Bother, acrylique sur toile, 1984.

Niki de SAINT-PHALLE

Née à Paris en 1930.
1933-1951 - Vit à New York.

1956. Première exposition personnelle à Saint Gall (Suisse). Objets-reliefs en plâtre et matériaux divers.
1960. Premiers *Tirs* sur ses peintures.
1961. *Séances de Tir* à Stockholm (organisée par le Moderna Museet), à Paris (galerie J) et à Copenhague (galerie Kœpke). Début de sa participation à toutes les manifestations du Nouveau Réalisme.
Expose à *Le Mouvement dans l'art*, Stedelijk Museum, Amsterdam puis Moderna Museet, Stockholm et Louisiana Museum, Humlebaek. Participe à un concert donné à l'Ambassade des Etats-Unis à Paris avec John Cage, David Tudor, Jasper Johns, Robert Rauschenberg et Jean Tinguely.
1962. *Tir monumental*, Dwan Gallery, Los Angeles.
Exposition personnelle galerie Rive Droite à Paris : *Autels, Cœurs, Cathédrales, reliefs* en plâtre où sont incorporés des objets trouvés.
Première exposition personnelle à New York à la galerie Iolas : *Stand de Tir, Gorgo, Grand relief, Cathédrales*.
Participe à la *Construction of Boston*, pièce de Kenneth Koch, mise en scène par Merce Cunningham, avec Rauschenberg, Jean Tinguely et Fahlström et à la construction du *Dylaby*, Stedelijk Museum, Amsterdam.
1963. Dwan Gallery, Los Angeles : *King-Kong*, grand relief de 6 mètres de long.
Commence les *Mariées*.
1964. Expositions à Londres (Hanover Gallery), Bruxelles (Palais des Beaux-Arts) et Genève (galerie Iolas).
Participation au Salon de Mai, à *Mythologies Quotidiennes*, l'exposition organisée par Gassiot-Talabot au Musée d'Art Moderne de la Ville de Paris et à *Figuration et Défiguration dans l'art*, Musée des Beaux-Arts de Gand.
Installation à Soisy-sur-Ecole (Essonne).
1965. Avril, galerie Iolas, New York : expose *La Mariée, l'Accouchement blanc...*
Commence la série des *Nanas*.
Participe à *Le Merveilleux moderne*, Konsthall de Lund et à *La Figuration narrative* organisée par Gassiot-Talabot, galerie Europe et Creuze, Paris.
Septembre, exposition *Les Nanas*, galerie Iolas, Paris. *Nanas* en tissus, *Nanas*, en polyester polychrome et collages, *Nanas* qui font parfois près de 3 mètres de haut : *La Waldaff, Elizabeth* ou *La Baigneuse*, sculpture pour jardin qui résiste aux intempéries.
1966. Expose des *Nanas* à la galerie Iolas à New York et à l'Art Institute de Chicago. Elles sont blanches ou noires : *Lady sings the blues* (1965), *Black Venus* (1965-1966) puis *Miss Black power* et *Black is beautiful* (1968).
Participe avec Martial Raysse et Jean Tinguely aux décors du ballet de Roland Petit *l'Eloge de la Folie* et avec Rainer von Diez aux décors et costumes de *Lysistrata* d'Aristophane pour le Stadttheater de Kassel (Allemagne).
Invitée avec Tinguely par Pontus Hulten à réaliser au Moderna Museet de Stockholm une œuvre monumentale, ils exécutent la *Hon* (*Elle* en suédois). Il s'agit d'une « nana » couchée d'une taille gigantesque (27 mètres de long) dans laquelle les spectateurs sont invités à entrer. A l'intérieur il y a un bar et une galerie d'art où sont exposées des sculptures de Tinguely et d'Ultvedt.

1967. Exposition personnelle au Stedelijk Museum d'Amsterdam : *Nana dream House*, une « nana-maison pour rêver », suffisamment grande pour contenir lit, bar, bibliothèque, etc...
Galerie Espace à Amsterdam : *Mini-Nanas*.
Réalisation avec Tinguely pour l'exposition universelle de Montréal du *Paradis Fantastique*. Sur le toit du pavillon français de grandes « Nanas » bariolées sont aux prises avec les noires « machines » de Tinguely dans une sorte de combat érotico-ludique. *Le paradis fantastique* est exposé à la Albright Knox Art Gallery (Buffalo), puis à Central Park (New York) durant une année. En 1970 il sera définitivement installé à Stockholm.
Réalisation de *Le rêve de la Mariée*, sculpture en plusieurs parties.
Participe à l'exposition *La fureur poétique* organisée par José Pierre au Musée d'Art Moderne de la Ville de Paris.
Expose une Nana-Maison à la Fondation Maeght à Saint-Paul-de-Vence.
1968. Réalisation de « nana-ballons », *Les Nanas gonflables* qui sont vendues aux U.S.A.
Participe à l'exposition *Dada, Surrealism and Heritage* au Museum of Modern Art de New York.
Réalise les décors d'une pièce écrite en collaboration avec Rainer von Diez intitulée *Ich* et jouée au Stadttheater de Kassel.
Mars, fait ses premières sérigraphies.
Avril, Expositions personnelles à la galerie Gimpel-Hanover de Zürich puis de Londres.
Octobre. Exposition *Flash*, galerie Iolas, Paris.
1969-1970. Série de rétrospectives à Düsseldorf, Hanovre, Münich, Lucerne.
1969. Commence trois « Maisons-Sculpture » pour Rainer von Diez : *Le Rêve de l'Oiseau, La Sorcière*, et *Big Clarice*.
Septembre, galerie Iolas, Genève : *Nana Fontaine* et sérigraphie *Ich*.
1970. Exposition à la galerie Iolas de Paris : *Le rêve de Diane* et *Le péché originel*. Aux Halles, Exposition d'un ensemble de grandes « nanas ».
Au Salon de Mai : grande *Tête* en polyester. A Cologne, Galerie der Spiegel, exposition de mini-nanas et de sérigraphies.
Publication de *Please give me a few seconds of your eternity*.
Participe au dixième anniversaire du Nouveau Réalisme à Milan.

*Décor pour **Eloge de la folie**, Théâtre des Champs-Elysées, 10 mars 1966. Photo Harry Shunk.*

Exposition personnelle, Musée des Beaux-Arts, Lille. Décembre : présentation à La Hune du portfolio édité par Les Editions Esselier : *Nana-Power*. « Nana-maison » installée dans les jardins de l'Ecole des Beaux-Arts à Marseille.

1971. Expositions à Amsterdam, Stockholm, Rome, New York et Düsseldorf.
Le Moderna Museet à Stockholm édite le livre *Love*.

1972. Galerie Iolas, Paris : *Les funérailles du père*. Gimpel Gallery, Londres : *The Devouring Mothers*.
A Jerusalem pour un jardin d'enfants construction du *Golem*, « monstre » de 9 mètres de haut avec trois toboggans.

1973. Construction du *Dragon* à Knokke-le-Zoute, Belgique, maison pour enfants entièrement aménagée.
Commence le film *Daddy* avec Peter Whitehead et Rainer von Diez.
Construit une « Nana-piscine » à Saint-Tropez.
Chapelle à la vie pour Iolas.

1974. Installe trois sculptures monumentales au centre de la ville de Hanovre : *The Nana conquer the city*. *Projets et réalisations d'architecture*, galerie Iolas, Paris. *Le Poète et sa muse :* commande architecturale de 5 mètres de haut pour l'Université d'Ulm.

1975-1976. Exposition en Arles, Musée d'Art et d'Industrie.
Commence le film *Camélia et le dragon* avec la collaboration de Tinguely, Eva Aeppli, Bernard Luginbühl, Spoerri.

1977-1979. Nombreuses expositions internationales dont *Projets monumentaux d'architecture,* galerie Gimpel à New York.
Expose du « mobilier-sculpture », galerie Beaubourg, Paris.

1980. Commence en Toscane *Giardino dei Tarocchi,* projet monumental d'architecture inspiré par les cartes du Tarot. Utilisation de nouveaux matériaux (glaces, céramiques, verre). La réalisation n'est pas encore achevée en 1986.
Rétrospective au M.N.A.M., Centre Georges Pompidou, Paris. L'exposition va ensuite en Allemagne, Autriche, Grande-Bretagne, Suède et Israël.
Commence à travailler sur la circulation de l'espace à l'intérieur de la sculpture : « L'espace, je découvre le vide. Mes sculptures respirent ». Expose ses travaux récents, galerie Samy Kinge, Paris.

1981. Construction d'un immense *Dieu du soleil* sur le campus de l'Université de San Diego (Californie).

1982. *My Skinnys,* galerie Gimpel (New York puis Londres). Ces sculptures à sujets souvent mythologiques sont légères et transparentes. Certaines sont équipées d'ampoules électriques. Réalisation de la *Fontaine Strawinsky* avec Tinguely, Place Saint-Merri devant le Centre Georges Pompidou, Paris.

1985. Première exposition de son travail sur le Tarot, galerie Gimpel, New York puis Londres. A cette occasion, édition d'un petit livre, *Tarot cards in sculpture by Niki de Saint-Phalle*, Milan, G. Ponsio, mai 1985.

Atelier de Soisy-sur-Ecole, 1967. Photo Harry Shunk.

Fontaine Stravinsky, *Place Saint-Merri, Paris, 1982.*
Photo André Morain.

La Lune, arcane XVIII, *polyester stratifié peint, 1984-1985.*

Daniel SPOERRI (Daniel Isaac Feinstein, dit)
Né à Galati (Roumanie) le 27 mars 1930.

1942. A la mort de son père, sa famille s'installe en Suisse, pays natal de sa mère.

1949. Rencontre Tinguely à Bâle.

1952. Étudie la danse et le mime à Paris.

1954-1957. Nommé Premier Danseur à l'Opéra de Berne, il travaille simultanément au Kellertheater comme metteur en scène et compositeur-chorégraphe.

1957-1959. Assistant-metteur en scène au Landestheater de Darmstadt, il fonde une revue de poésie concrète : *Material*.
Série d'articles en faveur d'un théâtre a-psychologique : « Exemples pour un théâtre dynamique », *Cahiers du Landestheater*.
Avec Jean Tinguely *L'Autothéâtre* « où le spectateur est à la fois l'acteur et son propre public » au Hessenhuis d'Anvers.
Décide de venir s'installer à Paris pour créer l'édition MAT (Multiplication d'Art Transformable), édition originale de multiples exposée galerie Édouard Loeb.
Premiers *Tableaux-pièges* : « Des situations trouvées par hasard » (exemple : les restes d'un petit déjeuner) « sont fixées (piégées) telles quelles sur leur support du moment... ». Mais le plan est changé, « ce qui était horizontal devient vertical ».

1960. Amené chez Yves Klein par Jean Tinguely, il signe la déclaration constitutive du Nouveau Réalisme et participe désormais aux manifestations du groupe.
Les *Tableaux-pièges* sont ainsi montrés pour la première fois au Festival d'Art d'Avant-garde, Porte de Versailles, Paris. « Spoerri's Autothéâtre » publié dans *Zero* n° 3, Düsseldorf (1961).

1961. Participe à l'organisation avec Pontus Hulten et W.H.B. Sandberg de l'exposition *Le Mouvement dans l'art* au Stedelijk Museum d'Amsterdam (puis Moderna Museet de Stockholm et au Louisiana Museum, Humlebaek).
Première exposition personnelle, galerie Schwarz, Milan. Variations à partir du « Tableau-piège » : *Tableaux-pièges au carré* (avec outils intégrés au « tableau »), *Tableaux-pièges mous* (sans support) ou *Détrompe-l'œil* (support interprété par un objet ajouté).
L'Épicerie, galerie Köpcke, Copenhague.

1962. Aux éditions de la galerie Lawrence, publie *Topographie anecdotée du hasard*.
Participe au *Dylaby*, Stedelijk Museum d'Amsterdam, en créant un parcours tactile. Reprend le même principe pour *The Festival of Misfits*, Gallery One, Londres.
« Pièce-piège » : *Oui maman, on va faire ça*, au théâtre d'Ulm.

1963. Expose *723 ustensiles de cuisine* à la Galerie J transformée le soir en restaurant : *Aux fourneaux le chef Spoerri « Daniel »*. Les critiques d'art assurent le service.
Exposition de *Détrompe-l'œil*, galerie Schwarz, Milan.
Le Dorotheanum, galerie Dorothéa Loehr, Francfort. Installation d'un institut pour le suicide qui à travers onze cellules offre onze modes de suicide différents
Réalise des *Multiplicateurs d'art*, tableaux-pièges où le support est un miroir.
Publication de *L'Optique Moderne* (avec en regard d'*Inutiles Notules* de F. Dufrêne), Édition Fluxus.

1964. *31 variations on a meal*, Allan Stone Gallery, New York : résultat des 31 services de table identiques transformés par l'intermédiaire des convives-invités. Sur le même principe : *Dîner de Wolfgang Hahn*, Cologne.

Pièges à mots, galerie J, Paris puis Cologne, Berlin, Milan : en collaboration avec Filliou, visualisation de proverbes, dictons...
Participe à *Figuration et Défiguration*, Musée des Beaux-Arts de Gand.

1965. Exposition de sa chambre d'hôtel, *Room 631*, Chelsea Hotel, New York.
Variations on a meal, galerie Ad Libitum, Anvers.
Restaurant de la City-Galerie, Zürich : *Aux fourneaux, le chef Spoerri « Daniel » de Paris*.

1966. *Tableaux-pièges. Pièges à mots. Ustensiles de cuisines. Multiplicateurs d'art*, galerie Bischofberger, Zürich.
Avec Arman, participe à l'exposition *Les objecteurs*, organisée par Alain Jouffroy, galerie J, Paris.

1966-1967. Séjour dans l'île de Symi en Grèce. S'étant délibérément éloigné du milieu artistique, s'intéresse aux « pouvoirs magiques de l'objet ».
Publication de la revue *Le petit colosse de Symi* (4 numéros) et série des *Conserves de magie à la noix*. Simultanément, il écrit deux « livres de cuisine » : *Dissertation sur le ou la keftèdes ou réflexions sur le prémâché ou comment parler boulettes et non art, avec une excursion imprévue sur le sang* (publié chez Robert Morel, Paris en 1970) et *Itinéraire gastronomique pour un couple sur une île grecque* (publié par Something Else Press, New York en 1970).

1968. *Conserves de magie à la noix, 25 objets archéologiques*, galerie Gunar de Düsseldorf : chaque objet est exposé avec un commentaire parallèle.
Ouvre à Düsseldorf le restaurant Spoerri. Sur les murs est collée toute sa correspondance depuis quinze ans.
Film *Résurrection* avec Tony Morgan.

1969. A la Kunsthalle de Bâle se joint à Théo Gerber pour le *Feilschmarkt* : c'est la valeur émotionnelle de l'objet et non sa valeur marchande qui est discutée, marchandée et finalement troquée.
Lors de l'exposition *Intermedia 69* à Heidelberg, Spoerri réalise une sorte de happening culinaire avec un goulash qu'il présente alternativement comme étant de cheval, puis de bœuf, puis de cheval aux convives finalement écœurés.

1970. Expose des objets en pâte de pain, galerie Al Vecchio Pastificio, Cavigliano.
Ouverture de la Eat-Art Gallery (1970-1971) au-dessus de son restaurant à Düsseldorf. Expositions personnelles de Lindner, Beuys, Ben, Niki de Saint-Phalle, Arman (accumulations de saucisses, crevettes, cuisses en gelée), César (compressions de bonbons pralinés) et avec Claude et François Lalanne, *Le dîner cannibale*. Une fois dévorées les œuvres que chacun a réalisées avec le matériau de son choix, il reste un certificat signé prouvant que l'œuvre d'art a existé.
Tient une rubrique régulière de gastronomie insolite dans l'hebdomadaire *Weltwoche*, Zurich.
Participe à *La Métamorphose de l'objet 1910-1970*, Musée Boymans Van Beuningen, Rotterdam.
A Milan, pour le X° anniversaire du Nouveau Réalisme prépare *La dernière Cène, Banquet funèbre du Nouveau Réalisme* et confectionne à la demande de Raymond Hains une *Tarte de Milan*, « Entremets de la palissade » recouvert de 1 000 bougies et découpé par son invité le professeur Caramel.
Participe à *Happening et Fluxus*, Kunstverein de Cologne et à *L'Objet dans l'art du XX° siècle*, Kunsthalle de Nurenberg.

1971. Réalise à Amsterdam une série de 13 tableaux où des souliers d'enfants sont pris dans des pièges à rats. Cette série s'intitule *Les dangers de la multiplication*.

Exposition personnelle, Kunsthalle de Hambourg et rétrospective : *Hommage à Isaac Feinstein*, Stedelijk Museum d'Amsterdam. A cette occasion est exposé un coin découpé du restaurant Spoerri de Düsseldorf.

Natures mortes, galerie Bischofberger, Zürich : « des cadavres de chat, d'oiseaux, de taupes sont mis en scène dans des œuvres où la mort joue un rôle primordial ».

Publie *Krims Krams Magie* chez Merlin, Hambourg.

Participe à the *Swiss Avant-Garde*, New York Cultural Center, New York.

1972. Rétrospective Daniel Spoerri, Centre National d'Art Contemporain, Paris. Dans le catalogue, réédition de *Topographie anecdotée du hasard*, *l'Optique moderne* et *Conserves de Magie à la noix*.

Exposition à l'Akademie der Kunst, Berlin.

1975. A la Biennale de Venise : *Le moulin des jouissances*.

Exposition personnelle galerie Bama, Paris.

Cuisine astro-gastronomique 12 étoiles. Le coin du restaurant Spoerri, galerie Multhipla, Milan.

1976. Lors de l'exposition Raymond Hains au C.N.A.C., Spoerri organise un banquet pour 350 personnes qui s'intitule *La faim du C.N.A.C.*, C.N.A.C., Paris.

1977. *Le Musée sentimental* et la *Boutique aberrante* dans le cadre du *Crocrodrome*, Centre Georges Pompidou, Paris.

Banquet *Hommage à Karl Marx*, Cologne.

Devient professeur à l'École d'Art et de Dessin de Cologne, classe Multimédia (jusqu'en 1982).

1978. Décors et création de costumes pour une mise en scène de Peter Zadek (*Wintermärchen*/La légende d'hiver). *Enquête sur un meurtre*, exposition galerie Handschin, Bâle. Le thème de la mort revient dans des compositions où il introduit des crânes humains.

1979. *Le Musée Sentimental de Cologne* avec la classe Multimédia à la Kunstverein de Cologne.

Participe à la Biennale de Sydney en Australie.

Réalise un film documentaire *Traumgarten der Kunst*/Jardin de rêve avec Marie-Louise Plessen.

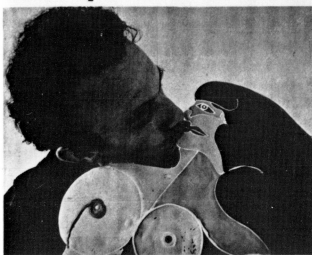

Affiche de l'exposition Richard Lindner, Eat-Art Gallery, 1970.

Spoerri dans le coin de son restaurant de Düsseldorf reconstitué au Stedelijk Museum d'Amsterdam, 1971. Photo André Morain.

Nouveau décor pour *Der Menschenfeid*/L'Ennemi de l'homme, mise en scène de Peter Zadek.

1980. *L'Attrape tripe,* Festival d'Eat-art à la Maison de la Culture de Châlon-sur-Saône, avec sa classe *Multimédia.*

Le *Manège du Petit Pierre,* film de Spoerri et M.-L. Plessen.

1981. Rétrospective galerie Krinzinger, Innsbruck. *Alice au pays des merveilles,* labyrinthe créé avec ses étudiants à Cologne.

Daniel Spoerri, catalogue anecdoté de 16 œuvres de l'artiste de 1960 à 1964 (Interview de l'artiste sur ses débuts), galerie Bonnier, Genève.

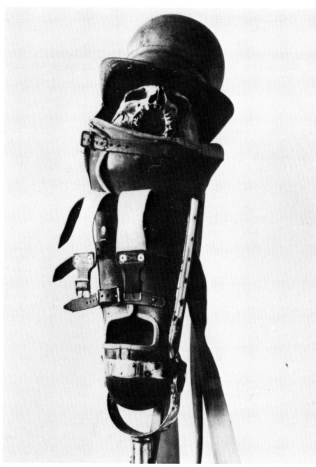

Raccourci, *1982-1983.*

1982. Exposition, galerie Beaubourg, Paris : *Tiroirs* et *Têtes* réalisées à partir de casques et de formes à chapeaux en bois sur des moulinettes.

1983. Organise dans une tranchée creusée à cet effet un banquet qui est ensuite enterré sur place, Centre Culturel du Montcel, Jouy-en-Josas.

Labyrinthes au Pavillon des Mirabellengertens à Salzbourg.

Spoerri est chargé de cours à Salzbourg et Brest. Il est nommé professeur à la Kunstakademie de Münich.

22 juillet, fête « astro-gastronomique » pour le 175e anniversaire de l'Académie des Beaux-Arts de Münich.

1984. Avec ses étudiants, organise un parcours gustatif à travers les ateliers de Münich.

A Rome, travaille le bronze, série *Les Guerriers de la nuit* : casques coiffant des hachoirs-moulinettes.

1985. *Daniel Spoerri,* Spendhaus, Reutlingen, R.F.A.

Guerrier de la nuit, *bronze, 1983. Photo Adam Rzepka.*

Jean TINGUELY

Né le 25 mai 1925 à Fribourg, Suisse.

1941-1945. Fréquente irrégulièrement l'Ecole des Beaux-Arts de Bâle tout en faisant un apprentissage de décorateur dans un grand magasin.

1945-1952. Peintures abstraites puis vers 1951 premiers essais avec des moteurs. Sculptures en fil de fer et sculptures comestibles en brins d'herbe.

1953. Arrivée à Paris avec Eva Aeppli.

1954. Première exposition personnelle, galerie Arnaud, Paris. Création des *Moulins à prière* constitués essentiellement de cercles métalliques de différents diamètres.
Participation à *Sculptures Automobiles*, Studio B 24, Milan.
Rencontre de Pontus Hulten.

1955. Série de reliefs : *Méta-Malevitch, Méta-Kandinsky* et début des *Métamatics*, Métarobots - sonores - machines - à - peindre. Au Salon des Réalités Nouvelles, expose son premier *Relief sonore* et se lie d'amitié avec Yves Klein. Participation à *Le mouvement*, galerie Denise René, Paris. Exposition personnelle à Stockholm (Samlaren Gallery) et participation à *Autour de Gonzales*, Kunsthalle de Berne puis Musée de la Chaux-de-Fonds.

1956-1957. Participe au *Festival d'Art d'Avant-Garde* organisé à la Cité Radieuse de Le Corbusier, Marseille et à de nombreuses expositions de groupe en France et à l'étranger. *Six reliefs sonores* pour un spectacle de Michel Magne au théâtre des Trois Baudets. Série des reliefs polychromes ou blancs et noirs dont le mouvement est assuré par de petits moteurs électriques. Exposition *Peintures cinétiques*, galerie Denise René à Paris et exposition personnelle galerie Edouard Loeb, l'année suivante (mai 1957).

1958. Exposition *Mes Etoiles, concert pour sept peintures*, galerie Iris Clert, Paris et en collaboration avec Yves Klein : *Vitesse pure et stabilité monochrome* exposition galerie Iris Clert, Paris (des disques bleus tournent à grande vitesse) et décoration de l'Opéra de Gelsenkirchen. Série de reliefs intitulés *l'œuf d'onocrotale* : décomposition et recomposition d'une forme ovoïde constituée de pièces métalliques blanches en mouvement.

1959. A l'occasion de son exposition galerie Schmela, Düsseldorf, il lance par avion 15 000 tracts-manifestes *Für Statik*, au-dessus de la ville. *Les Métamatics* (machines à dessiner), galerie Iris Clert, Paris. A la 1ʳᵉ Biennale de Paris, présente le *Métamatic n° 17*.

1960. Premier voyage à New York, Tinguely entre en contact avec Jasper Johns et Rauschenberg. Première exposition, Staempfli Gallery, New York (la deuxième a lieu en 1961).
Hommage à New York, cette machine-happening auto-destructice est présentée le 17 mars dans la cour du Museum of Modern Art. Avec la fanfare des Beaux-Arts : trajet-parade de ses sculptures de son atelier à la galerie des Quatre Saisons où il montre notamment des machines qui créent des sculptures. Participe à l'exposition organisée par Restany à la galerie Apollinaire de Milan et signe la déclaration constitutive du Nouveau Réalisme.
Exposition Kunsthalle de Berne avec Kricke et Luginbühl et au Museum Haus Lange de Krefeld où il montre sa première sculpture-fontaine. Début de la période « Junk » dans son œuvre. L'utilisation d'objets récupérés va culminer dans les *Baluba* (sculptures commencées en 1961).

1961. Participe à l'organisation de *Le Mouvement dans l'art* avec Spoerri, Pontus Hulten et W.H.B. Sandberg au Stedelijk Museum

d'Amsterdam puis Moderna Museet de Stockholm et Louisiana Museum, Humlebaek (*Narva*, la machine monstre et le fameux *Ballet des pauvres*). Juillet, concert avec John Cage, Jasper Johns etc.
Septembre, *Etude pour une fin du monde, monstre-sculpture - auto-destructrice - dynamique et agressive*, Louisiana Museum de Humlebaek.

1962. *Baloubas. Etude n° 2 pour une fin du monde*, filmée par la télévision N.B.C. dans le désert du Nevada. A New York, participe au happening de Merce Cunningham, *The construction of Boston*. Participe à l'organisation du *Dylaby*, Stedelijk Museum d'Amsterdam. Onze sculptures-fontaines, Kunsthalle de Baden.

1963. Construction de ses premières *Radio-sculptures,* elles sont exposées en novembre, Iolas Gallery, New York.
Rupture avec la période précédente : nouvelle série de machines peintes en noir. Le noir permet de faire disparaître « l'objet trouvé ». Commence *Eurêka*, machine géante (8 mètres de haut) pour l'Exposition Nationale de Lausanne (aujourd'hui installée à Zürich). Quitte l'impasse Ronsin pour Soisy-sur-Ecole (Essonne).

1964. Série de machines dans la lignée d'*Eurêka*, les *Chariots*. Expositions à Genève (galerie Iolas), Baden-Baden (Kunsthalle), Cologne (galerie Zwirner), Paris (galerie Iolas). Lors de cette dernière, l'ensemble de l'exposition intitulé *Meta* est acquis avec l'aide de Jean et Dominique de Ménil par J.J. Sweeney pour le Museum of Fine Arts de Houston, Texas. Participation à *Documenta III* (Kassel), à la Biennale de Venise, à *54-64 Peinture et sculpture d'une décade* (Tate Gallery, Londres) et à *Mouvement 2* (galerie Denise René, Paris).

1965. Tinguely commence la série des *grandes copulatrices* et des *masturbatrices,* sortes de véhicules se déplaçant rapidement sur un rail très court. Participe à *Le Merveilleux moderne,* Konsthall de Lund et à *Trois sculpteurs : César, Roël d'Haese, Tinguely* (Musée des Arts Décoratifs, Paris). A cette occasion, il fait pour tourner en dérision les modes artistiques new-yorkaises : *Pop, Hop and Op & Co n° 22* et un nouveau *Chariot* de 5 mètres de long. Représente la Suisse à la VIIIᵉ Biennale de Sao-Paulo au Brésil. Participe à *Lumière, mouvement et optique,* Palais des Beaux-arts, Bruxelles et à *Lumière et mouvement,* Kunsthalle de Berne. Exposition *2 sculpteurs cinétiques : Schöffer et Tinguely* au Jewish Museum de New York puis dans diverses villes des Etats-Unis. *The Tinguely Machine Mystery,* pièce de Kenneth Koch jouée au Jewish Museum.

1966. A Stockholm, au Moderna Museet, avec Niki de Saint-Phalle et Ultvedt réalisation de la *Hon,* gigantesque « nana » de 23 mètres de long. En pénétrant à l'intérieur on découvre qu'elle est peuplée de ses *machines* où sont aménagés bar, exposition de faux tableaux, mini-cinéma ; effets visuels et acoustiques. L'ensemble est démoli après l'exposition. Réalisation d'un rideau de ballet pour l'*Eloge de la folie* de Roland Petit : de grandes roues en ombre chinoise sont actionnées par un danseur-cycliste.

1967. Début des *Rotozazas,* machines qui requièrent la participation des spectateurs en les invitant à jouer avec elles, par exemple au ballon. Présentation de *Rotozaza I,* galerie Alexandre Iolas, Paris. Réalisation du *Paradis fantastique* pour l'Exposition Universelle de Montréal. Sur le toit du pavillon français, les noires machines de Tinguely affrontent dans un combat mi-érotique mi-ludique les *Nanas* bariolées de Niki de Saint-Phalle. Ces œuvres sont aujourd'hui conservées dans le jardin du Moderna Museet de Stockholm. En même temps, au pavillon suisse, présentation de *Requiem pour une feuille morte,* œuvre de 3,50 sur 11,50

*Rideau de ballet pour **Eloge de la folie,** Théâtre des Champs-Elysées, 10 mars 1966.
Photo Harry Shunk.*

*Tinguely jouant avec **Rotozaza I,** 1967. Photo André Morain.*

mètres constituée de grandes roues animées de mouvements réguliers et silencieux qui évoquent le mécanisme des anciennes horloges de cathédrales. Octobre, construit *Rotozaza II* à New York (Loeb Student Center) pendant un congrès de futurologie : la machine broie des bouteilles de bière avec un marteau. Publication de l'article « Kunst ist Revolte » dans le journal suisse *National-Zeitung*.

1968-1969. Rétrospective *Tinguely 1960-1968*, Museum of Contemporary Art, Chicago. Exposition personnelle de dessins, Stedelijk Museum d'Amsterdam. Publication dans *Chroniques de l'Art Vivant* d'un appel d'offres pour la réalisation du *Gigantoleum*, projet en commun avec Luginbühl de « station culturelle géante » combinant technologie et fête foraine traditionnelle. Construction et exposition de *Rotozaza III* à Berne dans le magasin de Victor Loeb : la machine casse des assiettes. *Tinguely, machines 1958-60-1963* galerie Bischofberger, Zurich.

1970. En marge du milieu commercial artistique, commence à Milly-la-Forêt, *La Tête*. Il s'agit d'une œuvre d'art monumentale, sorte d'environnement labyrinthique réalisé en collaboration avec d'autres artistes amis : Luginbühl, Arman, Kienholz, Spoerri, Aeppli, Rivers, Soto, etc... Dans son principe même, il s'agit d'une œuvre inachevée susceptible d'être indéfiniment modifiée par les ajouts des uns ou des autres. Pour le Xe anniversaire du Nouveau Réalisme à Milan, il construit une machine auto-destructive, *La Vittoria*, un phallus doré de 8 mètres de haut exposé devant la cathédrale de Milan. *Tinguely, machines 60-62, Balubas*, galerie Iolas, Milan et *Tinguely, sculpture 1960-1962*, Galleria L'Attico, Rome.

1971. *Machines de Tinguely*, rétrospective au Centre National d'Art Contemporain, Paris.

1972-1973. Série des *Canons*, machines explosives réalisées avec Luginbühl. Grande rétrospective Tinguely, Kunsthalle de Bâle, puis Hanovre, Moderna Museet de Stockholm, Louisiana Museum d'Humlebaek (1973) et Stedelijk d'Amsterdam. Commence *Chaos I*, sculpture monumentale pour Columbus, Indiana, achevée en 1975.

1975. *Jean Tinguely, Reliefs et sculptures 1954-1965*, galerie Bonnier, Genève et galerie Ziegler, Zürich.

1976. Musée d'Art et d'Histoire, Genève : *Exposition de dessins et de gravures autour d'une machine. Débricollages*, galerie Bischofberger Zürich : les visiteurs sont invités à réaliser leurs propres œuvres.

1977. Construit le *Crocrodrome*, monstre géant pour enfants dans le hall d'entrée du Centre Georges Pompidou, Paris. Fontaines pour la ville de Bâle. Exposition des œuvres de Tinguely au Musée de Bâle. Commence *Méta-Harmonie I*, tryptique musical.

La Tête, Milly-la-Forêt. Photo André Morain.

1978. *Plateau Agriculture :* série de machines composées avec du matériel industriel agricole dont chacun a sa fonction propre. Série de reliefs colorés avec moteurs élecriques apparents : *Relief rouge, Relief bleu...* Rétrospective à Duisburg (Wilhelm-Lehmbruck-Museum).

1979. Construction de *Klamauk :* relief sonore monté sur un tracteur et de *Méta-Harmonie II,* grand relief musical montré galerie Bischofberger, Zürich. C'est la plus grande sculpture sonore de Tinguely. Il y a intégré cloches, piano, orgue, cymbales, etc.

1980-1981. Exposition de *Cenodoxus Isenheimer Flügelaltar et 13 sculptures lumières,* galerie Bischofberger, Zürich. Inspiré par le *Rétable d'Isenheim* de Grünewald, Tinguely a construit un gigantesque autel burlesque. La partie centrale du « triptyque » est surmontée d'ampoules formant le couvre-chef d'un crâne de taureau. Cet « autel » est muni d'ampoules apparentes permettant à la sculpture de devenir lumineuse. *Machines 81,* exposition réalisée dans le cadre des activités Renault, Centre international de la création artistique de Sénanque. En collaboration avec Niki de Saint-Phalle, Fontaine Stravinsky, place Saint-Merri, devant le Centre Georges Pompidou.

1982. A l'exposition *Tinguely 1960-1980,* Stedelijk Museum, Amsterdam, *Le ballet des pauvres* est remonté. Rétrospective *Tinguely,* Tate Gallery, Londres puis Palais des Beaux-Arts, Bruxelles et Musée d'Art et d'Histoire, Genève. Vit en Suisse et en France.

1985. Invité à la Nouvelle Biennale de Paris, Parc de la Villette, présentation du *Pit-Stop* réalisé avec Renault Art et Industrie. A partir du matériel automobile de course le plus sophistiqué il fait une sorte de monstre à la carrosserie fragmentée et au moteur éclaté dont les yeux réfractent des images sur les murs alentour. Ces images sont des séquences de télévision montrant le « Pit-Stop », le ravitaillement d'Alain Prost au Grand Prix d'Autriche.

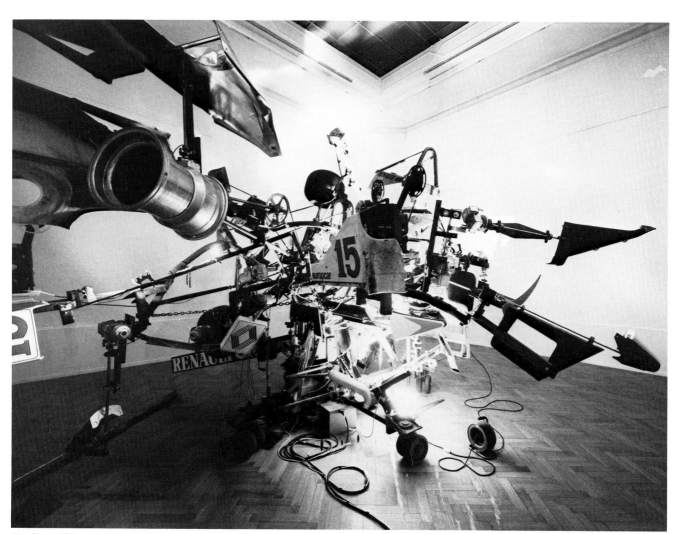

Pit-Stop. *Commande de Renault Art et Industrie, 1985. Photo Leonardo Bezzola.*

VILLEGLÉ *(Jacques Mahé de la Villeglé)*
Né à Quimper le 27 mars 1926.

1944. Elève de la section peinture de l'Ecole des Beaux-Arts de Rennes, il se lie d'amitié avec Raymond Hains.

1947. En janvier il s'inscrit en architecture à l'École des Beaux-Arts de Nantes et en juillet-août commence à Saint-Malo à collecter des « objets trouvés » (fils d'acier, déchets du Mur de l'Atlantique, etc.).

1949. Abandonne ses études d'architecture et vient s'installer à Paris en décembre.

1950-1953. Nombreux travaux en collaboration avec Hains : arrachage d'affiches lacérées, mise au point des *lettres éclatées,* réalisation de divers films dont *Pénélope, Loi du 29 juillet 1881* et *Défense d'afficher,* parution d'*Hépérile éclaté* à l'occasion d'un vernissage d'œuvres de Camille Bryen chez Colette Allendy.

1954. Rencontre de François Dufrêne dont avec Hains ils suivaient depuis huit ans les publications et les récitals.

1957. Première rétrospective d'affiches lacérées chez Colette Allendy sous le titre *Loi du 29 juillet 1881* (avec Hains).

1958. Publication de : « Des Réalités Collectives » dans *Grâmmes* n° 2, c'est la première mise au point de Villeglé sur la lacération anonyme. Il la distingue du collage.

1959. Mai, exposition personnelle *Le lacéré anonyme* dans l'atelier de François Dufrêne. Octobre, participation à la première Biennale des Jeunes, Paris.

1960. En février, il expose une première fois au salon Comparaisons dans la salle dont est chargé Dufrêne, puis en avril avec les Nouveaux Réalistes galerie Apollinaire à Milan. En octobre, il signe la déclaration constitutive du Nouveau Réalisme et désormais participe à toutes les manifestations du groupe.

1961-1964. Chargé d'une salle au salon Comparaisons jusqu'en 1968. En plus des Nouveaux Réalistes, Villeglé invitera des jeunes *pop* américains et européens, des représentants de *l'Arte povera,* de *l'École de Nice,* le *Mec-Art, Poulet 20 NF, les Objecteurs.* Pour le salon d'avril 1968, il propose une salle *Hippie* dans laquelle ne serait exposée aucune œuvre plastique. Pendant que les participants y feraient leurs actions, quelques projections de diapositives rappelleraient la destination picturale du lieu.
Participation à *The Art of Assemblage,* M.O.M.A., New York (puis Dallas et San Francisco), et *Cinquante ans de collage,* Musée d'Art et d'Industrie, Saint-Étienne (puis Musée des Arts Décoratifs, Paris). Expositions collectives consacrées aux seules affiches lacérées : galerie Apollinaire, Milan, galerie Arturo Schwarz, Milan et Gres Gallery, Chicago. Expositions personnelles : Galerie J, Paris et Ad Libitum, Anvers. Publication de « Le Choix », *Temps mêlés n° 71-73,* Paris, Vervier.

1965. Mai, début d'une série thématique d'affiches lacérées annonçant le bal de l'École Polytechnique, signées Georges Mathieu. Contrairement à son habitude, Villeglé ne les inventorie pas en fonction de leur lieu d'origine mais l'ensemble est intitulé *De Mathieu à Mahé :* Mahé étant le patronyme de Villeglé et le synonyme breton de Mathieu. Août : commence la rédaction de *Lacéré anonyme* et devient l'historien officiel du courant du même nom. Intérêt pour Léo Malet, ce surréaliste qui a, au cours des années trente, imaginé une certaine forme de décollage dirigé et pour Johannes Baader, l'artiste dadaïste ami de Raoul Hausmann. Les chapitres 10 et 11 de *Lacéré anonyme* leur sont consacrés.

Rue de la Perle, mars 1974, *affiches lacérées. Photo Fabienne Villeglé.*

1965-1966. *Décollagen* Museum Haus Lange, Krefeld et galerie Ad Libitum (Anvers).

1967. Février, *Villeglé présente de Mathieu à Mahé* exposition et catalogue, galerie Jacqueline Ranson, Paris. *L'anonyme du dripping, rue du Temple, 13 avril 1967 :* affiches politiques non seulement lacérées mais aussi maculées de peinture.

1969. A l'occasion de la visite rendue par Nixon à de Gaulle, il voit sur le mur d'un couloir de métro les trois flèches de l'ancien parti socialiste, la croix gammée nazie et la croix celtique inscrits dans les O des mouvements *Jeune Nation, Ordre Nouveau...* ensuite il constate la généralisation de cette graphie emblématique avec les A encerclés, les O coupés en quatre, les S striés etc. Frappé par l'impact politique de cette écriture « sauvage » Villeglé, *en bon ravisseur,* va alors spéculer sur ce qu'il nomme *Une nouvelle guérilla des signes.* Son premier graphisme socio-politique au feutre est exposé au théâtre du Vieux Colombier lors de la manifestation *Liberté de parole* organisée par J.-J. Lebel.

1970. Début de l'établissement du catalogue raisonné de son œuvre sélective. Participation au dixième anniversaire du Nouveau Réalisme à Paris et à Milan. « Le flâneur aux palissades de la manifestation spontanée », *V.H. 101 n° 3, Paris.*

1971-1972. Rétrospective de son œuvre au Moderna Museet (Stockholm) et au Museum Haus Lange (Krefeld).

Jusqu'en 1980 : Trois expositions personnelles à Paris, deux à Cologne, une à Düsseldorf, Zürich, Vaduz, Milan, Saint-Paul-de-Vence, Morlaix, Saint-Brieuc.

1974. Commence le film *Un mythe dans la ville* dans une séquence duquel il transpose en dessin animé des idéogrammes politiques, son de Bernard Heidsieck, 24' couleurs 16 mm.

1976. Juin-juillet, participation à *Beautés volées* au Musée d'Art et d'Industrie de Saint-Etienne.

1977. Publication de *Lacéré Anonyme* par le Centre Georges Pompidou. Des extraits sont préalablement parus dans la revue *Apeiros* n°s 6 et 8 (1974), dans une collection du *Daily-Bul,* les *Poquettes volantes* (1974), dans *A-Beta* n° 2 (1975).

1981. Janvier, *Dufrêne et Villeglé, affiches lacérées,* Noroit-Arras. Mars-avril, *Commémoration de la loi du 29 juillet 1881* avec Dufrêne, Hains et Rotella, galerie Mathias Fels, Paris. Texte du catalogue rédigé par Villeglé.

1982. *Les Présidentielles 1981 vues par Villeglé,* Centre d'art contemporain J. et J. Donguy, Paris.

Interventions sur des emplacements réservés à Rennes et à Paris avec l'association Art prospect : *Guerilla des Ecritures.*

Participation à l'exposition *Livres d'artistes, Livres objets* galerie N.R.A. et Centre Pompidou, Paris (puis Maison de la Culture de Saint-Etienne et Centre Lainé, Bordeaux).

1984. Participation à l'exposition *Affiches,* Musée Municipal des Beaux-Arts, Valence.

1985. A Rennes, pour commémorer le centenaire des premiers écrits de Jarry deux expositions : *Le retour de l'Hourloupe,* Maison de la Culture : « Jean d'Ubu/ffet interrompant le cycle de l'Hourloupe signala la présentation de ces derniers tableaux par une affiche collée sur un parcours parisien est-ouest et Villeglé les décolla une fois que celles-ci furent heureusement agressées » (extrait du texte rédigé par Villeglé à l'occasion de cette exposition) et *Les affichistes selon Villeglé,* galerie Art et Essai de l'Université de Rennes 2.

Exposition personnelle Espace Claudine Bréguet, Paris.

Rue du Grenier Saint-Lazare, 18 février 1975, *affiches lacérées.*
Photo Fabienne Villeglé.

Place du Palais, Paris, juin 1982. *Photo Dominique Venière.*

Boulevard Saint-Jacques, 10 février 1984, *affiches lacérées. Photo Fabienne Villeglé.*

Textes 1952-1963

1952

Raymond HAINS
Quand la photographie devient l'objet

La tendance à la reproduction fidèle du réel, que manifestent les photographes depuis une trentaine d'années, ne doit pas nous faire perdre de vue l'intérêt que présente encore la démarche des « picturalistes ». Au début du siècle, sous prétexte d'intervenir, ou d'interpréter, ces derniers imitèrent l'eau-forte, la sanguine et le fusain... Dans ce sens, ils seraient plutôt un exemple à ne pas suivre : mais lorsqu'ils écrivaient : « nous désirons produire, au lieu de reproduire », une telle aspiration me semble parfaitement légitime.

Les photographes d'aujourd'hui savent qu'il est possible d'atteindre à une rare distinction par la composition, l'angle de vue, l'éclairage, la manière de tirer une épreuve et même par le calibrage. S'ils n'emploient plus les procédés comme le bromoïl ou la gomme bichromatée qui ne donnent pas aux épreuves un caractère spécifiquement photographique, s'ils aiment les images nettes, ils interprètent autant que les picturalistes... et, malgré le souci du « vrai », certains n'hésitent pas à employer des effets nouveaux, comme la solarisation — dans ce cas il s'agit de rechercher le vrai dans l'élément graphique.

Enfin tandis que certains s'ingénient à tirer parti du spectacle le plus familier pour nous montrer ce que personne ne savait voir, les photographies scientifiques, en plus de leur intérêt documentaire, sont parfois aussi belles qu'étonnantes. Nous ne cherchons pas toujours à savoir ce qu'elles représentent. Il nous arrive de les apprécier d'un point de vue strictement pictural. Plus le sujet est simple, plus l'élément graphique nous attire.

Le photographe peut considérer le sujet comme un prétexte à distribuer des ombres et des lumières, ou des couleurs sur la surface sensible.

Après avoir recherché une sorte de dépaysement surréaliste, soit en partant d'objets répétés par des jeux de miroirs ou par des prismes, soit en faisant des surimpressions — toujours par des moyens spécifiquement photographiques — j'ai été amené à ce qu'il est convenu d'appeler l'« abstraction » — c'est-à-dire : à faire abstraction du sujet.

Alors, il ne s'agit ni d'interpréter, ni de suggérer : la photographie est une invention d'ordre purement graphique : au lieu de transcrire les aspects d'une réalité extérieure, elle se présente en tant qu'objet. C'est une autre réalité.

Déjà la tôle chromée sur laquelle se glacent les épreuves incite à découvrir de nouvelles apparences aux choses... il est possible de pousser la déformation jusqu'à ce qu'on ne puisse plus discerner d'objet. La tôle chromée et les objets deviennent des accessoires de l'appareil, qui est alors considéré comme un instrument à inventer des formes.

Un tel procédé s'apparente aux photogrammes que l'on appelle parfois « photographies abstraites ». Dans ce cas on n'emploie plus d'appareil, mais en disposant des objets sur la feuille de papier sensible, et en dirigeant la lumière , on obtient des formes qui sont « dépossédées de la signification de l'objet ».

Pour faire mes photographies les plus récentes, j'ai disposé devant l'objectif une ou plusieurs trames de verres cannelés qui sont situées à des distances variables, et orientées suivant les effets recherchés. En remplaçant le sujet par des caches, je puis distribuer sur la plaque sensible des lignes floues et des lignes nettes. Les lignes floues donnent un certain modelé, qui dépend de l'ouverture du diaphragme. On peut ainsi organiser l'espace par des rapports de lignes et de valeurs ou même de couleurs. Ce dispositif s'adapte également à une agrandisseuse ou à une caméra.

Une telle manière de concevoir la photographie implique une variété de moyens n'ayant d'autres limites que les progrès de l'industrie et nos facultés inventives.

On connaissait la solarisation mais on jetait les plaques à la poubelle jusqu'au jour où quelqu'un a eu l'idée d'en tirer parti.

Les picturalistes voulaient des images floues... ils découvrirent un moyen très économique puisqu'ils remplacèrent l'objectif par le sténopé, c'est-à-dire par un simple trou !

Maintenant il me semble utile de faire quelques remarques :

Ce n'est pas par dédain de la nature que certains peintres d'aujourd'hui après l'avoir transposée ou déformée ne composent plus avec elle. D'ailleurs une forme inventée n'est pas moins naturelle qu'une forme imitée, ou bien faudrait-il dire de la musique, puisqu'elle n'imite rien — sauf dans des cas exceptionnels — qu'elle n'est pas naturelle ?...

« Si la peinture moderne a pris une forme aussi étrange, ignorée des siècles précédents, remarque Anatole Jakowsky, c'est que le monde a retrouvé une autre image grâce à la lentille ».

Sans doute le XIXᵉ siècle a découvert la photographie, mais il a redécouvert également les arts Egyptien, Byzantin, Roman, Gothique... C'est-à-dire après une rupture de quelques siècles la tradition de la peinture à deux dimensions, que l'on avait perdue depuis la Renaissance. La plaque sensible n'a fait qu'aider les peintres à se dégager du trompe-l'œil... Avec la Renaissance commençait la préhistoire de la photographie.

Les peintres, dans le souci qu'ils avaient alors de donner l'illusion de la profondeur, employaient quelquefois la chambre noire, et, lorsqu'ils ne l'employaient pas, la perspective en faisait fonction. Léonard de Vinci, en s'intéressant à la chambre noire, participait lui-même à cette aventure qui devait aboutir à la « table servie » dont Niepce, en 1822, avait fixé l'image par l'action de la lumière, mais aussi aux moustaches que Marcel Duchamp colla un jour à la Joconde ! La « table servie » annonçait à sa manière les tableaux de Renoir, de Van Gogh, de Matisse, de Braque, de Picasso... et ce que l'on pourrait appeler : la Table rase des abstraits.

La photographie n'a pas seulement contribué à bouleverser notre notion des arts plastiques : « Elle engage, disait Paul Valéry, à cesser de vouloir décrire ce qui peut de soi-même s'inscrire... au moment où la photographie apparut, le genre descriptif menaçait d'envahir les lettres. Enfin Daguerre vint !... » Les surréalistes, en se servant de l'écriture automatique, se déclaraient de « modestes appareils enregistreurs ».

Dans une préface qui date de 1931, Philippe Soupault prétend que la photographie « peut être un motif au service de la peinture ou même de la littérature, mais il convient par contre de ne l'isoler ni de son sujet ni de son utilité ». Avant lui Baudelaire avait parlé aussi de « l'humble servante des Sciences et des Arts... la très humble servante comme l'imprimerie et la sténographie ».

Rendre témoignage sur les aspects les plus variés d'un univers, que nous ne cessons de découvrir — et que l'on dit « en expansion » — n'empêche pas les photographes d'entendre le mot réalisme dans deux sens. Ils peuvent s'efforcer d'introduire dans la vie ce qu'Apollinaire appelait des réalités nouvelles. En s'ajoutant à des techniques plus anciennes comme la peinture ou la sculpture, la photographie ne manque pas d'offrir des ressources imprévues.

Des techniciens de la radio et des musiciens s'efforcent aussi de composer une musique « mécanisée ». Ainsi les appareils destinés d'abord à enregistrer les images et les sons, servent aujourd'hui à découvrir d'autres images et d'autres sons.

(Photo Almanach Prisma n° 5, Editions Prisma, Paris, 1952)

1953

HAINS-VILLEGLE
L'intrusion du verre cannelé dans la poésie

Nous n'avons pas découvert les ultra-lettres. Nous nous découvrons plutôt en elles.

L'écriture n'a pas attendu notre intervention pour éclater. Il y a des ultra-lettres à l'état sauvage.

Notre mérite — ou notre astuce — c'est d'avoir vu des ultra-lettres, là où nous étions habitués à voir des lettres déformées.

Enfin nous nous servons de trames de verres cannelés qui dépossèdent les écrits de leur signification originelle. Par une démarche analogue, il est possible de faire éclater la parole en ultra-mots qu'aucune bouche humaine ne saurait dire.

Le verre cannelé nous semble l'un des plus sûrs moyens de s'écarter de la légèreté poétique.

Hépérile éclaté est un livre bouc-émissaire.

(Introduction à Hépérile éclaté, *Paris, février-mai 1953)*

1958

VILLEGLE
Des réalités collectives

En octobre 1957, au sujet de l'exposition des affiches lacérées chez Colette Allendy, nous lisons qu'avec Raymond Hains et Jacques de la Villeglé on revient paradoxalement à une conception primitive du papier collé.

Que fut le collage : une invention cubiste qui consistait à colorer, d'un paquet de gauloises bleues ou de scaferlati gris, un fusain. Ironie pour l'amateur de peinture qui regrettait la reproduction de l'objet.

Schwitters, dédaignant les hétéroclites outils de l'homme artiste peintre, choisit les moyens de représentation de notre quotidienne civilité, tel le ticket de bus. L'innovation du cubisme et de Schwitters fut de transformer en moyen d'expression picturale n'importe quel élément de notre univers journalier, dont font partie intégrante les affiches lacérées.

Le paquet de gauloises, le ticket d'autobus n'étaient rien d'autre qu'un élément de peinture comme le tube de laque garance Bourgeois ; il fallait que consciemment et fortuitement un peintre provoque leur rencontre avec d'autres « réalités distantes sur un plan non-convenant » pour qu'ils prennent toute leur valeur, qu'ils fassent oublier leur signification fonctionnelle primaire.

Estimant la non-préméditation créateur d'art digne des musées, considérant comme résultat positif la lacération du passant, avec Hains nous tenions au début, vis-à-vis de l'acte de peindre ou de coller, nos distances. Nous n'avons exposé notre collection d'affiches lacérées avec ou sans cadre que pour les préserver de la destruction ; parfois découragés par la timidité de certaines déchirures, il nous était impossible de ne pas donner notre coup de pouce, ni même, en temps d'asthénie politique, de refouler notre goût de produire et de créer des faux.

Des faux ? Non. Nous rappellerons une discussion entre Arp et Mondrian, ce dernier opposant l'art artificiel à la nature naturelle.

Nous pensons, et Arp sans doute ne nous contredira pas, que le geste de l'impulsif de la rue ne s'oppose pas à notre goût volontaire de l'action. Absolument, et nous sommes sûrs de nous entendre avec ce Vierge renversé, l'œuvre lacérée devrait, telles les œuvres concrètes, demeurer anonyme.

La lacération implique le refus de toute échelle de valeur entre l'objet créé et le ready-made, mais nous tenons le choix en grande estime. On nous reprochera toujours d'en laisser et des meilleurs sur les palissades, car ce qui intéresse l'escargot peut très bien nous échapper.

Avec Schwitters le collage était à son apogée. Les raffineurs apportèrent Max Ernst l'anecdote découpée ; Hans Arp le papier froissé, plié, noué, et la photo déchirée. En 1947, avec l'album Jazz, Matisse, la trace du ciseau et une expérience de peintre longue de soixante ans.

Pendant ce temps, les laborieux voulurent enferrer le collage comme un utile relai à la formation et à l'acquisition des vocabulaires plastiques individuels, tels ces professeurs d'une académie qui apprennent à leurs disciples à composer rapidement un tableau au moyen de papiers de couleur. Décontracté, comme un Talbo, le lacérateur *dégagea* hors de ces exercices.

Comme l'écriture avec l'aventure d'Hépérile qui officiellement *éclata* en 1953, au domaine de l'heureusement illisible, antidote contre toute propagande, l'affiche fut introduite ; la vie — en accord avec Mondrian — manque d'équilibre. Non pas de beauté : VOIR la lacération, activité abhumaine.

Certains collectionneurs ayant encore le préjugé de l'huile et du tout fait main, refusent à nos œuvres la personnalité picturale. Peut-être voudraient-ils nous voir reproduire les palissades à la brosse ? arguant parce qu'il grommelait devant des murs craquelés : « Jamais ma peinture n'arrivera à ça », qu'une des ambitions de Wols fut de les copier ; pour nous, il ne peut y avoir de confusion entre ses toiles et ce qu'il voyait sur les murs-excitants, suivant la tradition à lui transmise par Léonard de Vinci.

La lacération vient au bout et à bout de la peinture-transposition. Aux collages qui prirent naissance à la force du jeu de plusieurs attitudes possibles, les affiches lacérées, manifestation spontanée, opposent — les intermédiaires s'étant vidés d'eux-mêmes — leur vivacité immédiate qu'elles nous révèlent depuis dix ans. Accusant le coup, nous sommes partis à la cueillette de ces objets « autres ». Les préservant de tout apport impur. Comme nous l'a appris Camille Bryen : « l'antipeinture devient peinture actuelle, renouant même dans sa liberté avec des raffinements et des styles ». Autre danger.

Nous ne cernerons pas plus avant cette activité, non pas à cause de l'insuffisance des mots, tout au contraire, la définition n'est-elle pas un de leurs derniers bastions ? Mais nous qui n'avons pas encore décollé de cette tension grapique à égale distance, semble-t-il, de la non-signification et des perspectives hypermnésiques, nous n'avons nulle envie de nous embastiller. Pourtant, il y aura toujours un 14 juillet. Ainsi la définition du dictionnaire (Hazan 1957) de Michel Seuphor : « Une peinture doit être appelée abstraite lorsque nous ne pouvons rien reconnaître en elle de la réalité objective qui constitue le milieu normal de notre vie », laisse le champ libre à notre lacération étiquetée avec légèreté abstraite.

(Grâmmes, n° 2, *Paris, 1958*)

1958, 16 Avril

Yves KLEIN
Ma position dans le combat entre la ligne et la couleur

L'art de peindre consiste, pour ma part, à rendre la liberté à l'état primordial de la matière. Un tableau ordinaire, comme on le comprend dans sa matière générale, est pour moi comme une fenêtre de prison, dont les lignes, les contours, les formes et la composition sont déterminés par les barreaux. Pour moi, les lignes concrétisent notre état de mortels, notre vie affective, notre raisonnement, jusqu'à notre spiritualité. Elles sont nos limites psychologiques, notre passé historique, notre éducation, notre squelette ; elles sont nos faiblesses et nos désirs, nos facultés et nos artifices.

La couleur par contre est de mesure naturelle et humaine, elle baigne dans une sensibilité cosmique. La sensibilité d'un peintre n'est pas encombrée de coins et recoins mystérieux. Contraire-ment à ce que la ligne tendrait à nous faire croire, elle est comme l'humidité dans l'air ; la couleur, c'est la sensibilité devenue matière, la matière dans son état primordial.

Je ne peux plus approuver un tableau « lisible », mes yeux sont faits non pour lire un tableau, mais pour le voir. La peinture est couleur, et Van Gogh s'écria : « Je voudrais être libéré de je ne sais quelle prison ». Je crois qu'inconsciemment, il souffrait de voir la couleur découpée par la ligne et ses conséquences.

Les couleurs seules habitent l'espace, alors que la ligne ne fait que voyager au travers et le sillonner. La ligne traverse l'infini, tandis que la couleur est. Par la couleur, j'éprouve une identifica-tion totale avec l'espace ; je suis réellement libre.

Pendant ma deuxième exposition parisienne chez Colette Allendy, j'ai montré en 1956 un choix de propositions de couleurs et de formats différents. Ce que j'attendais du grand public, c'était cette « Minute de Vérité » dont parlait Pierre Restany dans son texte lors de mon exposition. En prenant la liberté de faire « table rase » de toute cette couche d'impureté extérieure, et en essayant d'atteindre ce degré de contemplation où la couleur devient pleine et pure sensibilité. Malheureusement, il s'avéra au cours des manifestations qui eurent lieu à cette occasion, que beaucoup de spectateurs étaient esclaves de leur manière de voir habituelle, et qu'ils étaient beaucoup plus sensibles à la relation des propositions entre elles et se recréaient les éléments décoratifs et architecturaux d'un motif à plusieurs couleurs.

Ceci m'incita à aller encore plus avant dans mes recherches et à faire en janvier 1957, cette fois à Milan dans la Galerie Apollinaire, une exposition dédiée à ce que j'osais appeler ma « Période Bleue » (il est vrai que depuis plus d'un an je m'étais consacré à la recherche de l'expression la plus parfaite du bleu). Cette exposition comptait dix tableaux d'un ultramarin sombre, tous rigoureusement identiques en ton, valeur, proportion et grandeur. Les controverses passionnées qui en résultèrent, et la profonde émotion qu'elle provoqua chez les personnes de bonne volonté, prêtes à se soustraire à la sclérose des anciennes conceptions et des règles ancrées, mirent le doigt sur l'impor-tance du phénomène. Malgré toutes les erreurs, les naïvetés et les utopies dans lesquelles je vis, je suis heureux d'être à la recherche d'un problème de si grande actualité. Il nous faut — et ceci n'est pas une exagération — penser que nous vivons à l'ère atomique, où tout ce qui est matériel et physique peut disparaître du jour au lendemain pour céder la place à tout ce que nous pouvons imaginer de plus abstrait. Je crois que pour le peintre, il existe une matière sensible et colorée qui est intangible.

Je considère donc que la couleur même, dans son aspect physique, en arrive à limiter et asservir mon effort vers la création d'états artistiques sensibles.

Pour atteindre cet « indéfinissable » de Delacroix qui est l'essence même de la peinture, je me suis mis à la « spécialisa-tion » de l'espace, qui est mon ultime façon de traiter la couleur. Il ne s'agit plus de voir la couleur, mais de la « percevoir ».

Ces derniers temps, le travail de la couleur m'a conduit malgré moi à rechercher peu à peu la réalisation de la matière avec un soutien (de l'observateur - du traducteur) et j'ai décidé de mettre fin au conflit ; à présent mes tableaux sont invisibles et ce sont eux que je voudrais montrer dans ma prochaine exposition parisienne chez Iris Clert, d'une façon claire et positive.

(Zero 1, Düsseldorf, avril 1958)

1958, Décembre

Yves KLEIN - Werner RUHNAU
Projet pour une architecture de l'air

L'architecture de l'air n'a toujours été dans notre esprit qu'un stade transitoire mais aujourd'hui nous la présentons comme un moyen pour conditionner l'air d'espaces géographiques privilégiés. L'illustration montre une proposition pour protéger une ville au moyen d'un toit d'air flottant. Une voie express centrale menant à l'aéroport divise la ville en une zone résidentielle et une zone d'activité industrielle et mécanique.

Le toit d'air règle la température et en même temps protège cette aire privilégiée.

Surface au sol en verre transparent.

Zone souterraine de service (cuisines, salles de bain, stockage et utilités).

Le principe du secret, toujours en cours dans notre monde, a disparu de cette ville qui est baignée de lumière et complètement ouverte vers l'extérieur.

Une nouvelle atmosphère d'intimité humaine prévaut.

Les habitants vivent nus.

La primitive structure patriarcale de la famille n'existe plus.

La communauté est parfaite, libre, individualiste, impersonnelle.

La principale activité des habitants : le loisir.

Les obstacles d'abord considérés dans l'architecture comme d'ennuyeuses nécessités deviennent du luxe :

Murs ignifugés
Murs étanches à l'eau
Formes aéroportées
Fontaines de feu
Fontaines d'eau
Piscines
Matelas d'air, sièges d'air...

Le vrai but de l'architecture immatérielle : conditionner l'air de vastes espaces géographiques résidentiels.

Plutôt que d'être accompli par des miracles technologiques, ce contrôle de la température deviendra une réalité quand la sensibilité humaine se sera fondue dans le cosmos. La théorie de l'immatérialisation nie l'esprit de science-fiction.

La sensibilité nouvellement développée, « une nouvelle dimension humaine, guidée par l'esprit », transformera dans le futur les conditions climatiques et spirituelles sur la surface de notre terre.

Vouloir signifie voir en avant. Est liée à ce souhait la détermination d'expérimenter ce qu'on voit en avant et le miracle se produit dans tous les domaines de la nature.

Ben Gurion : « Celui qui ne croit pas aux miracles n'est pas un réaliste ».

(Zero 3, Düsseldorf, juillet 1961. Traduit de l'anglais)

1959, Mars

Jean TINGUELY
Für Statik

Tout bouge, il n'y a pas d'immobilité. Ne vous laissez pas terroriser par des notions de temps périmées. Laissez tomber les minutes, les secondes et les heures. Arrêtez de résister à la transformation. SOYEZ DANS LE TEMPS, SOYEZ STABLE, SOYEZ STABLE AVEC LE MOUVEMENT. Pour une stabilité dans le PRESENT. Résistez à la faiblesse apeurée de stopper le mouvement, de pétrifier les instants et de tuer le vivant. Arrêtez-vous de toujours réaffirmer des « valeurs » qui s'écroulent quand même. Soyez libre, vivez et arrêtez-vous de « peindre » le temps. Laissez tomber la construction des cathédrales et pyramides qui s'écroulent quand même comme des cartes. Respirez profondément. Vivez à présent, vivez dans et sur le temps, pour une réalité belle et totale.

(Tract lancé au-dessus de Düsseldorf, 14 mars 1959. Traduit de l'allemand)

1959, Juin

Jean TINGUELY
Brevet d'invention

La présente invention a pour objet un appareil de construction simple permettant de dessiner ou de peindre d'une manière qui, en pratique, est entièrement automatique, l'intervention humaine étant limitée au choix d'un ou de quelques paramètres et, éventuellement, à la fourniture de l'énergie motrice.

Cet appareil est utilisable soit comme jouet, soit pour la réalisation de dessins ou peintures abstraits plus importants susceptibles d'être exposés et conservés, soit encore pour la décoration en continu de bandes, de papier ou de tissu. Il permet d'exécuter sur une feuille, toile, bande ou autre élément désigné ci-après par « feuille à dessin » un dessin ou une peinture désigné par « dessin » à l'aide d'un organe formant organe scripteur du pinceau et désigné par « organe scripteur », cet organe pouvant d'une manière très générale être un moyen quelconque classique ou autre pour dessiner ou peindre.

Ceci posé, cet appareil est remarquable notamment en ce qu'il comporte en combinaison un bâti, un support de la feuille à dessin relié à ce bâti, un porte-organe scripteur disposé en face de ce support et également relié à ce bâti, les moyens de liaison au bâti de ce support et du porte-organe scripteur étant tels que cet organe peut s'approcher ou s'éloigner de ce support, son extrémité active pouvant en outre balayer toute la surface de ce support, et un mécanisme de commande, également porté par ce bâti, et destiné à communiquer par l'intermédiaire desdits moyens de liaison des mouvements relatifs désordonnés à l'organe scripteur par rapport au support pour le mettre en contact d'une manière irrégulière et sous l'effet du hasard avec la feuille à dessin portée par ce support.

Selon un mode d'exécution préféré, le dispositif de commande est relié à la fois aux moyens de liaison au bâti du support de la feuille à dessin et du porte-organe scripteur pour les animer tous deux de mouvements désordonnés.

(Ministère de l'Industrie. Service de la propriété industrielle. Appareil à dessiner et à peindre. Brevet d'invention demandé le 26 juin 1959. Extrait.)

1959, Septembre

Yves KLEIN
Le réalisme authentique d'aujourd'hui

La peinture figurative comme celle dite abstraite sont aujourd'hui condamnées ! On parle beaucoup d'un retour au réalisme figuratif... C'est exact, il se prépare, mais il est bien naïf de penser aussitôt, comme certains, au retour à la nature morte ou au paysage !

En marge de ma tentative monochrome, dans un esprit profondément classique, j'effectue depuis longtemps un retour au réalisme : à un authentique réalisme d'aujourd'hui et de demain par l'IMMATÉRIEL !

Mes Zones de sensibilité picturales, immatérielles, stabilisées, amovibles et expansibles à l'infini sont créées par une contemplation dynamique et émerveillée de la nature dans tous ses aspects et moments.

Il s'agit pour moi, non plus de brosser une toile, mais plutôt d'établir d'une manière permanente et bien durable entre moi et cette nature, qui en fait ne font qu'un, la toile NÉO-FIGURATIVE à la fois la plus réelle et la plus immatérielle qui existe et qui donne aux lecteurs ou mieux, aux VIVEURS de tels événements ou climats picturaux par comportements purs, un spectacle, plus exactement, un ÉTAT de la qualité, de la permanence et de la transparence de ce qu'ont donné à leur époque les VERMEER, les REMBRANDT, les GIOTTO, les MICHEL-ANGE !

Ma position, vis-à-vis de l'art contemporain, est la position ALLONGÉE ! Oui, je recherche à présent le tout premier sommeil. Ce grand sommeil sans rêves et sans cauchemars, celui qui crée en force et en puissance le jour éblouissant en pleine nuit, dans toute la chair et qui permet, un lendemain, au réveil de retrouver la vraie joie de vivre !

(KWY n° 11, Paris, Printemps 1963)

1960

Yves KLEIN
Le vrai devient réalité

... Projeter ma marque hors de moi, je l'ai fait !

Quand j'étais enfant...

Mes mains et mes pieds trempés dans la couleur, puis appliqués au support, et voilà, j'étais là, en face de tout ce qui était psychologique en moi. J'avais la preuve d'avoir cinq sens, de savoir me faire fonctionner !

Puis j'ai perdu l'enfance... comme tout le monde d'ailleurs (il ne faut pas se faire d'illusions) et, adolescent, à répéter ce petit jeu-là, j'ai très vite rencontré le néant.

Je n'ai pas aimé le néant, et c'est ainsi que j'ai fait connaissance avec le vide, le vide profond, la profondeur bleue !

Adolescent, je suis allé signer mon nom au dos du ciel dans un fantastique voyage réalistico-imaginaire un jour où j'étais allongé sur une plage à Nice... Je hais les oiseaux depuis ce temps-là d'ailleurs, car ils tentent de faire des trous dans ma plus grande et plus belle œuvre ! Les oiseaux doivent disparaître !

Arrivé là, dans l'aventure monochrome, je ne me faisais plus fonctionner ; j'étais fonctionnant.

Je n'étais plus moi ; je, sans « je », faisais corps avec la vie elle-même. Tous mes gestes, déplacements, activités, créations, étaient cette vie originelle, ou essentielle elle-même. C'est à cette époque que je disais : « La peinture n'est plus pour moi en fonction de l'œil. Mes œuvres ne sont que les cendres de mon art ».

Je monochromisais mes toiles avec acharnement, puis le bleu tout puissant se dégagea et règne encore et pour toujours.

C'est alors que je me suis méfié, j'ai pris des modèles dans l'atelier, pour peindre non pas d'après modèle mais en leur compagnie.

Je passais trop de temps dans l'atelier, je ne voulais pas rester ainsi tout seul dans le vide bleu merveilleux qui y croissait.

Ici le lecteur va sourire sans doute... Mais attention, j'étais conscient de n'avoir toujours pas le vertige qu'ont eu tous mes prédécesseurs devant le vide absolu que doit être et qu'est l'espace pictural réel... Mais combien de temps cela durerait-il encore ?

Autrefois le peintre allait au motif, travaillait dehors, dans la campagne ; il avait les pieds sur terre, c'était sain !

Aujourd'hui la peinture de chevalet, académisée complètement, a fait tant, qu'elle a enfermé l'artiste chez lui, face à l'atroce miroir qu'est sa toile...

... Afin de ne pas rompre en m'enfermant dans les sphères trop spirituelles de la création d'art avec ce gros bon sens qui est nécessaire à notre condition incarnée et que spécialise dans l'atmosphère de l'atelier la présence de la chair ; j'ai donc pris des modèles nus.

La forme du corps, ses lignes, ses couleurs d'entre la vie et la mort ne m'intéressent pas ; c'est son climat affectif pur qui est valable.

La chair... !

De temps en temps, j'ai regardé tout de même le modèle...

... Très vite je me suis aperçu que c'était le bloc du corps lui-même, c'est-à-dire le tronc et encore une partie des cuisses qui me fascinaient. Les mains, les bras, la tête, les jambes, étaient sans importance. Le corps seul vit, tout-puissant, et ne pense pas. La tête, les bras, les mains sont des articulations intellectuelles autour de la chair qu'est le corps !

Le cœur bat sans qu'on y pense ; on ne peut l'arrêter soi-même. La digestion se fait sans notre intervention intellectuelle ni émotionnelle ; nous respirons sans nous en rendre compte.

Bien sûr, tout le corps est constitué de chair, mais la masse essentielle, c'est le tronc et les cuisses. C'est là où se trouve l'univers réel caché par l'univers de la perception.

Cette chair, donc, présente dans l'atelier, m'a longtemps stabilisé pendant l'illumination provoquée par l'exécution de mes monochromes. Elle m'a gardé dans l'esprit du culte de la « santé », de cette santé, qui nous fait vivre, insouciants et responsables à la fois, de notre participation essentielle à l'univers. Forts, solides, puissants et fragiles comme les animaux en état de rêve éveillé dans le monde de la perception, comme le végétal et comme le minéral en état de transe dans ce même monde de la perception éphémère...

... Cette santé qui nous fait « être », la nature de la vie elle-même tout entière que nous sommes !

Pendant que je continuais toujours à peindre monochrome, presque automatiquement j'ai atteint l'immatériel qui m'a dit que j'étais bien un occidental, un chrétien bien-pensant qui croit avec raison à la « résurrection des corps, à la résurrection de la chair ».

Toute une phénoménologie pure est alors apparue, mais une phénoménologie sans idées, ou plutôt sans aucun des systèmes de conventions officielles.

Ce qui apparaît est séparé de la forme et devient immédiateté. « La marque de l'immédiat ». C'est ce qu'il me fallait !

... L'on comprendra aisément le processus : mes modèles ont d'abord ri de se voir transposées sur la toile en monochrome puis elles se sont accoutumées et ont aimé la valeur, la qualité-colore chaque fois différente de chaque toile, même pendant l'époque bleue où c'était pourtant le même ton, le même pigment, les mêmes procédés techniques à l'exécution, puis lorsque j'ai commencé peu à peu à ne plus rien produire de tangible avec l'aventure de « l'immatériel » dans mon atelier débarrassé même des monochromes et vide en apparence, là, mes modèles ont, alors, voulu absolument faire quelque chose pour moi... Elles se sont ruées dans la couleur et, avec leur corps, ont peint mes monochromes... Elles étaient devenues des pinceaux vivants !

Déjà autrefois, j'avais refusé le pinceau, trop psychologique, pour peindre avec le rouleau, plus anonyme, et ainsi tâcher de créer une « distance », tout au moins intellectuelle, constante, entre la toile et moi, pendant l'exécution... Cette fois, oh miracle, de nouveau le pinceau, mais vivant cette fois, revenait, c'était la chair elle-même qui appliquait la couleur au support sous ma direction, avec une précision parfaite, me permettant, moi, de rester constamment à la distance « X » exacte de ma toile et ainsi dominer ma création d'une manière permanente pendant toute l'exécution.

De cette manière je restais propre, je ne me salissais plus avec la couleur, même pas le bout des doigts. Devant moi, sous ma direction, en collaboration absolue avec le modèle, s'accomplissait l'œuvre, et j'étais en mesure de me montrer digne d'elle, en « smoking », pour la recevoir comme il se doit, à sa naissance au monde tangible.

C'est à cette époque que j'ai vu apparaître à chaque séance les « marques du corps », qui disparaissaient d'ailleurs bien vite, car il fallait que tout devienne monochrome.

Ces marques, païennes dans ma religion de l'absolu monochrome, m'ont hypnotisé tout de suite, et je les ai travaillées clandestinement vis-à-vis de moi-même, longtemps, toujours en collaboration absolue avec les modèles, afin de bien partager les responsabilités en cas de faillite spirituelle.

Nous pratiquions, modèles et moi, une télékinèse scientifique parfaite et irréprochable, et c'est ainsi que j'ai présenté tout d'abord en privé, chez Robert Godet à Paris, au printemps 1958, puis, d'une manière plus perfectionnée encore, le 9 mars 1960, à la Galerie Internationale d'Art Contemporain : « Les anthropométries de l'Epoque Bleue ».

... Hiroshima, les ombres d'Hiroshima ; dans le désert de la catastrophe atomique, elles ont été un témoignage sans doute terrible mais cependant un témoignage tout de même d'espoir de la survie et de la permanence, même immatérielle, de la chair.

Cette démonstration, plutôt technique, je l'ai voulue ainsi surtout pour déchirer le voile du temple de l'atelier. Ne tenir rien caché de mon procédé et mériter ainsi, peut-être, la « grâce » de recevoir plus tard, de nouveaux sujets d'émerveillement par de tels nouveaux trucs techniques tout aussi valables comme toujours, tout aussi peu importants, et dont les résultats continuent à m'étonner moi-même tout autant... « Avec ou sans technique c'est toujours si bon de vaincre ! » C'était ma moto de combat au Japon dans les championnats de judo ! On m'a toujours appris en Judo que je devais atteindre la perfection technique pour pouvoir m'en moquer ; être constamment en mesure de la montrer à tous mes adversaires, et ainsi, bien qu'ils sachent tout, vaincre tout de même.

Les lambeaux de ce voile du temple de l'atelier déchirés me permettent même aujourd'hui d'obtenir de merveilleux suaires. Tout me sert.

Mon ancienne symphonie monoton de 1949, qui fut interprétée, sous ma direction, par le petit orchestre classique pendant l'exécution du 9 mars 1960, était destinée à créer « le silence-après » : après que tout fut terminé, dans chacun de nous tous, présents à cette manifestation.

Le silence... C'est cela même ma symphonie, et non le son lui-même, d'avant-pendant l'exécution. C'est ce silence si merveilleux qui donne la « chance » et qui donne même parfois la possibilité d'être vraiment heureux, ne serait-ce qu'un seul instant, pendant un instant incommensurable en durée.

Vaincre le silence, le dépecer, prendre sa peau et s'en vêtir pour ne plus jamais avoir froid spirituellement. Je me sens comme un vampire vis-à-vis de l'espace universel !

Mais, revenons aux faits ; toujours là dans l'atelier avec mes modèles, je lis le Journal de Delacroix en 1956 et soudain ces lignes : « J'adore ce petit potager, ce soleil doux sur tout cela me pénètre d'une joie secrète, d'un bien-être comparable à celui qu'on éprouve quand le corps est parfaitement en santé. Mais que tout cela est fugitif, je me suis trouvé une multitude de fois dans cet état délicieux, depuis les vingt jours que je passe ici. Il semble qu'il faudrait une « marque », un souvenir particulier pour chacun de ces « moments ».

Ce qu'il faut à un artiste, c'est un tempérament de reporter, de journaliste, mais dans le grand sens de ces mots, peut-être oubliés aujourd'hui.

Je comprends à présent que la marque spirituelle de ces états-moments, je l'ai, par mes monochromes. La marque des états-moments de la chair, je l'ai aussi par les empreintes arrachées aux corps de mes modèles.

... Mais la marque des états-moments de la nature ?

... Je bondis dehors et me voilà au bord de la rivière, dans les joncs et dans les roseaux. Je pulvérise de la couleur sur tout cela et le vent qui fait plier les fines tiges, vient les appliquer avec précision et délicatesse sur ma toile que je présente ainsi à la nature frémissante : j'obtiens une marque végétale. Puis il se met à pleuvoir ; une pluie fine de printemps ; j'expose ma toile à la pluie et le tour est joué ; j'ai la marque de la pluie ! Une marque d'événement atmosphérique.

Une idée me vient : puisque je désire aussi climatiser la nature tout entière depuis si longtemps à l'aide, soit de miroirs solaires, soit d'autres techniques scientifiques non encore découvertes, cela après que les premiers pas auront été faits avec l'architecture de l'air que nous réalisons en ce moment en collaboration avec l'architecte Werner Ruhnau et qui permettra alors de vivre nu partout à l'aise dans les immenses régions que nous aurons tempérées et transformées en véritable paradis terrestre retrouvé. Il devient tout à fait naturel que le modèle, sorte, enfin, avec moi, de l'atelier et que moi, je prenne les empreintes de la nature et que le modèle soit là soudain, en place, dans la nature, et marque aussi la toile là où elle se sent bien, dans l'herbe, dans les roseaux, au bord de l'eau ou sous la cascade, nue, d'une manière statique ou en mouvement, en vrai sujet de cette nature et enfin intégrée complètement.

Tous les événements des « sujets » de la nature, hommes, animaux, végétaux, minéraux, et les circonstances atmosphériques, tout cela m'intéresse pour les naturemétries.

Je travaillerai même, je crois, non plus avec des couleurs, mais avec la transpiration des modèles mêlée de poussière, avec leur propre sang peut-être, la sève des plantes, la couleur de la terre, etc... et le temps fera tourner au bleu monochrome I.K.B. les résultats obtenus.

Le feu est bien là, aussi, il me faut son empreinte !

Une ère anthropophagique s'approche, effarante en apparence seulement. Elle sera la réalisation pratique d'une manière universelle des si célèbres paroles : « Celui qui mange ma chair et boit mon sang, demeure en moi et je demeure en lui ». Paroles spirituelles bien sûr mais qui seront pratiquées pendant un temps effectivement, avant l'avènement de l'ère bleue de paix et de gloire, en totale liberté édénique reconquise par l'homme sur la sensibilité immatérielle de l'univers.

Quoiqu'on en pense, tout ceci est de bien mauvais goût et c'est bien mon intention, je le crie très fort : « LE KITCH, LE CORNY, LE MAUVAIS GOUT, » c'est une nouvelle notion dans l'ART. Par la même occasion en passant, oublions l'ART tout court !

Le grand beau n'est vraiment vrai que s'il contient, intelligemment infiltré en lui du « MAUVAIS GOUT AUTHENTIQUE », de « L'ARTIFICIEL EXASPERANT ET BIEN CONSCIENT » avec un doigt de « MALHONNETETE ».

Il faut être comme le FEU en soi dans la NATURE ; savoir être doux et cruel à la fois, savoir se CONTREDIRE. Alors, alors seulement l'on est bien de la famille des « PRINCIPES D'EXPLICATION UNIVERSELLE ».

... NON, je ne suis pas LITTERAIRE. Toutes mes manifestations passées ont été des « EVENEMENTS ». Lors de la première présentation du « VIDE » en 1957 chez Colette Allendy, déjà je libérais D'UN SEUL COUP tout le théâtre « THEATRAL » de son joug MILLENAIRE de la PERSPECTIVE ! [...]

... Ce n'est pas avec des Rockets, des Spoutnicks ou des fusées que l'homme moderne réalisera la conquête de l'espace. Cela c'est le rêve des scientifiques d'aujourd'hui qui vivent dans un état d'âme romantique et sentimental du 19e siècle.

C'est par la force terrible mais pacifique de la sensibilité que l'homme ira habiter l'espace. C'est par imprégnation de la sensibilité de l'homme dans l'espace que se fera la véritable conquête de cet espace tant convoité. Car la sensibilité de l'homme peut tout dans la réalité immatérielle ; elle peut même lire dans la mémoire de la nature du passé, du présent et du futur ! [...]

Que vive l'authentique réalisme d'aujourd'hui et de demain que je désire faire vivre avec le meilleur de moi-même en totale liberté de l'esprit et de la chair.

(Zero 3, Düsseldorf, juillet 1961)

1960, 16 Avril

Pierre RESTANY
Les Nouveaux Réalistes

C'est en vain que des sages académiciens ou des braves gens effarés par l'accélération de l'histoire de l'art et l'extraordinaire pouvoir d'usure de notre durée moderne, essaient d'arrêter le soleil ou de suspendre le vol du temps en suivant le sens inverse à celui qu'empruntent les aiguilles d'une montre.

Nous assistons aujourd'hui à l'épuisement et à la sclérose de tous les vocabulaires établis, de tous les langages, de tous les styles. A cette carence — par exhaustion — des moyens traditionnels, s'affrontent des aventures individuelles encore éparses en Europe et en Amérique, mais qui tendent toutes, quelle se soit l'envergure de leur champ d'investigation, à définir les bases normatives d'une nouvelle expressivité. Il ne s'agit pas d'une recette supplémentaire de médium à l'huile ou au ripolin. La peinture de chevalet (comme n'importe quel autre moyen d'expression classique dans le domaine de la peinture ou de la sculpture) a fait son temps. Elle vit en ce moment les derniers instants, encore sublimes parfois, d'un long monopole.

Que nous propose-t-on par ailleurs ? La passionnante aventure du réel perçu en soi et non à travers le prisme de la transcription conceptuelle ou imaginative. Quelle en est la marque ? L'introduction d'un *relais sociologique* au stade essentiel de la communication. La sociologie vient au secours de la conscience et du hasard, que ce soit au niveau du choix ou de la lacération de l'affiche, de l'allure d'un objet, d'une ordure de ménage ou d'un déchet de salon, du déchaînement de l'affectivité mécanique, de la diffusion de la sensibilité au-delà des limites logiques de sa perception.

Toutes ces aventures (et il y en a, il y en aura d'autres) abolissent l'abusive distance créée par l'entendement catégorique entre la contingence objective générale et l'urgence expressive individuelle. C'est la réalité sociologique tout entière, le bien commun de l'activité de tous les hommes, la grande république de nos échanges sociaux, de notre commerce en société, qui est assignée à comparaître. Sa vocation artistique ne devrait faire aucun doute, s'il n'y avait encore tant de gens qui croient en l'éternelle immanence des genres soi-disant nobles et de la peinture en particulier. Au stade, plus essentiel dans son urgence, de la pleine expression affective et de la mise hors de soi de l'individu créateur, et à travers les apparences naturellement baroques de certaines expériences, nous nous acheminons vers un *nouveau réalisme* de la pure sensibilité. Voilà à tout le moins l'un des chemins de l'avenir. Avec Yves Klein et Tinguely, Hains et Arman, Dufrêne et Villeglé des prémisses très diverses sont ainsi posées à Paris. Le ferment sera fécond, imprévisible encore dans ses totales conséquences, à coup sûr iconoclaste (par la faute des icônes et la bêtise de leurs adorateurs). Nous voilà dans le bain de l'expressivité directe jusqu'au cou et à quarante degrés au-dessus du zéro dada, sans complexe d'agressivité, sans volonté polémique caractérisée, sans autre prurit de justification que notre réalisme. Et ça travaille, positivement. L'homme, s'il parvient à se réintégrer au réel, l'identifie à sa propre transcendance, qui est émotion, sentiment et finalement poésie, encore.

(Préface pour l'exposition Arman, Dufrêne, Hains, Yves le Monochrome, Tinguely, Villeglé, galerie Apollinaire, Milan, mai 1960. Premier manifeste de Pierre Restany.)

1960, Juillet

ARMAN
Réalisme des accumulations

Dans la recherche de créations nouvelles, recherche rendue nécessaire par la carence et la fatigue des peintures hédonistes et des peintures gestuelles, j'ai, d'une manière consciente, exploré le secteur : des détritus, des rebuts, des objets manufacturés réformés, en un mot : les inutilisés.

Pour les détritus, on a souvent parlé à ce propos de l'œuvre de Kurt SCHWITTERS. S'il a semblé parfois se dessiner une certaine analogie, toutefois une différence fondamentale et définitive existe dans le résultat et la démarche.

Chez Kurt SCHWITTERS nous assistons à une recherche délibérée d'harmonies et d'assemblages esthétiques ; pour lui, plus importante que le matériau, se trouve d'abord la possibilité de la valeur plastique des objets et celle de leur conjugaison ; de plus, Kurt SCHWITTERS fut toujours sensible au sens littéraire des éléments choisis.

J'affirme que l'expression des détritus, des objets, possède sa valeur en soi, directement, sans volonté d'agencement esthétique les oblitérant et les rendant pareils aux couleurs d'une palette ; en outre, j'introduis le sens du geste global sans rémission ni remords.

Dans les inutilisés, un moyen d'expression attire tout particulièrement mon attention et mes soins ; il s'agit des accumulations, c'est-à-dire la multiplication et le blocage dans un volume correspondant à la forme, au nombre et à la dimension des objets manufacturés.

Dans cette démarche nous pouvons considérer que l'objet choisi ne l'est pas en fonction des critères DADA ou SURREALISTE ; il ne s'agit pas là de décontexter un objet de son substrat utilitaire, industriel ou autre pour lui donner par un choix de présentation ou une inclinaison de son aspect, une détermination toute autre que la sienne propre ; par exemple : anthropomorphisme, analogie, réminiscences, etc. mais il est question bien au contraire de le recontexter en lui-même dans une surface sensibilisée × fois par sa présence duplicatée ; rappelons la phrase historique : mille mètres carrés de bleu sont plus bleus qu'un mètre carré de bleu, je dis donc que mille compte-gouttes sont plus compte-gouttes qu'un seul compte-gouttes.

De plus, dans ces surfaces, je dis bien surfaces car même dans mes compositions volumétriques ma volonté est toujours picturale plus que sculpturale, c'est-à-dire que je désire voir mes propositions prises dans l'optique d'une surface plus que d'une réalisation en trois dimensions.

Dans ces surfaces dont l'élément unique dans son choix se trouve être une proclamation monotypique bien que plurale par son nombre et donc très proches des démarches monochromes d'Yves KLEIN. Le côté obsessionnel et proféfatoire de la multiplicité d'un objet le rend pareil à une granulation unie, expression de la conscience collective de ce même objet.

A tout objet fabriqué correspond une série d'opérations précises qui se trouvent être contenues toutes dans sa forme et sa destination, multipliées par le nombre des sujets choisis, ces opérations se trouvent libérées dans les surfaces accumulatives.

Ce procédé de travail est en corrélation avec les méthodes actuelles : automation, travail à la chaîne et aussi mise au rebut en série, créant des strates et des couches géologiques pleines de toute la force du réel.

(Zero 3, Düsseldorf, juillet 1961)

1960, Décembre

Daniel SPOERRI
Tableaux-pièges

Que fais-je ? Je fixe des situations qui se sont produites accidentellement afin qu'elles restent ensemble de façon permanente. Avec l'espoir de rendre la situation du regardeur inconfortable. Je reviendrai sur ce point plus tard.

Je dois avouer que je n'accorde aucune valeur aux réalisations créatives individuelles. Peut-être est-ce une sorte de snobisme, mais bien avant d'avoir fait des tableaux-pièges, j'étais déjà convaincu de cela. Pour moi, les tableaux-pièges sont simplement un nouveau moyen pour manifester cette conviction. Je n'ai rien contre les œuvres créatives des autres, ou tout au moins, devrais-je dire, contre la plupart d'entre elles. L'art ne m'intéresse que s'il donne une leçon d'optique, sans égard pour l'interprétation individuelle ou plus ou moins objective qu'on en fait. En tout cas, la frontière est difficile à fixer, le regardeur est, selon moi, toujours autorisé à des réactions individuelles ou au moins devrait-il l'être. Dans mon cas, la leçon d'optique est fondée sur le fait qu'il s'agit de concentrer l'attention sur des situations et des zones de la vie quotidienne qui sont peu remarquées, sinon pas du tout.

D'inconscients points d'intersection, à proprement parler, de l'activité humaine, ou, en d'autres termes, la précision formelle et expressive du hasard à n'importe quel moment donné. Et je peux me permettre de tirer de la fierté de l'accidentel puisque je ne suis, à la fois, que son orgueilleux et modeste assistant. Orgueilleux parce que je signe de mon nom ce qu'il a produit et dont je ne suis pas responsable. Modeste car je me contente d'être son assistant (et un bien mauvais, c'est pourquoi ma modestie est grande). Assistant de l'accidentel — ce pourrait être mon titre professionnel. Mais je dois admettre que je ne suis pas le premier. Ça m'est égal d'ailleurs — je ne considère même pas l'originalité comme absolument nécessaire.

Mes tableaux-pièges devraient susciter l'inconfort, car je hais les stagnations. Je hais les fixations. J'aime le contraste produit par le pouvoir fixateur des objets, j'aime extraire les objets du flux des changements constants et de leurs perpétuelles possibilités de mouvement ; et ceci malgré mon amour pour le changement et le mouvement. Le mouvement, la fixation, la mort doivent produire le changement et la vie, du moins, j'aime y croire.

Et une dernière chose. Ne voyez pas ces tableaux-pièges comme de l'art. Ils sont plutôt une sorte d'information, de provocation, ils dirigent le regard vers des régions auxquelles généralement il ne prête pas attention, c'est tout.

Et l'art, qu'est-ce que c'est ? Serait-ce peut-être une forme de vie ? Peut-être dans ce cas ?

(Zero 3, Düsseldorf, juillet 1961. Traduit de l'anglais)

1961, Mai

Pierre RESTANY
A 40° au-dessus de Dada

Dada est une farce, une légende, un état d'esprit, un mythe. Un mythe bien mal élevé, dont la survie souterraine et les manifestations capricieuses dérangent tout le monde. André Breton avait tout d'abord pensé lui faire un sort en l'annexant au surréalisme. Mais le plastic de l'anti-art a fait long feu. Le mythe du NON intégral a vécu dans la clandestinité entre les deux guerres pour devenir à partir de 1945 avec Michel Tapié la caution d'un art autre. La négativité esthétique absolue s'est changée en un doute méthodique grâce auquel allaient enfin pouvoir s'incarner des signes neufs. Table rase à la fois nécessaire et suffisante, le ZERO dada a constitué la référence phénoménologique du lyrisme abstrait : ce fut la grande coupure avec la continuité de la tradition, par où déferla le flot bourbeux des recettes et des styles, de l'informel au nuagisme.

Contrairement à l'attente générale, le mythe dada a fort bien survécu aux excès du tachisme ; ce fut la peinture de chevalet qui accusa le coup, faisant s'évanouir les dernières illusions subsistantes quant au monopole des moyens d'expression traditionnels, en peinture comme en sculpture.

Nous assistons aujourd'hui à un phénomène généralisé d'épuisement et de sclérose de tous les vocabulaires établis : pour quelques exceptions de plus en plus rares, que de redites stylistiques et d'académismes rédhibitoires ! A la carence vitale des procédés classiques s'affrontent — heureusement — certaines démarches individuelles tendant, quelle que soit l'envergure de leur champ d'investigation, à définir les bases normatives d'une nouvelle expressivité. Ce qu'elles nous proposent, c'est la passionnante aventure du réel perçu en soi et non à travers le prisme de la transcription conceptuelle ou imaginative. Quelle en est la marque ? L'introduction d'un relais sociologique au stade essentiel de la communication. La sociologie vient au secours de la conscience et du hasard, que ce soit au niveau de la ferraille compressée, du choix ou de la lacération de l'affiche, de l'allure d'un objet, d'une ordure de ménage ou d'un déchet de salon, du déchaînement de l'affectivité mécanique, de la diffusion de la sensibilité chromatique au-delà des limites logiques de sa perception.

Les nouveaux réalistes considèrent le Monde comme un Tableau, le Grand Œuvre fondamental dont ils s'approprient des fragments dotés d'universelle signifiance. Ils nous donnent à voir le réel dans les aspects divers de sa totalité expressive. Et par le truchement de ces images spécifiques, c'est la réalité sociologique toute entière, le bien commun de l'activité des hommes, la grande république de nos échanges sociaux, de notre commerce en société qui est assignée à comparaître.

Dans le contexte actuel, les ready-made de Marcel Duchamp (et aussi les objets à fonctionnement de Camille Bryen) prennent un sens nouveau. Ils traduisent le droit à l'expression directe de tout un secteur organique de l'activité moderne, celui de la ville, de la rue, de l'usine, de la production en série. Ce baptême artistique de l'objet usuel constitue désormais le « fait dada » par excellence. Après le NON et le ZERO, voici une troisième position du mythe : le geste anti-art de Marcel Duchamp se charge de positivité. L'esprit dada s'identifie à un mode d'appropriation de la réalité extérieure du monde moderne. Le ready-made n'est plus le comble de la négativité ou de la polémique, mais l'élément de base d'un nouveau répertoire expressif.

Tel est le nouveau réalisme : une façon plutôt directe de remettre les pieds sur terre, mais à 40° au-dessus du zéro dada, et à ce niveau précis où l'homme, s'il parvient à se réintégrer au réel, l'identifie à sa propre transcendance, qui est émotion, sentiment et finalement poésie, encore.

(Préface pour l'exposition A 40° au-dessus de Dada, *galerie J, Paris, 17 mai-10 juin 1961. Deuxième manifeste de Pierre Restany.)*

1961, Juin

Pierre RESTANY
La réalité dépasse la fiction

Ce que nous sommes en train de redécouvrir, tant en Europe qu'aux U.S.A., c'est un nouveau sens de la nature, de notre nature contemporaine, industrielle, mécanique, publicitaire. Les paysages d'Arcadie sont désormais refoulés dans les zones les plus mythiques de notre vision. Ce qui est la réalité de notre contexte quotidien c'est la ville ou l'usine. L'extroversion est la règle de ce monde placé sous le double signe de la standardisation et de l'efficience. Nous ne pouvons plus nous permettre ni le recul du temps ni la distance objective. L'appropriation directe du réel est la Loi de notre Présent.

Certains artistes actuels ont pris sur eux d'en assumer le parti pris ; ce sont des naturalistes d'un genre spécial : bien plus que de représentation, nous devrions parler de présentation de la nature moderne. Il y a en effet dans toutes ces expressions objectives une évidente et inexorable finalité : celle de nous faire poser un regard neuf sur le monde. La sociologie apparaît comme le relais naturel de cette attitude présentative : le lieu commun, l'élément de rebut et l'objet de série sont arrachés au néant de la contingence ou au règne de l'inerte ; l'artiste les a fait *siens,* et en assumant cette responsabilité possessive, il leur confère pleine vocation signifiante. Le monde du produit standard, de la ferraille, de la poubelle ou de l'affiche est un tableau permanent ; détachons-en un fragment : sa valeur d'universelle signifiance est égale à celle de l'ensemble, c'est la partie prise pour le tout.

Mais cette reconnaissance de l'autonomie expressive de l'objet extérieur n'entraîne pas seulement la remise en question du concept d'œuvre d'art : elle pose d'emblée le problème de l'inter-réaction des objets sur le psychisme individuel. Cette métaphysi-que de la technologie risque fort de déboucher sur une sorte d'animisme méditatif.

Et c'est là, à mon sens, que se situe le point de clivage entre Paris et New York. Plus rigoureux dans leur logique, plus simples et plus précis dans leur présentation, plus directement appropriatifs dans leur démarche, les Européens, pour la plupart, demeurent à tous les sens du terme des « nouveaux réalistes ».

Romantiques de cœur, cubistes d'esprit et baroques de ton, plus disponibles aussi à la tentation surréalisante, ceux qu'on appelle déjà les « néo-dadas » américains sont en train de reconstituer un fétichisme moderne de l'objet.

Confrontés à un même problème d'expressivité générale, les réactions des artistes de Paris et de New York ont été différentes. Il s'agit dans les deux cas d'artistes de la jeune génération (30-40 ans) ayant subi les effets directs de l'extraordinaire poussée d'accélération qui a affecté l'histoire de l'art contemporain. L'aventure a d'abord pris la forme de réactions individuelles contre le conformisme stylistique local. Si à New York on se sert du ready-made pour compenser l'usure signifiante du geste d'action painting, à Paris les nouveaux réalistes ont été écœurés par les excès du tachisme en épaisseur, ils se méfient de l'humour naturaliste dérivé de l'art brut, ils rejettent enfin l'ambiguïté de l'informel. Le recours à l'objet correspond à une volonté de généralisation, de clarification, de précision dans l'appropriation perceptive. La part d'élaboration est réduite au minimum, au profit du seul choix et de la responsabilité du choix.

C'est sans doute parce que la peinture américaine s'était trop systématiquement rapprochée du geste physique que tous les Rauschenberg de New York s'approprient des éléments de la réalité objective pour redonner un sens à la révolte individuelle. Phénomène capital, qui leur a permis de reprendre pied, en cédant toutefois à la magie de l'objet. Aussi, leur présentation du réel demeure-t-elle plus ambiguë, plus exhibitionniste, parfois plus esthétisante et d'une manière générale plus élaborée plastiquement. Les nouveaux réalistes parisiens, eux, retournent à la réalité sociologique par besoin d'air pur et non pour y respirer l'encens d'un nouveau culte.

Quoiqu'il en soit le fait est là et il est d'importance, car il ne s'agit plus aujourd'hui de simples coïncidences, de cas isolés ou d'aventures éparses : nous assistons, de part et d'autre de l'Atlantique, à l'aménagement d'un nouveau sens du réel. Mais au sein de cette vision globale des choses la distance demeure grande : elle va du totem à la nature morte.

(Préface pour l'exposition Le Nouveau Réalisme à Paris et à New York, *galerie Rive Droite, Paris, juin 1961).*

1961, Octobre

CHRISTO
Projet pour un édifice public empaqueté

Il s'agit d'un immeuble dans un emplacement vaste et régulier.

Un bâtiment ayant une base rectangulaire, sans aucune façade. Le bâtiment sera complètement fermé — c'est-à-dire empaqueté de tous les côtés. Les entrées seront souterraines, placées environ à 15 ou 20 mètres de cet édifice.

L'empaquetage de cet immeuble sera exécuté avec des bâches, des toiles gommées et des toiles de matière plastique renforcée d'une largeur moyenne de 10 à 20 mètres, des cordes métalliques et ordinaires. Les cordes de métal évitent la construction d'un échafaudage. Avec les cordes métalliques nous pouvons obtenir les points qui peuvent servir ensuite à l'empaquetage du bâtiment. Pour obtenir le résultat nécessaire il faut environ 10 000 mètres de bâches, 20 000 mètres de cordes métalliques, 80 000 mètres de cordes ordinaires.

Le présent projet pour un édifice public empaqueté est utilisable :

1. Comme salle sportive — avec des piscines, le stade de football, le stade des disciplines olympiques, ou soit comme patinoire à glace ou à hockey.

2. Comme salle de concert, planétarium, salle de conférence et essais expérimentaux.

3. Comme un musée historique, d'art ancien et d'art moderne.

4. Comme salle parlementaire ou une prison.

1962, Mai

François DUFRENE
Liquidation du stock

Bon. Si j'épouse une cause — la mienne — ç'a pour fatal effet de m'acquérir des démêlés qui m'estomaquent. (Et dès ce mot d'épouser, en chaire et en noces de *platine* — par osmose plutôt celle qui *foule* sur le *tympan* que celui d'où l'acide osmique — les maquereaux « cosmiques » se moqueront de ma querelle vidée comme caque à harangues et de ces caquets mi-macaroniques et de mon démêloir à mi-mac. Les défriser, en quoi le pourrait-ce ? Assez j'y mets de cosmétique pour, avant de saper le reste, saper moi-même, tel — soit ! — un merlan frit coupeur *ad hoc* de tifs en quatre).

Bref, suffit. Suffit, bref : du jour, pas encore J — amusons la Galerie ! — où nous nous affichons sur la place, des exégètes, la *raie bouclée,* jettent en l'air déjà vicié leurs bombes à fumigène et crient aux pyromanes ! La rapidité lapidaire des jugements, prononcés ou non, dont on nous torpille, d'égale n'a, dès lors, qu'allant de pair avec les pires pirouettes une nette torpeur de la comprenette. *Tendre la perche* à son requincaillement est pris

pour poisson d'avril. On n'en est plus à observer les formes, et les couleurs ça vous en conte. Bref le regard n'est plus de rigueur et l'« Information » artistique, les quinquets de l'Argutie se concentrent en quinconces pour jouer, qu'on se le dise à quoi ? aux quatre coins — qu'ils croient bien ceux du monde. Interchangeables *cartouches,* les critiques n'expliquent rien de rien à l'affaire mais les affaires qui y (et leur) sont étrangères, on ne sait trop pourquoi, les impliquent. J'entends CARTOUCHE, — hors par la bande le fameux chef, — la peau de balle, la charge en creux projectile, la recharge encreuse, enfin l'ornement dont s'encadre une devise, et par DEVISE, entendez-moi bien, je dis le double aspect de l'œuvre : et sa valeur marchande et celle emblématique.

L'interview qui, ou non télévisée pourrait, puisqu'y *devise* l'artiste, viser à relever le gant, il se trouve que le moins relevé césarisme y œuvre à la compression de la pensée (1), vite éteint celle qui étincelle, étouffe tout feu, rabaisse et relève de ses fonctions ce genre qui — tel en cela quasi tout — en relève. Et le speaker s'écoute parler et la mise en onde n'est plus un baptême, c'est une noyade dans le lac de l'acquis.

Aujourd'hui nous ne sommes plus censés ignorer censeurs ou encenseurs ni assez insensés pour croire que nos *a parte* suffiront à endiguer, marée montante, les contresens.

Aussi, comme au plus court, recourrai-je au mieux traditionnel exposé, noir sur blanc, des motifs, nôtres, et des leit-motive, leurs —. Je me l'appuierai, mon courage, et de la dextre, et de la rampe, et du brouillard, bref : de la main courante.

Toi, Lecteur, je t'engage à t'engager d'un pied mataf dans mon sillage, mais l'œil natif (est-ce pas comme la mer que et que le corsaire écume ?) et si le sourcil se courrouce qu'ici le style ne coule de source, marine, marine : c'est qu'il y a flotte et flotte ; mais peu à voir avec les voiles de perroquet à l'instar en vogue.

La quintaine

J'avais, en l'occurrence du Salon « Comparaison » 1960, projeté de réunir dans l'une des deux alvéoles distinctes de la salle dite expérimentale dont je m'étais chargé, Yves Klein, Jean Tinguely, Jacques de la Villéglé, Raymond Hains, moi, et de nous nommer LA QUINTAINE. Du latin quintana : de cinq en cinq, ce mot échappant à la plupart, a jadis désigné « un mannequin monté sur un pivot et armé d'un bâton, de manière que, lorsqu'on le frappe maladroitement avec une lance, il tourne et assène un coup sur le dos de celui qui l'a frappé » (2).

Au bout du compte chronologique, et l'importance *croissant,* turc (tête de) suis à triple titre :

— Mis à l'index, et d'un, pour n'avoir mis les pouces (les zobsédés liront qu'ont leur y met l'index à qui lève le petit doigt) on me voudrait chez les lettristes tout plein de repentir, ce parce qu'arpentant de mes cordes vocales, hors la carpette de leur orthodoxie, mes artères. Eternel destin d'« ex » : Contre moi, le clandestin, se déclenche tout le clinquant bataclan d'un clan sur le déclin qui confond le Klephte avec l'Olympe élue pour habitacle. Des clampins, naguère nos compaings, de caractère boiteux un peu, emboîtent en clopant le pas d'une botte à clous. Or donc, diffamateurs, de qui l'infecte invective gicle, en réponse absolue, sachez : JE VOUS INSULTE !

— Et de deux : A ces salades montées par tous les susvisés, la cohorte s'allie des co-artistes couards et le public cinglant des blancs-becs et des vieux blackboulistes pour salir comme un seul, en bloc, ce D.H.V., sigle que je suggère, au moins occasionnel, à Hains et à Villeglé.

— Et de trois : Contre le D.H.V. se liguent toutes les ligues pour ce qu'il illustre et célèbre comme pour ce qu'il nous vaut du nouveau réalisme ; nouveau réalisme dont l'inventeur joue bien encore à sa manière le dangereux jeu de la quintaine : s'étonnera-t-on qu'en bon paratonnerre il nous attire foudres sur foudres en nous situant dès l'origine sous l'angle obtus de la Sociologie et sous la toise DADA pour nous y mesurer, comme incommensurables, avec l'aune d'un néo né aux U.S.A. ?

Il reviendrait à Tinguely de matérialiser cette quintaine par quelque machine éminemment ludique, de sorte que les gens qui l'approcheraient mal puissent, sur un plan plus tangible cette fois que celui de l'écrit, tâter de son bâton.

L'étiquette

Une étiquette ça ne colle jamais très bien. C'est, voilà tout, le pratique protocole suivant lequel et en quoi, nébuleuse — plus ou moins brève rencontre — les tentatives individuelles à l'état nubile se marient ; mais les bellicistes, tout label, quelque labile, voire malhabile, qu'il soit, les obnubile. Aussi, le plus grand nombre se chiffre en drôles de numéros que l'on nommait jadis LES NOMINAUX. Face à la minorité « réaliste » ils ne pouvaient que revenir à la charge en lui livrant la n^{ème} guerre panique.

Exemple : Si ton produit reste identique mais que te quitte en côte une étiquette pour une autre, des coteries tout à coup tiquent et te boycottent, des culs-terreux de la culture discutent ta cote et t'attaquent :

« On aimerait », disait-on, à propos de la Première Biennale de Paris, dans le numéro d'Octobre 1959 des Lettres Nouvelles, « on aimerait être éclairé sur le groupe des informels dont nul n'a encore entendu parler, dont le représentant n'est pas moins obscur et qui réunit dans l'auditorium des colleurs et déchireurs d'affiches » (4).

En Juillet 1961, la même G.B., dans les mêmes « Lettres Nouvelles » écrivait sous forme de Lettre à une mystérieuse K (« qui, dès 1952 ou 53 reprenant la grande tradition illustrée par Schwitters, Laurens et les Cubistes redonnait dans ses collages une noblesse et une raison d'être aux objets déchus » peut-être, mais ignorait probablement qu'Hains et Villeglé œuvraient dès 1949 dans la même voie qu'aujourd'hui) que « pour représenter l'avant-garde, on n'en possède pas moins le sens des... réalités. Ces jeunes gens l'ont sans doute au plus haut point pour passer, en deux ans, comme le font François Dufrêne, Hains et Villeglé, du pseudo Groupe des Informels de la Biennale de Paris (mars 1959) à l'appellation Nouveaux Réalistes en Mai 1961 (avec, d'ailleurs, les mêmes affiches et palissades) (5). Dommage, — ajoute-t-elle — qu'ils viennent un peu tard avec cette redécouverte de Dada, toute fraîche importée d'Amérique dans le silllage de Rauschenberg » (6).

— Autre exemple de nominalisme, mais inverse, de la part de ceux-là qui te pleurent Vendredi dans leur robinsonnade, et tout

en me prenant pour un Monsieur Dimanche. « Dufrêne est un oiseau, il chante bien mais il n'a pas beaucoup de cervelle » (Isou). Si donc tu les laisses t'empailler (7), leur estampille « LET-TRISME » à l'instant paye : ton plomb vil en or pur est changé. Hélas, tant pis :

Dans l'espoir que semblable conversion nous ne l'écarterons pas, le chef du quarteron écrit le 19 juin 1959 dans le livre (d'or ?) de notre Exposition « Le Lacéré Anonyme » ces lignes qui valent par leur pesant : « Très bien, comme phase de l'Hypergraphie. Dépassée par l'A-Hypergraphie, mais phase importante et durable qui sera enregistrée par l'Histoire de l'Art ».

En Décembre 1961 (Poésie Nouvelle) : « Hains doit admettre que les affiches lacérées sont ou des fragments mécaniques sans importance ou par leurs prétentions de bouleversement esthétique des escroqueries démagogiques » un peu plus loin « Hains (les) intègrera un jour dans la méca-esthétique intégrale et acceptera ouvertement la forme lettriste ou quelqu'un d'autre accomplira — a accompli déjà cette intégration ». Comme on le voit, l'intégrisme est toujours debout.

La sociologie

« La sociologie vient au secours de la conscience et du hasard... au niveau du choix ou de la lacération de l'affiche... Nous voilà à quarante degrés au-dessus de zéro Dada ». Tous les textes écrits depuis par l'inventeur du Nouveau Réalisme reprennent en les développant, ces mêmes points.

Or si l'incidence du social sur l'œuvre n'est, diable, pas niable, en quoi le nouveau réalisme est-il plus concerné par le social que ne le furent un Goya, le Watteau de l'Enseigne de Gersaint ou le Léger des Constructeurs ?

Sans doute les faits sociaux ne sont pas des choses mais ils se chosifient à un premier degré dans des médiums tels que l'affiche et sa lacération. Le réel idéel s'y sent déjà tout chose. Que le choix esthétique s'en mêle, le « choisissement » dépossède les médiums de toute sociologie, réitère leur réification de choisissure — et en fait sa chose.

Quant à moi pour qui la main à la palette vaut « la main à la charrue », suis-je prêt, devant ce tout-prêt, d'être ready-médusé ? Je ne suis pas dans la situation d'une poule qui trouve un faux col mais un œuf qu'elle peut, si l'envie lui en vient, couver. Adopté, l'enfant n'en est pas moins « naturel » et mieux vaut bâtard que jamais. L'archi-made met en question, non seulement la valeur esthétique du travail comme résultat mais la valeur morale du travail artistique.

A ce propos, que les passants (sociologiques) œuvrent (sociologiquement) pour Hains, est un fait ; quoi qu'avance Bruno Alfieri, dans la courte étude qu'il consacre aux « Affichistes de Paris » dans le n° 2 de la revue Métro : Hains, pas plus que vers telle niche ne le guide de caniche, n'use (ni fifty-fifty) de nul canif. A gibbs ou gillette, il n'a, que pour la découpe, recours. Mais, les passants, dont les lacérations me laissent tiède (je ne les aime que très choisies par mes complices) n'ont au petit jamais, jamais gratté, ce qui s'appelle gratté pour moi — qui m'en plaindrais plutôt ; le matériau pourtant m'y force : c'est moi qui gratte, artiste juqu'au bout des ongles ; et, pour révéler, d'une certaine épaisseur d'affiches une couche privilégiée qui recueillit la naturelle empreinte de sa voisine du dessous, minutieusement, j'interviens, par décollages successifs à un, deux, trois, ou quatre étages ; ma technique disons pour la différencier de l'estampage traditionnel des orientaux, c'est l'ouestampage. Mes amis, quant à eux, ne pratiquant la déchirure que par procuration, nous sommes classés « lacérateurs » à tort.

A la griffe anonyme, à ses harmoniques fauves, gestuelles, semi-documentaires (la légende des tableaux de Hains naît des légendes d'un siècle ; il n'y a pas là Histoire mais chansons de Geste) fait écho le processus naturel d'impression, d'impressivité directe propre aux dessous d'affiches dont la surimpression culturelle est l'imprécision impressionniste, nabi, informelle, totalement non-informative. Et pour dénicher dans l'Envers ou le Dessous d'affiche tiré de la rue (comme tout ce qui y retourne) la présence d'un très secret secours dont ma conscience aurait besoin il y faut de la complaisance.

Si j'ai choisi l'ENVERS, et contre tout, Messieurs de l'Analyse — anale ou autre (je prends les devants) — c'est, parmi mes raisons, pour tourner le dos, au passage, à certaine réalité sociologique qui, le reste des heures durant, fait bien suffisamment, d'elle-même, tourner la tête, et pour n'en garder que l'oubli en exaltant les infrastructures, presque géologiques, d'une matière qui y perd — hypermnésie du Temps vrai — la mémoire.

Un Robert Lebel (Preuves, n° 131, Janvier 1962) invite bien le critique à se désister de la sociologie mais malheureusement aussi, de tout point de vue historique. L'éminent essayiste est d'ailleurs le premier à n'y pas renoncer, et que ce soit par un tour négatif, ne change pas prou à la prouesse : l'anti-art néo-dada, dit-il, est très typiquement d'aujourd'hui ; on confond néo et dada du fait que la conjoncture présente de frappantes ressemblances avec celle des années 15-20. Asile pour aveugles ! Car ne s'agit-il pas de simili-similitudes, entre deux périodes qui, en fait, sont aussi dinstinctes aux yeux de l'histoire qu'aux siens, de son Néo, Dada l'est ?

Tout au contraire de la sociologie adventive, l'histoire de l'art, l'art l'a dans la peau et peut être, et tant pis, dans l'os.

C'est paradoxalement quand les critiques font mine de l'ignorer qu'ils vanteront devant nos portes une foultitude de répliques attardées mais ne manqueront pas de la ramener, face à des œuvres neuves, en ramenant sans cesse l'inconnu au connu et le fils au grand oncle. On y gagnera, certes le jour où l'histoire admettra la parthénogénèse. En attendant, le critique ne peut pas se refaire une virginité, ni l'art.

Science, technique et art-fiction

C'est pourtant parente utopie où s'engouffrait un jour Jouffroy, reprochant au nouveau réalisme de glorifier, présent ou passé, l'Instant, ce qui, philosophiquement, n'est pas viable. Il faudrait, disait-il, mettre enfin le futur dans le coup, faire œuvre d'anticipation... Je demande un dessin : le malentendu vient, je pense, dirait le pion que je reste à mes heures, du fait que l'anticipation ne saurait dans les arts, qui actualisent, être de même nature que dans les lettres, qui virtualisent. Le futur, dimension de l'esprit, rien n'empêche celui qui regarde un tableau, de l'y mettre ou de

l'y retrouver. Un certain avenir pouvait se lire semble-t-il dans les cartes à jouer cézanniennes. Selon Jouffroy, la recherche artistique n'a été séparée de la recherche tout court que par la volontaire ignorance des esthètes. Je lui réponds :

Ouais... ouais. A nous l'histoire — de l'une ou l'autre de ses folies : Léonard... Charles Cros... Mondor... Mais après ? Sully Prudhomme n'a pas inventé le Ballon. Marinetti n'a que *représenté* le mouvement ; encore n'est-ce que le mouvement futuriste (au moins, le mouvement Dada, Duchamp l'aura prouvé en marchand — du sel !).

L'automobile a été avancée et la victoire de la vitesse contre celle de Samothrace. C'est bien cependant quelque excès du Temps (bat-il pas, dans sa course, tous les records ?) qui décapita celle du Louvre, en en prenant les ailes dans sa roue, comme d'une Isadora.

La seule vue d'une hélice d'avion comble chez Duchamp l'appétence de sculpture. C'est que — humour, hélice et Arp — Duchamp n'est pas Arp ; son attrait pour le jeu l'emporte sur un désir de recréer des formes. Autrement, sa partie d'échecs, les joueurs de Cézanne eussent dû l'interrompre.

Dé-dalle

Œuvre d'art et objet d'art ça fait au moins trois. Et voilà pourquoi — Ariane ne tient qu'à un fil — José Pierre à propos de l'exposition Antogonismes II (Combat, 16 Avril 1962 : Quel est l'objet de l'art ?) peut écrire que « les ruines de l'utilitaire ne sauraient pas plus rénover la conception de l'objet que constituer des œuvres d'art » car il ne s'agit pas pour nous de l'art pour l'art, ni contre, mais d'une tierce force ; nous sommes ces « artistes qu'on dirait découragés de rivaliser avec la nature » dont Roger CAILLOIS parle et qui « lui rendent hommage comme créatrice non seulement de beauté mais d'art. En cette différence presque infinitésimale, gît sans doute l'irrémédiable innovation » (8). Au demeurant, pour nous, l'objet n'est pas du tout cet « Objet-Roi » qu'on croit. Le fétichisme est de l'autre côté, — de l'Atlantique, Restany, certes, chez les peintres de la *transaction painting*, dirais-je (9), mais plus gros chez tous ceux pour qui le détritus le moins fétide (sauf inattend, dans les cas triturés) ne peut avec l'idée qu'ils ont, focale, de la fécalité, faire que l'un.

Naguère grief d'aucuns nous firent — na ! — d'incliner à l'esthétisme. Ce posé qu'un penchant, c'est à tous coups coupable. Eh bien maintenant, (hormis des new-yorkais qu'encore choque voire l'aile « ricaine » de Paname de par rien que son « raffinement ») nous stigmatisent-ils comme les suppôts de la Laideur et ne crient-ils à l'aide vers le Duchamps de l'Urinoir qui, s'il l'eut su, Marcel, dès jadis eût ri bleu ? Le mot permuta-t-il, dans l'intervalle, de signe ? C'est à le croire. Mais je penserais, mieux, à cette loi psychologique du public « averti », et qui se peut donner en plusieurs « phases » ; depuis des temps, kif-kif la réac : « ce n'est pas mal (ou : c'est affreux) mais ce n'est pas neuf ; il y a quarante-deux ans (plus rarement : vingt-cinq siècles, ou un mois) Untel avait fait *exactement* la même chose mais c'était tellement différent, et au moins, lui, c'était le premier ».

Avant de la prendre, j'entends, par la tangente, à propos de Priorité (Isou s'en saoule et nous en saouleo questionner : d'un poème lettriste ou d'une affiche lacérée qu'est-ce qui le plus rappelle Schwitters ?

Ma conclusion, mais elle existe. Je sais qu'il est séant, céans, de dépasser ce qui n'est que... d'un intérêt *particulier* ; voici : le plus court étant la confusion, QUEL EST LE PLUS LONG CHEMIN D'UN POINT A UN AUTRE ?

(1) Ces lignes étant, César expose au Pavillon de Marsan son fameux Poste de Télé dont une compression forme socle. Y faut-il voir quelque parallèle intuition ?
(2) D'assez peu, ce projet ne vit le jour : en définitive, l'alvéole se composait d'Anouj, de Hains, Dufrêne et Villeglé ; de Boussac et Favory.
(3) « Nous fustigerons sans répit Dufrêne qui a trop souvent les comportements d'une ordure, hier antisémite et raciste, aujourd'hui néo-réaliste, et nous démasquerons sans pitié les turpitudes cachées sous son charme, d'autant plus abusif qu'il conduit ceux qui le subissent aux pires reculs de l'esprit, personnage dont il faut étrangler dans la gorge les emballements stupéfiants de veulerie et de sottise, avant de les voir se muer en auto-ironie, ricanante et cynique » (Poésie Nouvelle, Décembre 1961).
« Dufrêne, Moi qui n'ai jamais rien écrit sur lui, justifié, d'insultant » (Lemaître, Poésie Nouvelle, Mars 1960).
« Dufrêne, encore débiteur envers moi » (id, ibid) D'insultes, oui : M'en voilà, j'espère, quitte.
(4) Le représentant, Georges Noël.
(5) La première Exposition nouveau-réaliste Galerie Apollinaire à Milan (Arman, Dufrêne, Yves le Monochrome, Hains, Tinguely, Villeglé) date de mai 1960.
(6) L'exposition Hains-Villeglé chez C. Allendy date de 1957. Notons que la référence à Dada, confusionniste parce qu'unique, n'est pas l'initiative de Restany. Françoise Choay (dans le Jardin des Arts n° 70 août 1960) dit qu'on trouve chez Schwitters tout l'arsenal d'un Burri ou d'un Hains. Alain Jouffroy, dans Arts (7 octobre 1959) disait que « dans la tradition de Duchamp (le ready-made) Dufrêne ne prendra pas, je suppose, sa trouvaille trop au sérieux »...
(7) Suis-je merlan, oui, ou merle ? Aileté pivert plutôt : si je tape sur de vieux troncs, c'est pour en expulser les larves, autre façon de leur chercher des poux.
(8) Dans son « Esthétique Généralisée » (Gallimard) d'un rare aigu.
(9) Et dont le Happening n'est, au présent, qu'un *soupçon* des SITUATIONS proposées par l'INTERNATIONALE SITUATIONNISTE sur néanmoins lesquelles un mérite se remporte d'une plus concrète conquête.

(KWY, n° 11, Paris, Printemps 1963).

1962, Octobre

Pierre RESTANY
Un nouveau sens de la nature

Il y a deux cent cinquante ans naissait Jean-Jacques Rousseau. Cet anniversaire est célébré en Afrique, au Japon et même aux Etats-Unis il se trouvera sans doute suffisamment de docteurs en droit pour se souvenir de l'influence du Contrat social sur les rédacteurs de la Déclaration des droits. Et pourtant cette exposition pourrait s'intituler « le Tombeau de Jean-Jacques ». C'est qu'il s'agit là, bien évidemment de la nature et que la nature a changé, avec notre sentiment. Ce que nous sommes en train de redécouvrir, tant en Europe qu'aux U.S.A., c'est un sens nouveau de la nature, de notre nature contemporaine, industrielle, mécanique, publicitaire. Les paysages de l'Arcadie préromantique sont désormais refoulés dans les zones les plus mythiques de notre vision : ils constituent avec la littérature des bons sentiments, les excursions à forfait, les voyages organisés de notre tourisme

mental. Ce qui est la réalité de notre contexte quotidien, c'est la ville ou l'usine. L'extroversion est la règle de ce monde placé sous le double signe de la standardisation et de l'efficience. Nous ne pouvons plus nous permettre ni le recul du temps ni la distance objective. L'appropriation directe du réel est la loi de notre présent.

Certains artistes actuels ont pris sur eux d'en assumer le parti pris. Ce sont des naturalistes d'un genre spécial : bien plus que de représentation, nous devrions parler de présentation de la nature moderne. Il y a en effet dans toutes ces expressions objectives une évidente et inexorable finalité : celle de nous faire poser un regard neuf sur le monde. La sociologie apparaît comme le relais naturel de cette attitude présentative : le lieu commun, l'élément de rebut et l'objet de série sont arrachés au néant de la contingence ou au règne de l'inerte ; l'artiste les a faits siens et en assumant cette responsabilité possessive il leur confère pleine vocation signifiante. Le monde du produit standard, de la poubelle ou de l'affiche est un tableau permanent ; détachons-en un fragment : sa valeur d'universelle signifiance est égale à celle de l'ensemble, c'est la partie prise pour le tout.

A travers les décollages d'affiches, les accumulations ou les « piégeages » d'objets, les compressions de métal ou les propositions monochromes, nous voyons poindre l'amorce d'une poétique nouvelle, d'une expression par la quantité. Que l'artiste ait recours à un mode quantitatif, statique ou dynamique, arithmétique, physique ou spatio-temporel, il s'agit toujours d'un excès de pouvoir de l'homme vis-à-vis du réel. Mais ce forfait prométhéen s'accomplit dans la plus rigoureuse logique, qui est celle de l'objet : l'objet n'est jamais dénaturé, son expressivité intrinsèque est exaltée.

Mais cette reconnaissance de l'autonomie expressive de l'objet extérieur n'entraîne pas seulement la remise en question du concept d'œuvre d'art ; elle pose d'emblée le problème de l'interréaction des objets sur le psychisme individuel. Cette métaphysique de la technologie risque fort de déboucher sur un animisme moderne de l'objet industriel.

Et c'est là, à mon sens, que se situe le point de clivage entre Paris et New York. Plus rigoureux dans leur logique « quantitative », plus simples et plus précis dans leur présentation, plus directement appropriatifs dans leurs démarches, les Européens pour la plupart demeurent à tous les sens du terme des nouveaux réalistes.

Romantiques de cœur, cubistes d'esprit et baroques de ton, plus disponibles aussi à la tentation surréalisante, ceux qu'on appelle (encore, ou déjà) les néo-dadaïstes américains sont en train de reconstituer un fétichisme moderne de l'objet en totémisant la Buick, le Coca-Cola ou la boîte de conserve.

Confrontées à un même problème d'expressivité générale, les réactions des artistes de Paris et de New York ont été différentes. Il s'agit dans les deux cas d'artistes de la jeune génération (trente à quarante ans) ayant subi les effets directs de l'extraordinaire poussée d'accélération qui a affecté l'histoire de l'art contemporain. L'aventure a d'abord pris la forme de réactions individuelles contre le conformisme stylistique local. Si à New York on se sert du ready-made pour compenser l'usure signifiante du geste d'action painting, à Paris les nouveaux réalistes ont été écœurés par les excès du tachisme en épaisseur, ils se méfient de l'humour naturaliste dérivé de l'art brut, ils rejettent enfin l'ambiguïté de l'informel. Le recours à l'objet correspond à une volonté de généralisation, de clarification, de précision dans l'expression. La part d'élaboration est réduite au minimum, au profit du seul choix et de la responsabilité quantitative du choix.

C'est sans doute parce que la peinture américaine s'était trop systématiquement rapprochée du geste physique que tous les Rauschenberg de New York s'approprient des éléments de la réalité objective pour redonner un sens à la révolte individuelle. Phénomène capital, qui leur a permis de reprendre pied, en cédant toutefois à la magie de l'objet. Aussi leur présentation du réel apparaît-elle plus ambiguë, plus exhibitionniste, parfois plus esthétisante et d'une manière générale plus élaborée plastiquement. Les nouveaux réalistes parisiens, eux, retournent à la réalité sociologique par besoin d'air pur et non pour y respirer l'encens d'un nouveau culte. Tout se passe comme si, dans le contexte versatile de la création artistique et dans l'élaboration d'un nouveau langage, les rôles historiques étaient renversés : tandis qu'à Paris où on la découvre enfin, cette injection de sang vif s'auréole de la fraîcheur du renouveau, la « junk culture », intimement liée à la décadence organique d'une civilisation industrielle et à ses plaisirs subtils, est à New York d'essence fondamentalement passéiste. Le scrap metal y a trouvé sa dolce vita.

Du sentiment de la même réalité l'Amérique s'est forgée un passé culturel et l'Europe un avenir énergétique. Les deux attitudes — fait remarquable — se rejoignent en leurs temps morts et leurs gestes essentiels. Le romantisme est né parallèlement de la synthèse du « progressisme » français et d'une lointaine rêverie anglo-saxonne. Je me demande où va nous conduire cette rencontre d'un passé et d'un futur dans le même présent. Et si c'était à la résurrection des « cabinets de verdure » chers à Rousseau ? Ne riez pas trop vite. Le citoyen de Genève, bien sûr, nous paraît aujourd'hui plus neutre que nature. Mais si Mariner II nous apprend que Vénus est susceptible d'accueillir la vie végétale, ce nouveau monde aura grand besoin de botanistes rêveurs.

(Préface pour l'exposition The New Realists, *galerie Sidney Janis, New York, octobre-novembre 1962)*

1963, Janvier

Pierre RESTANY
Le nouveau réalisme : Que faut-il en penser ?

En général

Le nouveau réalisme est-il dada ? C'est une question à laquelle on a attaché trop d'importance : en dehors de l'art pour l'art, ou à peu de choses près, tout est plus ou moins dada aujourd'hui.

Mieux vaudrait retourner le problème : les nouveaux réalistes nous obligent à considérer Dada sous un tel angle renversé qu'on se demande si Dada existe encore, tant il a changé de couleur, de contenu et de ton.

Dada bien sûr est une farce, une légende, un état d'esprit, un mythe. André Breton avait pensé lui faire un sort en l'annexant au surréalisme. Mais le plastic de l'anti-art a fait long feu. Le mythe du non intégral a vécu dans la clandestinité entre les deux guerres pour devenir à partir de 1945 la caution d'un art autre. Table rase à la fois nécessaire et suffisante. Le zéro dada a constitué la référence phénoménologique du lyrisme abstrait.

Contrairement à l'attente générale le mythe dada a fort bien survécu aux excès du tachisme : ce fut la peinture de chevalet qui accusa le coup. Nous assistons aujourd'hui à un phénomène généralisé d'épuisement et de sclérose de tous les vocabulaires établis : à la carence vitale des procédés classiques s'affrontent — heureusement — certaines démarches individuelles tendant, quelle que soit l'envergure de leur champ d'investigation, à définir les bases normatives d'une nouvelle expressivité. Ce qu'elles nous proposent, c'est la passionnante aventure du réel perçu en soi et non à travers le prisme de la transcription conceptuelle ou imaginative. Quelle en est la marque ? L'intoduction d'un relais sociologique au stade essentiel de la communication. La sociologie vient au secours de la conscience et du hasard, que ce soit au niveau de la ferraille compressée, du choix ou de la lacération de l'affiche, de l'allure d'un objet, de son accumulation ou de sa brisure, du déchaînement de l'affectivité mécanique, de l'épandage du pigment coloré industriel. Les nouveaux réalistes considèrent le Monde comme un Tableau, le Grand Œuvre fondamental dont ils s'approprient des fragments dotés d'universelle signifiance. Ils nous donnent à voir le réel dans les aspects divers de sa totalité expressive. Et par le truchement de ces images spécifiques, c'est la réalité toute entière, le bien commun de l'activité des hommes qui est assignée à comparaître.

Avec ce regard neuf sur le monde, bien des choses prennent un sens nouveau, à commencer par les ready-made de Marcel Duchamp. Ils traduisent le droit à l'expression directe de tout un secteur organique de l'activité moderne, celui de la ville, de la rue, de l'usine, de la production en série. Ce baptême artistique de l'objet usuel constitue désormais le « fait dada » par excellence. Après le non et le zéro, voilà une troisième position du mythe : le geste anti-art devient comportement fonctionnel, un mode d'appropriation de la réalité extérieure du monde moderne, l'élément de base d'un nouveau répertoire expressif.

Tel est le nouveau réalisme : une façon plutôt directe de remettre les pieds sur terre, à ce niveau précis où l'homme s'il parvient à se réintégrer au réel, l'identifie à sa propre transcendance, qui est émotion, sentiment et finalement poésie, encore.

En particulier

En découvrant la vraie nature moderne, les nouveaux réalistes ont ouvert la brèche du conformisme abstrait. Mais leur pouvoir de choc a été utilisé à des fins plus ou moins spécieuses par d'éternels troisièmes larrons, comme on devait s'y attendre. Chez un public européen déjà pré-disposé, ce fut le prétexte d'une véritable régression figurative. La vieille querelle figuratif-abstrait est enterrée ; grâce à la photographie électronique l'informel a rejoint le clan représentatif et tout l'art abstrait lyrique risque d'y passer.

En Amérique, où l'on est plus soucieux de l'efficience, le nouveau réalisme est apparu comme un excellent « label » : il triomphe à New York sous la forme abusive d'un raz de marée du fétichisme objectif et du folklore urbain made in USA. Après l'action painting, l'Amérique est en train de se trouver un second style national : l'American New Realism. Tant pis ou tant mieux. Mais cette confusion américaine aidant, il est temps de « déposer la marque », d'en retracer l'histoire et d'en affirmer l'incontestable antériorité européenne.

A partir de 1959, et notamment lors de la Première Biennale de Paris où étaient exposés une proposition monochrome d'Yves Klein, la monumentale machine à peindre abstrait de Tinguely (Métamatic), et la palissade de Raymond Hains, j'ai pressenti le dénominateur commun de ces démarches en apparence fort diverses : un geste fondamental d'appropriation du réel, lié à un phénomène quantitatif d'expression (le primat de la couleur pure chez Klein, l'animation mécanique chez Tinguely, la sélection de l'affiche lacérée chez Hains). Chaque aventure développe sa logique interne à partir de cette position-limite qui constitue le ressort fondamental de la communication. Ce geste absolu est une mise en demeure du spectateur, dont la participation est ainsi requise. Ces idées inspirèrent le premier manifeste des « Nouveaux Réalistes » que je publiai à Milan le 16 avril 1960, en prévision d'une exposition collective qui eut lieu le mois suivant à la galerie Apollinaire. A Klein, Tinguely et Hains j'avais ajouté les affichistes Villeglé et Dufrêne, ainsi qu'Arman qui venait de réaliser sa première série d'accumulations-poubelles.

Le terme de « Nouveau Réalisme » était donc lancé. Il eut un pouvoir coagulateur immédiat. Le 27 octobre 1960, le groupe des « Nouveaux Réalistes » était officiellement fondé au domicile d'Yves Klein, en présence d'Arman, Dufrêne, Hains, Klein, Raysse, Spoerri, Tinguely, Villeglé et moi-même. César et Rotella, invités, étaient absents, mais participèrent aux manifestations ultérieures du groupe, auquel vinrent se joindre plus tard Niki de Saint-Phalle, Deschamps et enfin Christo.

Le groupe fondé, il fallut se mettre d'accord sur une formule susceptible de réaliser l'accord unanime. Qu'est-ce que le Nouveau Réalisme : de nouvelles approches perceptives du Réel. Le Nouveau Réalisme, on le voit, est une idée générale à laquelle chaque nouveau réaliste souscrit pour des motifs fort particuliers. Ce groupe est né de la prise de conscience, chez quelques artistes isolés, de préoccupations communes et de la nécessité — tout au moins momentanée — d'une action collective. Le fait capital consiste dans la rencontre de personnalités arrivées à un point culminant et décisif de leur carrière. Il ne faut pas oublier que les premières expérimentations de l'idée monochrome chez Yves Klein datent de 1946, les premiers essais de Tinguely sur le mouvement de 1948, les premières affiches lacérées de Hains et de Villeglé de 1949.

Mais c'est plus précisément entre 1958 et 1960, à la suite d'une série d'événements qui accéléra les évolutions individuelles et cristallisa la situation, que le mouvement prit sa véritable tournure. En avril 1958 Yves Klein réalise sa manifestation du Vide chez Iris Clert, point de départ d'une collaboration avec Tinguely menée à bien quelques mois plus tard, « Vitesse pure et Stabilité monochrome » (disques monochromes animés mécaniquement). Partant de ses Métamatics, Tinguely aboutira à son gigantesque Hommage à New York, première structure d'assemblage auto-destructrice de grand format (1960). En 1959 Hains expose publiquement à Paris « La Palissade des Emplacements réservés », tandis qu'Arman à Nice entreprend ses premières accumulations d'objets. 1960 est l'année du « Plein » d'Arman, des tableaux-pièges de Spoerri, du tir de Niki de Saint-Phalle, des reliefs de chiffons de Deschamps, des nouvelles orientations de Raysse (matières plastiques) et de Christo (empaquetages). Rotella sélectionne ses premières affiches cinématographiques lacérées grandeur nature. Au Salon de Mai 1960 enfin, César, à 40 ans et au risque de compromettre une brillante carrière plus traditionnelle, présente ses nouvelles sculptures : des automobiles compressées en cubes d'une tonne.

A la fin de 1960 la situation est mûre, les nouveaux réalistes ont pris conscience d'eux-mêmes et de leur singularité : à maintes reprises durant les deux ans qui vont suivre ils se manifesteront en tant que tels dans les Salons, à la galerie J et dans d'autres galeries privées tant en France qu'à l'étranger. Un festival N.R. sera organisé à Nice en juillet 1961.

Aujourd'hui en 1963, cette période-charnière est terminée. Elle a été un facteur décisif de l'évolution générale et elle à permis aux plus jeunes de ces artistes (Raysse, Deschamps, Christo notamment) de préciser leurs positions respectives et d'affirmer leurs personnalités. Les nécessités d'une action commune s'imposent moins, mais cette convergence, ces rapports et ces contacts ont créé des affinités durables, des orientations de base, des options générales. L'esprit le plus absolu du mouvement demeurera Yves Klein. Sa mort prématurée en juin 1962, à 34 ans, ne marque pas seulement la fin d'une existence à la trajectoire météorique, mais sans doute aussi d'une aventure collective à l'élaboration de laquelle il avait puissamment contribué. A chacun désormais de tirer la leçon d'une situation historique et d'en incarner les idées dans les faits. Beaucoup plus qu'un « groupe » et bien mieux qu'un « style », le Nouveau Réalisme européen apparaît maintenant comme une tendance ouverte.

(Préface pour l'exposition Les Nouveaux Réalistes, Neue galerie im Künstler Haus, Münich, février 1963. Troisième manifeste de Pierre Restany).

Bibliographie sélective

Sur le Nouveau Réalisme :

1 - Livres et articles

Pierre RESTANY — « Notre actuelle avant-garde ». *Planète* n° 1, Paris, octobre-novembre 1961, pp. 87-93.

Sacha SOSNO — « Tendances du Nouveau Réalisme niçois ». *Sud-communications* n° 1, 1961.

Roger BORDIER — « Des vicissitudes de l'objet à un art de séquelles ». *Art d'Aujourd'hui* n° 35, Paris, février 1962.

Pierre RESTANY — « Le nouveau réalisme et le baptême de l'objet ». *Combat-Art* n° 86, Paris, 5 février 1962.

William SEITZ — « Assemblage : problems and issues ». *Art International* VI/1, Zürich, février 1962.

Max KOZLOFF — « Pop culture, Metaphysical Disgust and the New Vulgarians ». *Art International* VI/2, Zürich, mars 1962.

Pierre RESTANY — « Le Nouveau Réalisme à la conquête de New York ». *Art International* VII/1, Zürich, janvier 1963.

Sonia RUDIKOFF — « New Realists in New York ». *Art International* VII/1, Zürich, janvier 1963.

Michel RAGON — « Le Nouveau Réalisme ». *Jardin des Arts*, Paris, mars 1963, pp. 55-69.

Herta WESCHER — « Quoi de neuf chez les Nouveaux Réalistes ? ». *Cimaise* n° 64, Paris, mars-juin 1963, pp. 30-50.

KWY n° 11, Paris, printemps 1963. Numéro spécial sur les Nouveaux Réalistes réalisé par Christo.

Gérald GASSIOT-TALABOT — « A propos du Nouveau Réalisme ». *Opus* n° 2, Paris, juillet 1967, pp. 77-80.

Pierre RESTANY — *Les Nouveaux Réalistes*. Editions Planète, Paris, 1968. Préface de Michel Ragon. Réédité, avec des compléments, sous le titre *Le Nouveau Réalisme*, Union générale d'éditions (collection 10/18), Paris, 1978.

Pierre CABANNE, Pierre RESTANY — *L'avant-garde au XXe siècle*. André Balland, Paris, 1969.

Lucy LIPPARD — *Pop Art*. Fernand Hazan, Paris, 1969.

Michel RAGON — *Vingt-cinq ans d'art vivant*. Casterman, Paris, 1969.

Pierre RESTANY — « Le Nouveau Réalisme, 1960-1970 ». *Chroniques de l'art vivant* n° 14, Paris, octobre 1970, pp. 10-11.

Pierre RESTANY — *Le Nouveau Réalisme* in *Depuis 45, l'art de notre temps*, volume II. La Connaissance, Bruxelles, 1970.

Jean DYPREAU — *Pop art, Nouveau Réalisme, assemblage. Affinités et contrastes* in *Depuis 45, l'art de notre temps*, volume II. La Connaissance, Bruxelles, 1970.

Danièle GIRAUDY — « La fête aux Nouveaux Réalistes ». *Chroniques de l'art vivant* n° 16, Paris, janvier 1971, p. 40.

Otto PIENE et Heinz MACK — *Zero*. Massachusetts Institute of Technology, Cambridge, 1973.

Alain JOUFFROY — *Les pré-voyants*. La Connaissance, Bruxelles, 1974.

Pierre RESTANY — « Le Nouveau Réalisme ». *Artitudes International* nos 33-38, Paris, juin 1976.

Patrice TRIGANO — « Les Nouveaux Réalistes sont entrés dans l'histoire ». *Réalités*, septembre 1976, Paris, pp. 56-65.

Sylvain LECOMBRE — « Les appropriations du Nouveau Réalisme ». *Info Artitudes* n° 11, Paris, octobre 1976, p. 4.

Jean-Pierre BORDAZ — *Les Nouveaux Réalistes et leur temps*. Maîtrise d'histoire. Université Paris VII. Octobre 1976.

Iris CLERT — *Iris-Time (l'Art-venture)*. Denoël, Paris, 1978.

Pierre RESTANY — *Une vie dans l'art*. Ides et Calendes, Neuchâtel, 1983.

25 ans d'art vivant en France 1960-1985. Larousse, Paris, 1986. Chapitre sur le Nouveau Réalisme par Daniel Abadie.

2 - Catalogues d'expositions

Les Nouveaux Réalistes. — Galerie Apollinaire, Milan, mai 1960.

A 40° au-dessus de Dada. — Galerie J, Paris, mai 1961.

Le Nouveau Réalisme à Paris et à New York. — Galerie Rive Droite, Paris, juin 1961.

The Art of Assemblage. — Museum of Modern Art, New York, octobre 1961. Texte de William Seitz.

The New Realists. — Galerie Sidney Janis, New York, octobre 1962.

Les Nouveaux Réalistes. — Neue Galerie im Künstler Haus, Münich, février 1963.

Nieuwe Realisten (Nieuw Realisme, Nieuwe figuratie, Object schildering, Pop art, Nouveau Réalisme, Traditioneel realisme, Sociaal realisme). — Gemeentemuseum, La Haye, juin 1964.

Pop Art, Nouveau Réalisme, etc. — Palais des Beaux-Arts, Bruxelles, mars 1965.

Nouveau Réalisme 1960-1970. — Galerie Mathias Fels, Paris, octobre 1970. Texte de Pierre Restany.

Nouveau Réalisme 1960-1970. — Exposition organisée par la Commune de Milan et le Centre Apollinaire. Rotonde de la Besana et actions-spectacles dans la ville. Milan, novembre 1970. Préface de Pierre Restany.

Dufrêne, Hains, Rotella, Villeglé, Vostell. Plakatabrisse aus der sammlung Cremer. — Staatsgalerie, Stuttgart, juin 1971.

72-72, douze ans d'art contemporain en France. — Grand Palais, Paris, mai 1972.

Beautés volées. — Musée d'Art et d'Industrie, Saint-Etienne. Juin 1976. Préface de Bernard Ceysson. Œuvres de Dufrêne, Hains, Rotella, Villeglé.

Paris-New York. — Centre National d'Art et de Culture Georges Pompidou, Musée National d'Art Moderne, Paris, juin 1977.

Biennale de Paris : une anthologie 1959-1967. — Fondation Nationale des Arts Plastiques et Graphiques, Paris, juin 1977.

Le Nouveau Réalisme. — Zoumboulakis Galleries, Athènes, janvier 1978. Texte de Pierre Restany.

Commémoration de la loi du 29 juillet 1881. — Galerie Mathias Fels, Paris, mars 1981. Dufrêne, Hains, Rotella, Villeglé. Texte de Villeglé.

Westkunst. — Musées de Cologne, 1981.

Paris 1960-1980. — Museum Moderner Kunst, Vienne, 1982. Texte sur le Nouveau Réalisme par Wolfgang Drechsler.

Les Nouveaux Réalistes. — Galerie des Ponchettes, Galerie d'Art Contemporain des Musées de Nice, Nice, juillet 1982. Préface de Pierre Restany.

1960, l'art en France 1957-1967. — Musée d'Art et d'Industrie, Maison de la Culture, Saint-Etienne, mars 1983. (Seul le « petit journal » de cette importante exposition a été publié).

Sur chaque artiste :

Arman

Otto Hahn. — *Arman*. Fernand Hazan, Paris, 1972.
Henry Martin. — *Arman*. Harry Abrams, New York et Pierre Horay, Paris, 1973. (La coédition française comporte en supplément un texte de Pierre Restany).
Catalogue de l'exposition rétrospective d'Arman, *La parade des objets*, Musée Picasso, Antibes, été 1983.
Jan van der Marck. — *Arman*. Abbeville Press, New York, 1984.

César

Douglas Cooper. — *César*. Bodensee-Verlag, Amriswill, Suisse, 1960.
César par César, présenté par Pierre Cabanne. — Denoël, Paris, 1971.
Pierre Restany. — *César*. André Sauret, Paris, 1975.
Catalogue de la rétrospective *César*, Musée d'Art Moderne de la Ville de Paris, novembre 1976.
Catalogue de l'exposition *César*, Fondation Cartier, Jouy-en-Josas, 1985.

Christo

David Bourdon, Otto Hahn, Pierre Restany. — *Christo*. Editions Apollinaire, Milan, 1966.
Lawrence Alloway. — *Christo*. Thames and Hudson, Londres, 1969.
David Bourdon. — *Christo*. Harry Abrams, New York, 1970.
Catalogue de l'exposition *Christo, Projekte in der Stadt 1961-1981*, Museum Ludwig, Cologne, septembre 1981.
Dominique G. Laporte. — *Christo*. Art Press-Flammarion, Paris, 1985.

Deschamps

Catalogue de l'exposition *Deschamps et le rose de la vie*, galerie J, Paris, 1962.
Catalogue de l'exposition Deschamps, *Irisation*, galleria del Leone, Venise, 1964.
Catalogue de l'exposition *Deschamps*, Centre Régional d'Art Contemporain, Châteauroux, 1980.

Dufrêne

Catalogue de l'exposition *François Dufrêne*, galerie Weiller, Paris, 1973.
Catalogue de l'exposition *Archi-made et Ouestampages ou le Blackslang*, Centre d'Art Contemporain, Rouen, 1981.
Pour François Dufrêne. — Association Polyphonix et Centre Georges Pompidou, Paris, 1983.

Hains

Catalogue de l'exposition *Raymond Hains*, Centre National d'Art Contemporain, Paris, mai 1976.
Catalogue de l'exposition *Raymond Hains*, Fondation Cartier, Jouy-en-Josas, février 1986.

Klein

Paul Wember. — *Yves Klein*. Du Mont Schauberg, Cologne, 1969.
Pierre Restany. — *Yves Klein, le monochrome*. Hachette, Paris, 1974.
Nan Rosenthal. — *The blue world of Yves Klein*. Harvard University, Cambridge, 1976.
Pierre Restany. — *Yves Klein*. Le Chêne-Hachette, Paris, 1982.
Catherine Millet. — *Yves Klein*. Art Press-Flammarion, Paris, 1983.
Catalogue de l'exposition *Yves Klein*, Centre Georges Pompidou, Musée National d'Art Moderne, Paris, mars 1983.

Raysse

Catalogue de l'exposition *Martial Raysse*, Stedelijk Museum, Amsterdam, 1965.
Catalogue de l'exposition *Martial Raysse*, Galerie Nationale de Prague, 1969.
Catalogue de l'exposition *Martial Raysse 1970-1980*, Centre Georges Pompidou, Musée National d'Art Moderne, Paris, février 1981.
Catalogue de l'exposition *Martial Raysse*, Musée Picasso, Antibes, été 1982.

Rotella

Tommaso Trini. — *Rotella*. G. Prearo, Milan, 1974. Préface de Pierre Restany.
Maurizio Fagiolo Dell'Arco. — *Rotella*. Maestri contemporanei, Vanessa, Milan, 1977.
Giuseppe Appella. — *Colloquio con Rotella*. Edizioni della Cometa, Rome, 1984.

Niki de Saint-Phalle

Catalogue de l'exposition *Niki de Saint-Phalle*, Stedelijk Museum, Amsterdam, août 1967.
Catalogue de l'exposition *Niki de Saint-Phalle, Réalisations et projets d'architectures*, galerie Iolas, Paris, 1974.
Catalogue de l'exposition *Niki de Saint-Phalle*, Centre Georges Pompidou, Musée National d'Art Moderne, Paris, juillet 1980.
Catalogue de l'exposition *Tarot cards in sculpture by Niki de Saint-Phalle*, Gimpel Fils Gallery, Londres, 1985.

Spoerri

Catalogue de l'exposition *Daniel Spoerri*, Stedelijk Museum, Amsterdam, avril 1971.
Catalogue de l'exposition *Daniel Spoerri*, Centre National d'Art Contemporain, Paris, janvier 1972.
Daniel Spoerri. *Catalogue anecdoté de 16 œuvres de l'artiste de 1960 à 1964*, galerie Bonnier, Genève, septembre 1981.
Catalogue de l'exposition *Daniel Spoerri*, Spendhaus, Reutlingen, avril 1985.

Tinguely

Catalogue de l'exposition *Machines de Tinguely*, Centre National d'Art Contemporain, Paris, mai 1971.
Pontus Hulten. — *Jean Tinguely « Méta »*. Pierre Horay, Paris, 1973.
Catalogue de l'exposition *Jean Tinguely*, Stedelijk Museum, Amsterdam, 1973.
Catalogue de l'exposition *Jean Tinguely*, Tate Gallery, Londres, septembre 1982.
Christina Bischofberger. — *Tinguely, catalogue raisonné des sculptures et reliefs 1954-1968*. Edition Galerie Bischofberger, Zürich, 1982.

Villeglé

Catalogue de l'exposition *Villeglé*, Moderna Museet, Stockholm, octobre 1971.
Catalogue de l'exposition *Villeglé*, galerie Beaubourg, Paris, avril 1974.
Villeglé. *Lacéré anonyme*. Centre Georges Pompidou, Musée National d'Art Moderne, 1977.
Catalogue de l'exposition *Villeglé, le retour de l'Hourloupe*, Maison de la Culture de Rennes, 1985.

**Les Amis du Musée d'Art Moderne de la Ville de Paris
ont édité à l'occasion de cette exposition des œuvres originales de :**

Arman

César

Rotella

Villeglé

Que ces artistes soient remerciés pour leur participation
ainsi que la Société Schweppes-France
et la galerie Beaubourg, Marianne et Pierre Nahon.

**DU MUSÉE D'ART MODERNE
DE LA VILLE DE PARIS**

PHOTOCOMPOSITION
PHOTOGRAVURE
IMPRIMERIE JACQUES LONDON
13, rue de la Grange-Batelière
75009 Paris

———

Achevé d'imprimer le 9 mai 1986

ISBN : 2-85346-012-6